D0409820

**Openbare Bibliotheek
De Hallen**
Hannie Dankbaarpassage 10
1053 RT Amsterdam

afgeschreven

DE BUDGET-BRUID

Anna Bell

De budget-bruid

Uit het Engels vertaald door Mieke Vastbinder

VAN HOLKEMA & WARENDORF
Uitgeverij Unieboek | Het Spectrum bv, Houten – Antwerpen

Oorspronkelijke titel: *Don't Tell the Groom*
Vertaling: Mieke Vastbinder
Omslagontwerp: Andrea Barth | Guter Punkt
Omslagillustratie: Brown Media en Shutterstock
Opmaak: ZetSpiegel, Best

ISBN 978 90 00 33453 7 | NUR 302

© 2013 Anna Bell
© 2014 Nederlandstalige uitgave: Uitgeverij Unieboek | Het Spectrum bv,
Houten – Antwerpen
Eerste druk 2014
Oorspronkelijke uitgave: Quercus Editions Ltd

www.annabellwrites.com
www.unieboekspectrum.nl

Van Holkema & Warendorf maakt deel uit van
Uitgeverij Unieboek | Het Spectrum bv
Postbus 97, 3990 DB Houten

Alle rechten voorbehouden. Niets uit deze uitgave mag worden verveel-
voudigd, opgeslagen in een geautomatiseerd gegevensbestand, of open-
baar gemaakt, in enige vorm of op enige wijze, hetzij elektronisch, me-
chanisch, door fotokopieën, opnamen, of enige andere manier, zonder
voorafgaande schriftelijke toestemming van de uitgever.

Voor zover het maken van kopieën uit deze uitgave is toegestaan op
grond van artikel 16 Auteurswet 1912, juncto het Besluit van 20 juni
1974, Stb. 351, zoals gewijzigd bij het Besluit van 23 augustus 1985, Stb.
471 en artikel 17 Auteurswet 1912, dient men de daarvoor wettelijk ver-
schuldigde vergoedingen te voldoen aan de Stichting Reprorecht (Postbus 3060, 2130 KB, Hoofddorp). Voor het overnemen van gedeelte(n) uit
deze uitgave in bloemlezingen, readers en andere compilatiewerken dient
men zich tot de uitgever te wenden.

Voor Steve: zonder jouw aanmoediging
waren de woorden nooit geschreven.

1

Iedere vrouw zou zich op haar trouwdag een prinses moeten voelen. Dat is zo'n beetje de wet. Zo voel ik me dan ook als ik omlaagkijk naar mijn glinsterende japon, een japon die alleen maar tandengeknars zou ontlokken aan de suikerspinnen van Mary Berry, zo licht en luchtig is hij.

Wanneer mijn vader en ik op de bruidsmars de kerk in zweven, weet hij zich ternauwernood goed te houden. Hij heeft een brok in zijn keel en volgens mij zie ik een traantje in zijn ooghoek. Terwijl ik het gangpad door loop zie ik al mijn vrienden en familie stralend naar me kijken. Ik weet wat ze denken: dat ik de mooiste jurk aanheb die ze ooit hebben gezien. Allemaal, behalve tante Dorian. Haar gezicht staat op zeven dagen onweer omdat vergeleken hierbij de bruiloft van mijn dierbare nicht Dawn in het niet valt.

Dan zie ik mijn knappe bruidegom, voor mij nummer één op de wereldranglijst. Daar staat hij in zijn maatpak supersexy te zijn. En ik word over een paar minuten mevrouw Mark Robinson. Het nummer 'Mrs Robinson' van de Lemonheads galmt door mijn hoofd en overstemt de bruidsmars.

Daar zit mijn moeder, op de voorste rij. Ze zit er vergenoegd bij. Ik kan nu al bijna zien wat ze dit jaar in haar kerstbrief schrijft. De kinderen van al haar vriendinnen zullen zich minderwaardig voelen bij het zien van de foto's van Mark en mij, zo oogverblindend als we erop staan op de mooiste bruiloft aller tijden.

De zaal van het kasteel ziet er nog mooier uit dan ik me had kunnen voorstellen. De kaarsen in de nissen stralen een schimmig licht uit, en de eenvoudige houders met witte rozen op lange stelen, die langs het gangpad aan de banken zijn bevestigd, maken het helemaal een sprookje.

Aan het eind van het pad kom ik bij Mark aan. Hij buigt zich naar me toe en fluistert dat ik er oogverblindend uitzie, net als prins William tegen Kate zei. Ik lach terug en kijk in zijn ogen, wat makkelijker gaat dan anders vanwege mijn schitterende Jimmy Choos, waarop ik nog maar drie centimeter kleiner ben dan hij.

Ik geef mijn boeket weer aan mijn vriendin Lou, mijn getuige, die een eenvoudige, lila jurk in empirestijl aanheeft, die ik bijna net zo lieftallig vind als mijn eigen japon. Naast haar staat mijn zus met mijn engelachtige en schattige nichtje aan haar been.

Dit is de mooiste dag van mijn leven. Ik ben een prinses.

Op dat gelukzalige moment maakt mijn computer het ergst denkbare geluid. Het synthetische gejuich schudt me wakker uit mijn dagdroom, en ik zit weer in mijn piepkleine logeerkamertje. De strategische belichting van de kaarsen is vervangen door het schemerlicht van de spaarlamp, en in plaats van Jimmy Choos en een Vera Wang-japon heb ik een slobberspijkerbroek, een oversized wollen trui en een paar pantoffels met cartoonfiguren aan.

De woorden op het beeldscherm staan er in fluorescerend geel: BINGO. Ik wilde het net roepen. Ik hoefde nog maar één cijfer. Dit was de allesbepalende ronde. De ronde die ik zou winnen. De ronde waarmee ik de Jimmy Choos ook echt had kunnen kopen. Die me een stap dichter bij mijn droombruiloft had gebracht. De bruiloft in het kasteel waar ik de mooiste bruid was die iedereen ooit heeft gezien.

En nu heeft 'LuckyLes11' mijn vijfhonderd pond gewonnen. Vaarwel Jimmy Choos.

Als ik een bingoronde verlies, trekt er een misselijk gevoel door mijn lichaam. Dat gevoel is des te erger als ik zó dicht bij het winnen ben dat ik het geld al bijna heb uitgegeven.

Niet dat ik dit vaak doe, dat begrijp je. Af en toe maar. Toevallig zat ik nu even, terwijl ik zat te wachten tot Mark thuiskwam van zijn werk, door het laatste nummer van *Bruidsdromen* te bladeren en stond er een top-10 van populaire trouwschoenen in. Ik werd meteen verliefd op paar nummer twee en ik dacht dat een spelletje 90-ballen-bingo me vijfhonderd pond op weg zou helpen naar de vijfhonderdvijftig die de schoenen kosten. Die schoenen waren gewoon voor mij.

Blijkbaar waren ze dat niet. LuckyLes heeft vast dikke enkels en kan ook helemaal geen Choos hebben. Niet dat ik een rancuneus persoon ben.

'Shit.' Dat is het geluid van de voordeur. Mark is thuis.

Sneller dan je 'Vaarwel Jimmy Choos' kunt zeggen, sluit ik Fizzle Bingo af en zet ik *private browsing* af. Tegen de tijd dat Mark binnen is en ik hem zijn schoenen hoor uit schoppen, zit ik zomaar wat door Amazon te surfen op zoek naar boeken. Jezus, wat ben ik snel, of geroutineerd… Hoe dan ook, het voelt alsof ik m'n vriend bedrieg.

Jazeker, dat hoor je goed: *m'n vriend*. Je had verwacht dat ik 'verloofde' zou zeggen, toch? Gezien het feit dat ik de mooiste bruiloft ooit heb gepland en omdat ik de perfecte trouwschoenen probeerde te winnen?

Maar we zijn niet verloofd. Dat wil niet zeggen dat we niet gaan trouwen, want dat gaan we wel. We zijn alleen nóg niet verloofd, maar we gaan ons wel verloven. We hebben een trouwfonds en zo. Mark, hopelijk binnenkort mijn verloofde, is heel verstandig. Hij heeft ons leven in stadia uitgestippeld.

'Penny?'

'Ik zit boven.'

'Ben je klaar om te gaan?' vraagt hij, terwijl hij de deur opendoet.

'Ja,' zeg ik, en ik sla het dekbed terug en laat zien dat ik helemaal ben aangekleed en onder de dekens geen pyjama aanheb.
'Wat is er?'

Mark had me die dag al een sms gestuurd om te zeggen dat hij me mee uit eten nam. Dat kan op een maandag maar één ding betekenen: het onbeperkt-eten-buffet bij de Indiër bij ons in de buurt. Om een of andere reden hebben ze de airco altijd aanstaan, zelfs in de winter, dus ik ben passend gekleed, dat wil zeggen: in lagen waar het michelinmannetje jaloers op zou zijn.

'Trek je dat aan als ik je op een etentje trakteer?'

'Ja, maar ik dacht dat we misschien ook iets konden halen en een filmpje konden kijken. Dan kunnen we in bed eten.'

Misschien moet ik nu even zeggen dat ik een pesthekel heb aan eten in bed. Maar er zijn drie dingen die je moet weten: 1) het is januari, 2) ons Victoriaanse rijtjeshuis heeft geen goedwerkende cv en 3) ons bed is het lekkerste bed ter wereld. Er is weinig wat me op dit moment mijn bed uit kan krijgen. Zelfs niet de gedachte aan onbeperkt papadums eten.

'In bed? Ben je wel helemaal lekker? Nee, kom, ik heb zin om uit te gaan. We zijn al in geen eeuwen uit geweest. En nu ik niet voor mijn examens hoeft te leren heb ik zin in een spontane actie. Je weet wel, dat je je stout voelt als je op een doordeweekse avond uitgaat.'

'Als jij je stout wilt voelen, kan ik me wel iets anders voorstellen om met je te doen.' Op dit moment zou ik alles doen om in bed te kunnen blijven. Nou ja, bijna alles – ik ben geen fan van *Vijftig tinten grijs*.

'Penelope, kom van dat bed en trek een jurk aan. We gaan uit.'

O, jee. Hij speelt de Penelope-troef. Dat betekent dat er wat zwaait. Voor ik het weet, staat Mark me van het bed te trekken.

'Als ik een jurk aan moet, waar gaan we dan heen?' vraag ik

zuchtend. Als we geen curry gaan eten, heb ik wel zin in pizza, misschien bij Pizza Express of Ask.

'Ik heb een tafel gereserveerd bij Chez Vivant.'

'Chez Vivant? Hoe heb je dáár een tafel kunnen krijgen?'

Mijn stem is een octaaf gestegen. Chez Vivant, voor degenen die niet op de hoogte zijn, is in mijn wijk hét restaurant. Het is het soort gelegenheid waar mensen eten die in hun privévliegtuig naar en van Farnborough vliegen, voordat ze verder vliegen naar hun exotische bestemming. Er is een wachtlijst van hier tot Tokio en het heeft een stel Michelinsterren. Mark en ik hebben het nog nooit met een bezoek vereerd.

Het is het restaurant waar Mark me in mijn fantasieën mee naartoe zou nemen om me dé vraag te stellen. Opeens klinkt het nummer van de Lemonheads luid en snel in mijn hoofd. Ik krijg hartkloppingen en het koude zweet breekt me uit. Hierop heb ik gewacht.

'Ik moet hun zaken gaan regelen, en als dank voor het uitzoeken van de rotzooi die de vorige accountants van hun teruggave hebben gemaakt, hebben ze ons een etentje daar aangeboden.'

De Lemonheads op repeat komen met piepende remmen tot stilstand. Ineens snap ik het. Mark was niet van plan een extra hypotheek op ons huis te nemen om me dé vraag te stellen. Hij trakteert me kennelijk op een gratis etentje van zijn werk.

'Super,' zeg ik. Ik moet de teleurstelling uit mijn stem weren. Ik ga wel naar Chez Vivant. Mijn vriendinnen zullen groen en geel van jaloezie zien. En een paar maanden geleden zijn Posh en Beckham er gesignaleerd, dus wie weet zie ik er nog wel iemand die enigszins bekend is, zoals iemand van *The Only Way Is Essex*.

'Kom op. De reservering is om halfacht, dus we moeten opschieten.'

'Oké,' zeg ik. Halfácht? Dan heb ik nog geen uur. Een uur voordat we weg moeten! Mark begrijpt kennelijk niet dat je een afspraak bij de kapper maakt als je naar een tent als Chez

Vivant gaat. Minder dan een uur voorbereidingstijd is een onmogelijkheid.

Precies een uur later lopen we bij Chez Vivant naar binnen. Zo zie je maar weer dat de juffen en meesters op school gelijk hadden: ik zou iets van mijn leven kunnen maken als ik maar wilde.

Voor deze keer heeft mijn pluizige haar zich met hangen en wurgen op tijd glad laten föhnen, en tot dusverre is het dankzij een hele bus haarspray in een wrong blijven zitten.

Ik heb ook een walgelijk dure jurk aan, zo eentje die ik echt een keer zal dragen, Mark, echt waar. En kijk: nu heb ik hem aan. Het heeft maar drie jaar geduurd, en ik weet niet of je dit nou waar voor je geld noemt, maar het is een juweeltje. En ik heb er zelfs een echte, ultradunne string en een sexy, kanten, strapless beha onder aan. Natuurlijk zitten die vreselijk, maar het effect van het geheel is het waard.

Het is alleen jammer dat de schoenen die ik aanheb van Next zijn en niet de Jimmy Choos die ik had kunnen hebben als die LuckyLes11 er niet was geweest. Ik doe mijn ogen dicht. Daar mag ik van mezelf nu niet aan denken. Bovendien, ook al had ik gewonnen, dan was er nog geen Jimmy Choo-winkel in Farnborough geweest waar ik naartoe had kunnen racen om ze te halen.

'Wat zie je er prachtig uit,' zegt Mark terwijl we onze jassen in de garderobe ophangen. 'Ik heb nog overwogen je op het bed te gooien en toch maar niet uit te gaan.'

En dat zegt hij nu! Als ik had geweten dat ik alleen maar deze jurk hoefde aan te trekken om ervoor te zorgen dat hij in bed wilde blijven, dan had ik hem twee uur geleden al aangehad. Maar wat zeur ik nou? Ik sta in Chez Vivant!

Binnen ziet het er precies zo uit als ik me heb voorgesteld. Er hangen enorme kristallen kroonluchters aan het plafond. Gordijnen van dik, rood fluweel omlijsten de eetzaal. Er wordt zelfs een zwart-witfilm op het plafond geprojecteerd. De chic druipt ervan af.

'We hebben gereserveerd onder de naam Robinson,' zegt Mark tegen de oberkelner.

Wat klinkt hij hier ongelooflijk volwassen en zelfverzekerd. Hier binnen lopen geeft me plotseling het gevoel dat ik een kind ben dat binnenkomt op een feest voor volwassenen. Ik krijg ineens het idee dat iedereen in het hele restaurant naar me zal kijken alsof ze weten dat we gratis eten en dat we het ons normaal gesproken niet kunnen veroorloven om hier te eten.

Laat het celebrityspotten maar zitten. Ik ben als de dood dat er iemand naar me kijkt, inschat hoeveel mijn jurk kost en hoe lang hij al uit de mode is.

De oberkelner gunt ons een discreet, deftig knikje en gaat ons voor het restaurant door. Op dat moment zie ik de vloer. Hij is superglanzend en ingelegd met kleine diamantjes. De lampen weerkaatsen in de glinsters en twinkelen als sterren in een nachtelijke hemel. Ik zou diep onder de indruk zijn, maar de vloer is naast superglanzend ook superglad. Ik had net zo goed zolen van ijs kunnen hebben, want ik lijk absoluut geen grip te hebben.

Weg is de paniek dat mensen me naar mijn uiterlijk zullen beoordelen. Nu zullen ze me beoordelen naar het feit dat ik loop te waggelen als een eend en met mijn armen door de lucht maai alsof ik een koorddansact doe. Net voor ik in een spagaat val weet ik Marks arm te grijpen. Ik had niet alleen mijn wonderbaarlijke jurk al op zijn eerste avondje uit in tweeën kunnen scheuren, maar met de nihilistische string die ik aanheb zou ik ook de eetlust van veel gasten kunnen bederven.

'Alstublieft,' zegt de oberkelner, zich niet bewust van de Bambi-op-het-ijs-act die ik achter zijn rug heb uitgevoerd. Hij wijst een paar gordijnen in de hoek aan en ik vraag me af waar hij ons naartoe brengt. Hij trekt ze open en ik zie een tafel en twee met fluweel beklede banken. Misschien laten ze de gordijnen dicht als het niet bezet is, zodat het restaurant voller lijkt. Ik schuif op de bank. Hij zit bijna net zo lekker als mijn bed; misschien was het toch een goed idee om eruit te komen. Terwijl Mark zich tegenover me op de bank nestelt, trekt de oberkelner de gordijnen om het zitje heen dicht.

O, jee, ze schamen zich echt dood met ons in de zaak.

'Zijn wij zo'n beetje het zwarte schaap van de familie?' Ik denk dat ik er maar beter een grapje van kan maken voordat Mark zich gaat schamen.

'Hoe bedoel je?'

'Nou, hij heeft de gordijnen dichtgedaan.'

'Pen, dat is om ons privacy te geven. Dit soort zithoekjes is voor gasten die willen dat hun diner wat beslotener is.'

'O. Oké,' zeg ik. 'Dat wist ik wel.'

Dat wist ik níét. Nu zitten we hier vast de hele avond te rammelen van de honger omdat we zo nooit de kelner kunnen wenken.

Mark drukt op iets wat eruitziet als een deurbel, en even later komt er een kelner tussen onze gordijnen door.

'Kan ik u helpen?'

'Om te beginnen een fles Châteauneuf du Pape, alsjeblieft,' zegt Mark.

Met de wijnkaart voor mijn neus zakt mijn mond open bij het zien van de prijzen. Goddank eten we gratis.

'Een uitstekende keuze, meneer. Ik zal hem meteen brengen.'

Een minuutje later komt de kelner zoals beloofd en schenkt hij me de beste wijn in die ik ooit heb geproefd. O, wat een leven hebben andere mensen! Hier zou ik best aan kunnen wennen.

'Op het begin van een prachtige avond,' zegt Mark, en hij heft zijn glas.

Ik klink mijn glas tegen het zijne en zorg ervoor dat we intens oogcontact hebben. Hoe intenser het oogcontact, hoe intenser de seks, althans, dat zegt mijn vriendin Lou altijd.

Tegen de tijd dat mijn uit drie delen bestaand dessert er is, zit ik vol, maar ik ga hier echt niet vandaan zonder minder dan drie gangen te eten. Vooral als er iemand anders dan Mark betaalt.

Hoe komt het dat eten altijd lekkerder is als iemand anders betaalt?

Mark drukt op het knopje.

'Ik krijg echt niets meer naar binnen, Mark,' zeg ik, kreunend vanwege mijn volle buik.

'Een fles Moët, graag,' zegt Mark tegen de kelner.

Moët? Ze zullen ons bij een gratis etentje echt geen Moët geven, hoor. Zo stom zijn ze toch niet? Anders moet mijn vriendje Mark wel de allerbeste accountant ter wereld zijn.

'Waarom doe je dat nou?' sis ik naar hem.

'Omdat we, Penny, iets te vieren hebben?'

'O, ja?' zeg ik. 'Wat vieren we dan?'

Misschien vieren we dat hij is uitgeroepen tot 's werelds beste accountant. Misschien is dit het begin van nog meer gratis etentjes.

'Dit,' zegt Mark.

Mijn god. Daar ligt hij in zijn hand. Stadium vier van het levensplan dat Mark voor ons heeft uitgestippeld. Beter bekend als verlovingsring. Een kleine, volmaakt gevormde, princess-gesneden diamant die aan alle vier de voorwaarden voldoet (kleur, slijpsel, helderheid en karaat) en die verreweg het mooiste is wat ik ooit heb gezien.

'En, wil je met me trouwen, Penelope?'

Gelukkig hangen er gordijnen. Meer kan ik niet zeggen. Ik vlieg Mark om de hals als een wanhopige, ouwe vrijster die dacht dat dit moment nooit meer zou komen.

'Natuurlijk wil ik dat, mafkees.'

'Ahum.'

Ik stop met het uitgehongerd zoenen van Marks gezicht en veeg verlegen mijn mond af, want de kelner staat naast ons de champagne te openen.

'Op jou, de toekomstige mevrouw Robinson,' zegt Mark, terwijl hij zijn glas heft.

We klinken, en deze keer klinken er geen Lemonheads in mijn hoofd, alleen maar de bruidsmars.

Ik werp een blik omlaag, naar de ring aan mijn vinger. Hij heeft een perfect gewicht zodat ik weet dat ik iets heel bijzonders en waardevols aan mijn linkerhand heb. Het lijkt wel of er aan mijn linkerringvinger mijn hele leven iets heeft ontbroken. Nu is hij eindelijk zijn maagdelijkheid kwijt en voelt hij compleet.

Ik sta op het punt me te verliezen in een trouwfantasie waarin ik op zoek ga naar de jurk die volmaakt bij mijn ring past, maar dan besef ik dat Mark tegen me praat.

'We moeten de bankafschriften voor het bruiloftsfonds er eens bij halen om te zien hoe spectaculair we onze bruiloft kunnen maken.'

O jee. Mijn wangen voelen aan als beton wanneer ik alle spieren inspan om mijn glimlach te houden waar hij zit. Mark kan de bankafschriften niet bekijken, want die rekening is gekoppeld aan mijn bingoaccount. En dan ziet hij al die betalingen voor mijn bingowinsten. Ook al heb ik er waarschijnlijk duizenden ponden bij gewonnen, het feit dat ik bingo speel, zal hij nooit goedkeuren.

'En als ik de bruiloft nu eens plan, schatje? Dan wordt dat mijn cadeau aan jou, en hoef jij alleen maar te komen opdagen. Net als in dat tv-programma *Verras de bruid*. Alleen wordt het dan "Verras de bruidegom".'

'Dat klinkt nog beter. Op ons,' zegt hij, en hij neemt een slokje champagne.

'Op ons,' echo ik. O, shit. Ineens is er heel veel waarmee ik de bruidegom zou kunnen verrassen.

2

'Weet je zeker dat je niet liever meteen naar bed gaat?' vraag ik. 'Ik bedoel, moeten we onze verloving niet consummeren? Het is toch niet bindend als we het niet hebben gedaan?'

Ik kijk op naar Mark in de hoop dat de verlokking om mij naakt te zien sterker is dan zijn instincten als accountant.

'Kom op, we hebben er nog niet naar gekeken, zodat we een grote verrassing zouden hebben als we ons hadden verloofd. Ik wil alleen maar weten hoe groot die bruiloft wordt die jij gaat plannen.'

Ik laat na Mark te corrigeren dat we er nog niet naar hebben gekeken omdat ik niet wilde dat hij mijn bingoverdiensten zou zien, die erbij zijn gekomen.

'Oké,' zeg ik met tegenzin.

Zo had ik me mijn verlovingsnacht niet voorgesteld. Ik had me voorgesteld dat we gillend met onze intimi aan de telefoon zouden hangen, maar het was maandagavond en al na tienen, dus we hadden bedacht dat we dat genoegen voor de dag erna zouden bewaren. En wanneer we het van de daken hadden geschreeuwd, zag ik zo voor me dat we, zodra we een stap over de drempel hadden gezet, een vrijpartij op de trap zouden

17

hebben. Niet dat ik denk dat het a) erg lekker zou liggen op onze houten trap of b) lekker warm zou zijn in ons slecht verwarmde huis. Maar als je je net hebt verloofd, word je toch verondersteld dat soort hartstochtelijke dingen te doen. Bankafschriften bekijken komt niet in mijn fantasieën voor. Nou ja, dat zal er wel bij horen als je met een accountant gaat trouwen.

In mijn sexy jurk, zelfophoudende kousen en Marks kamerjas ga ik op het bed in de logeerkamer zitten, en hij geeft me de enveloppen met onze bankafschriften.

Ik haal diep adem. Je moet begrijpen dat vijfhonderd pond bij een bruiloft een enorme krater slaat. Het is het verschil tussen het wel of niet hebben van luxedingen als een goochelaar om de gasten te vermaken, of een kraam met suikerspinmachine en snoep bij de receptie 's avonds.

Ik zoek het meest recente afschrift door naar de datum op de envelop te kijken en met angstige, bijna dichtgeknepen ogen kijk ik ernaar. Staat daar vijftienduizend vierhonderd zesendertig pond? Er breekt een glimlach door op mijn gezicht. Vijftienduizend is goed, hoewel ik had verwacht dat het rond de twintigduizend lag. Maar met vijftienduizend ligt de Vera Wang-jurk nog steeds binnen bereik, toch?

'En over hoeveel hebben we het?' vraagt Mark.

Ik was bijna vergeten dat hij in de kamer was. Ik zat me voor te stellen dat ik een suikerspin at zonder op mijn Vera Wang-jurk te knoeien.

'Dat vertel ik je niet, Mark. We zouden toch doen dat ik jou niets vertelde? Ik vind dat we dat serieus moeten nemen. Bovendien zou jij er waarschijnlijk een spreadsheet van maken en dan zou het op het fiasco uitdraaien net als toen met de huishoudkosten.'

Mark maakt elk jaar een allesomvattende spreadsheet voor ons huishoudelijk budget. Het was al erg om te constateren dat we elke veertien dagen drie pond vijftig uitgeven aan wc-papier, maar toen schikte hij de gegevens zo, dat ik kon zien dat het eenennegentig pond per jaar kostte en dat dat bedrag letterlijk door de plee werd gespoeld. Dat is een paar laarzen!

'Oké,' zegt Mark mokkend.

Ik kijk weer naar het afschrift en sta op het punt nogmaals weg te dromen in een trouwfantasie, maar dan kijk ik nog eens naar het totaalbedrag. Ik weet toch zeker dat er net nog 15.436,50 stond. Maar nu lijken er tienduizend pond te ontbreken. Dat kan niet kloppen.

'Wat is er, Pen?'

Door mijn afgrijzen bij het besef dat ik het totaalbedrag verkeerd heb gelezen, had mijn glimlach plaatsgemaakt voor een paniekerige uitdrukking.

'O, niets. Ik werd een beetje treurig toen ik besefte dat mijn oma niet bij de bruiloft kan zijn,' lieg ik. Nu ga ik zeker naar de hel. Mijn arme overleden oma hiervoor gebruiken!

Mark masseert meelevend mijn voeten om me te troosten, en ik probeer mijn gezicht weer in een gemaakte glimlach te plooien. Ik trek zo'n gezicht dat je opzet als je een cadeautje in het bijzijn van de gever openmaakt, waarvan je zeker weet dat je het vreselijk vindt. Een glimlach die steeds breder en gemaakter wordt en die vergezeld gaat van een hoofdknik op het moment dat je de magnetronsloffen die naar je oudtante ruiken uit het papier trekt.

5.436,50 pond. Hoe kan dat nou? Bij elkaar hadden we het afgelopen jaar zo'n achtduizend pond aan bonussen. Waarom staat er nu maar de helft van dat bedrag?

Mark heeft er toch geen gebruik van gemaakt? Waar zou hij het geld aan hebben uitgegeven? Mijn ogen vallen op mijn prachtige, volmaakte, glinsterende ring. Nee. Dat toch niet. Hij zou het trouwfonds toch niet hebben gebruikt om de verlovingsring van te betalen? Hij weet vast wel dat het trouwfonds daar niet voor is en dat hij die van zijn eigen rekening hoort te betalen.

Natuurlijk weet hij dat. Bovendien heb ik de betaalkaart van de rekening. We dachten alleen dat ik degene zou zijn die dat geld zou uitgeven. En dat betekent dat er een andere verklaring moet zijn voor het verdwijnen van het geld.

Ik probeer me te richten op de uitgaande en binnenkomende betalingen, maar het zijn er zoveel.

Inwendig ben ik in alle staten en vraag me af waar mijn geld in godsnaam is, maar uiterlijk heb ik die gemaakte glimlach op mijn gezicht die Mark heel blij lijkt te maken.

Langzaam maak ik nog een paar enveloppen openen lees ze door. Ik glimlach en knik intussen. Ik zie duidelijk welk geld bijgeschreven is van Marks rekening en van die van mij, maar er staan zoveel afschrijvingen bij die naar Carnivore Services gaan. Dat zegt me helemaal niets. Het klinkt als een of ander supermannelijk datingbureau of een chique slagerij. Het klinkt niet als iets wat op het afschrift van mijn trouwfonds hoort te staan.

En waar zijn alle betalingen van het geld dat ik met Fizzle Bingo heb gewonnen?

Dit zijn mijn transacties niet. Iemand heeft duidelijk van mijn rekening gestolen en die Carnivore-onderneming betaald voor wat ze ook aan diensten bieden.

Ik moet naar de bank en eisen dat ze het probleem voor me oplossen. Ik hoef nog maar negen uur te wachten tot hij opengaat, en o ja, ik moet ook nog naar mijn werk. Om een of andere reden kan ik niet te laat komen met een verlovingsring aan mijn vinger en dan zeggen dat ik met spoed naar de dokter moet. Ze zullen op z'n minst denken dat het een moetje is.

'Tja, nu we weten dat we een grootse bruiloft gaan vieren, vind ik dat we onze verloving toch maar moeten consummeren,' zegt Mark.

Ik kijk naar hem op en zorg ervoor dat ik de namaakglimlach op zijn plaats hou. Seks is wel het laatste waar ik nu aan denk. Waarom kon hij niet net als alle normale, warmbloedige mannen zijn en eerst met me vrijen, in plaats van naar de bankafschriften kijken?

Ik stop de afschriften weer in de map, en op dat moment laat Mark zijn handen over mijn dijen omhoogglijden. Terwijl ik eigenlijk als een ware Miss Marple het mysterie van de carnivoor wil oplossen, roept een andere stem in mijn hoofd dat de bank dit akkefietje in een wip heeft opgelost en dat ik me toch echt even moet concentreren op het feit dat mijn verloofde mijn kousen met zijn tanden aan het uittrekken is. Ja, ik hoef me echt geen zorgen te maken. Wie weet geeft de bank ons wel extra geld, je weet wel, als compensatie voor het trauma dat we hebben doorgemaakt. Misschien is het wel genoeg om witte duiven op de bruiloft los te laten.

Het is al erg om in je lunchpauze naar de bank te moeten, maar het is nog erger als je daarvoor het aanbod van je collega's moet afslaan om naar de pub te gaan. Ze wilden mijn verloving met me vieren. Maar ik moet het vieren door bij de bank in de rij te staan, samen met de rest van Farnborough. Ik werp een blik op mijn horloge. Als ik geluk heb haal ik deze eeuw, en misschien zelfs deze lunchpauze, de balie nog.

Ik heb sinds gisteravond niet veel meer over de afschriften nagedacht. Ik ben vrij snel in slaap gevallen, dankzij de stoute dingen die Mark met me heeft gedaan en de hoeveelheid alcohol die we hebben gedronken. En vandaag heb ik amper tijd gehad om aan andere dingen te denken dan aan hoeveel geluk ik heb om met de mooiste verlovingsring ter wereld rond te lopen. Uit het hele kantoor kwamen collega's kijken naar de diamantendans die ik heb geperfectioneerd met mijn hand. Maar nu ik in de rij naar voren schuifel word ik misselijk. Ik weet wel dat het te maken kan hebben met de alcohol die Mark en ik gisteren hebben gedronken, maar dit voelt toch anders.

'Kan ik u helpen?' vraagt de vrouw achter de balie op een manier die de indruk wekt dat ze nog liever haar ogen met een vork uitsteekt.

'Ik heb vreemde transacties op mijn rekening gezien, en ik denk dat iemand anders mijn geld heeft uitgegeven.'

'Oké. Mag ik uw gegevens?'

Ik geef haar een van de verfrommelde bankafschriften en ze typt het nummer in.

Ze blijft eindeloos omlaagscrollen.

'Wat zijn de vreemde transacties?'

'Er zijn er een paar van Carnivore Services en ik weet niet wie dat is. Ze hebben ongelooflijk veel geld van mijn rekening gehaald en het is ons trouwfonds. Ik heb me net verloofd, kijk maar.'

'O, wat leuk.'

'Dank je,' zeg ik, en ik wuif met mijn hand zodat mijn verlovingsring het licht weerkaatst. Het lijkt een automatisme te worden dat hoort bij mijn melding dat ik me heb verloofd.

'Het lijkt een automatische betaling,' zegt de dame. 'En het gebeurt sinds augustus jongstleden. Hebt u niet eerder iets gemerkt?'

'Nee, meestal maak ik mijn afschriften niet open,' zeg ik zacht.

De vrouw rolt met haar ogen.

'U weet dat u wettelijk verplicht bent om ze open te maken?' zegt ze streng. 'Oké. Ik denk niet dat ik dit kan oplossen. Ik denk dat ik een afspraak voor u met de manager moet maken. Kunt u volgende week?'

'Nee!' Ik gil het bijna. 'Ik moet dit vandaag regelen. Ik bedoel, het moet echt. Als iemand mijn geld heeft gestolen, hoe weet ik dan dat ze niet nog meer gaan stelen? Ik zou toch denken dat u als bank zulke dingen serieus neemt.'

Ik kijk om me heen om te zien of de andere klanten kijken, en dat doen ze.

Duidelijk in verlegenheid gebracht met de potentiële slechte pr, mompelt de baliemedewerkster dat ze zal zien of de manager tijd heeft.

Na een paar minuten en nogal wat ongeduldige geluiden uit de rij komt de vrouw terug. 'Mevrouw Holmes, kunt u even meelopen?' vraagt de bankmanager, die uit het kantoor komt.

Ik gun hem mijn breedste glimlach die het feit moet goedmaken dat ik waarschijnlijk omgeven word door een kegel van dranklucht.

'Ik heb een snelle blik op uw afschrift geworpen en het lijkt er normaal uit te zien. Het is geen vreemde transactie te noemen,' zegt hij als we in zijn kantoor zitten. Ik had me geen zorgen hoeven maken over mijn alcoholgeur – zijn kantoor ruikt overweldigend naar sandwiches met ei en waterkers, het stinkende soort, en het heeft niet bepaald een positief effect op mijn misselijkheid.

'Maar ik weet niet wat die Carnivore Services zijn,' zeg ik gefrustreerd.

Als een bedrijf als Carnivore Services niet vreemd klinkt, dan weet ik niet wat dan wel vreemd klinkt.

Hij slaakt zo'n diepe zucht dat de papieren op zijn bureau erdoor opvliegen en weer neervallen. Hij tikt op zijn computer. Dat vind ik altijd zo verontrustend bij banken. Ik ben altijd als de dood dat ze over geheime informatie beschikken. Of dat ze je rekening analyseren om te zien of je je slipjes bij Ann Summers of M&S koopt. Wat ze ook op hun computer doen, ik krijg altijd het gevoel alsof ik ben misbruikt.

'O,' zegt de bankmanager.

'O' is nooit een goed teken. Hij neemt me van top tot teen op en kijkt me medelijdend aan. Ligt het aan mij of ontwijkt hij daarna mijn blik?

'Wat is er?' vraag ik.

Ik leg mijn armen op de armleuningen van de stoel en grijp ze vast, alsof ik in een opstijgend vliegtuig zit. Mijn knokkels zijn wit aan het worden en ik word weer misselijk. En deze keer komt het niet door mijn kater of door de eierlucht.

Ik weet precies wat hij nu gaat zeggen. Mijn verloofde Mark heeft gebruikgemaakt van een vampierenescortservice, Carnivore Services. Dat is de enige logische verklaring. Dat was tijdens de rit naar de stad in me opgekomen.

De bankmanager weet nu dat ik een overspelige verloofde

heb en heeft medelijden met me. Zal ik hier in zijn kantoor in huilen uitbarsten?

'Zo te zien is Carnivore Services…'

Waarom stopt hij nu? Dit is verdorie de *X Factor* niet. Er is hier geen publiek dat vol verwachting de adem inhoudt. Er komen geen partypoppers met serpentine en er is hier geen Dermot O'Leary die zijn armen om me heen slaat om me te troosten. Hij moet gewoon met de walgelijke waarheid op de proppen komen.

'Laat ik het anders zeggen, mevrouw Holmes. Hebt u de site Fizzle Bingo bezocht?'

'Eh, ja, inderdaad, maar ik snap niet wat dat ermee te maken heeft. Nu u het er toch over hebt, hun betalingen zijn niet bijgeschreven op mijn rekening. Dat is een van de redenen waarom ik denk dat uw gegevens niet kloppen en dat mijn rekening per ongeluk met die van iemand anders is gekoppeld. Volgens mij…'

'Mevrouw Holmes.'

Hij heeft me midden in mijn zin onderbroken zonder het me te laten uitleggen.

'Mevrouw Holmes, Carnivore Services is het bedrijf dat Fizzle Bingo runt. Ik heb via Google gezocht en op de FAQ van hun site staat dat ze als Carnivore Services op uw afschrift staan.'

Dat is allemaal te veel om te bevatten. Als dat Fizzle Bingo was, waarom was al dat geld dan afgeschreven? Waar was het geld van mijn winsten? En zeg nou niet dat ze er een zootje van hebben gemaakt en dat ik moet proberen het uit te zoeken.

'Maar dat kan niet. Ik bedoel, ik win. Ik win heel vaak.'

De bankmanager zucht weer. 'Verliest u ook wel eens?'

'Soms.' Ik bedoel, ik verlies best wel eens. De meeste avonden dat ik speel verlies ik wel. Je weet wel, een rondje. Maar dan win ik weer. Ik weet zeker dat ik waarschijnlijk meer win dan verlies. Maar het is zo moeilijk om bij te houden wat er allemaal gebeurt omdat al die mensen er zijn om mee te praten. Zoals Bride2BKay, met wie ik graag over bruiloften klets, en bitchySue. We kraken altijd mensen af die winnen. In het geniep, natuurlijk. Daarbij komt dat ik veel fantaseer over mijn bruiloft. Soms besef ik ineens dat ik ongemerkt meerdere spelletjes tegelijk heb gespeeld.

Mijn god. Hoe lang heb ik dat gedaan?

'Dus volgens u heb ik echt nog maar vierenvijftighonderd en zesendertig pond op mijn rekening staan.'

De woorden lijken in mijn keel te blijven steken: mijn keel die ineens opvallend droog is geworden.

'En vijftig cent,' zegt de bankmanager.

Ik slik. Vijftig cent? Daar koop ik nog geen pakje confetti voor.

'Maar ik begrijp het niet. Echt niet.'

Ik kijk op naar de bankmanager en wacht op wijze woorden. Ze hebben vast heel vaak met dit soort dingen te maken, toch? Ze kunnen waarschijnlijk goede raad geven. De volgende stap is dat hij een kop sterke koffie voor me maakt en dat we doornemen wat ik het beste kan doen. Misschien moet ik mijn overgebleven vijfduizend investeren in een fonds met een hoge rente. Mark en ik hebben nog niet eens een datum geprikt; we hebben vast nog heel veel tijd voor de grote dag. En tussen nu en die dag zal ik heel braaf zijn en niets voor mezelf kopen, dan is het geld binnen de kortste keren bijgeschreven. Of ik kan proberen het geld met bingo terug te winnen…

'Oké, mevrouw Holmes. Eigenlijk had ik pauze, dus als u het niet erg vindt…'

Hij gebaart naar de deur. Ik denk echt dat hij wil dat ik wegga.

'Neemt u niet met me door wat er is gebeurd? Gaat u niet mijn rekening met me doorzien en vertellen wat voor opties ik heb? U weet wel, een rekening met hoge rente, hoogrenderende fondsen?'

'Hoge rente? U maakt een grapje. In deze economie bestaat

hoge rente niet. Luister, voor advies bent u hier aan het verkeerde adres. Ik ben geen problemenrubriek.'

'Wat moet ik dan doen? Ik moet een bruiloft plannen.'

'Ik kan u niet helpen, mevrouwtje. Als ik u was, zou ik een staatslot kopen. Maar met uw gokgewoonte is dat waarschijnlijk geen goed idee.'

Hé, schreeuw ik inwendig. Ik ben geen verslaafde. Zo klink ik vies en vunzig. Ik heb alleen maar een beetje zitten bingoën terwijl ik tv keek. Dat is toch echt heel iets anders dan mannen die de hele dag bij de bookmakers zitten.

Hij trekt zijn la open en haalt er een visitekaartje uit.

'Maatschappelijk werk?' zeg ik, het kaartje hardop voorlezend.

'Yep, ga er maar eens langs. Dan voelt u zich een stuk beter.'

Hij staat nu op; ik kan echt niet langer in de bank blijven. Op weg naar buiten weet ik niet wat ik moet doen. Hoe vertel ik Mark dat ik ruim tienduizend pond heb verloren met internetbingo spelen?

Mark lacht altijd als die reclames voor bingo op tv zijn en zegt: 'Dan ben je toch wel heel zielig, als je bingo speelt.' Ik lach altijd maar mee en denk: wacht jij maar tot wij die geweldige bruiloft hebben, dan zal ik je wel over het bingo vertellen.

Maar er komt geen bruiloft want we hebben maar vijfduizend pond. Tenzij we stiekem trouwen, maar dan worden we allebei onterfd.

Wat moet ik dan doen? Dan krijg ik een idee. We trouwen gewoon volgend jaar. Wie zegt ook dat we snel moeten trouwen? We stellen het nog even uit en dan spaar ik me helemaal suf.

Ja, dat is het. Volgend jaar trouwen. We hebben toch geen haast? We hebben nog tijd genoeg voor we overgaan tot stadium vijf van ons levensplan (trouwen) en stadium zes (kinderen krijgen). Nog zeeën van tijd.

3

'Van de zomer?' zeg ik beduusd. Het koude zweet breekt me uit, en dat heeft niets te maken met mijn kater van de verlovingsviering met onze vrienden van gisteravond, en alles met de bankafschriften. 'Van de zomer, dit jaar nog?' vraag ik weer, gewoon om zeker te weten dat ik haar goed heb gehoord.

'Inderdaad, Penny,' zegt oma Violet.

'Maar dan hebben we toch niet genoeg tijd om te plannen?' zeg ik geschrokken. Of om het geld aan te vullen dat ik met internetbingo heb verloren.

'Natuurlijk wel. In mijn tijd trouwden mensen een paar weken nadat ze hun verloving bekend hadden gemaakt. Natuurlijk spaarden mensen een hele poos voordat ze trouwden.'

Mijn wangen beginnen te gloeien van schaamte, wat ze altijd doen als oma Violet erop zinspeelt dat we in zonde leven. Op dat front is ze niet onze grootste fan. Ze komt zelden bij ons binnen in ons rijtjeshuis. Ik denk dat ze bang is dat ze zal worden geveld door het kwaad dat daarbinnen huist.

'Dat soort dingen gaat tegenwoordig een beetje anders,' zegt Mark, die zijn hand uitsteekt naar zijn tweede Battenbergcakeje. 'Je moet de feestlocatie lang van tevoren boeken.'

Ik glimlach naar Mark en mijn hartslag vertraagt tot een normaler tempo voor rusttoestand, in plaats van een tempo tijdens een spinningtraining.

'We denken dat het ergens volgend jaar wordt,' zeg ik. Ik heb erover nagedacht en als ik echt hard spaar, zoiets als vijfhonderd pond per maand, dan heb ik het trouwfonds weer aangevuld. Ik heb er nog niet zo bij stilgestaan hoe ik vijfhonderd pond per maand ga sparen, maar ik weet zeker dat ik wel ergens op kan besparen. Waarschijnlijk hoef ik mijn haar niet te laten verven – een streng grijs hier en daar is tegenwoordig toch best cool? En ik weet zeker dat ik kan ophouden met schoenen kopen. Nee, echt. Ik zou best kunnen stoppen met schoenen kopen.

'O, nee, Penny, daar komt niets van in. Ik denk niet dat ik nog zoveel tijd heb.'

Marks oma gaat altijd een beetje op de doemdenkerige toer als er over de toekomst gesproken wordt. Volgens mij is dat haar manier om ervoor te zorgen dat iedereen vaker bij haar langskomt. Voor het geval het het laatste bezoekje is. Hopelijk ben ik op mijn achtentachtigste minder zwartgallig.

'Maar als we volgend jaar trouwen, hebben we nog volop keus in locaties.'

'Nee, volgend jaar vind ik niet goed. Ik zou het niet kunnen verdragen te weten dat ik er niet bij zou zijn als mijn jongste kleinzoon trouwt. Je wilt toch niet trouwen zonder mij, hè, Mark?'

Ik wist niet dat ik de trouwdatum met oma Violet moest afstemmen. Ik kijk Mark aan. Hij zal toch wel ingrijpen en mannelijk kordaat optreden? Maar als ik hem zo zie zitten, besef ik naar welke vrouw in de kamer hij zal luisteren.

'Maak je geen zorgen, oma. We kunnen het best naar voren schuiven. Ja toch, Pen?'

Ik wil niet zeggen dat dat absoluut niet kan, maar kennelijk was Marks vraag van retorische aard.

'Ik weet zeker dat we in september of oktober terechtkunnen voor een mooie herfstbruiloft.'

Ik probeer niet weg te dromen in een bruiloft met herfst-thema waarin ikzelf een japon in donker ivoor draag, en mijn bruidsmeisjes jurken in het bruin of vlammend oranjebruin, met gedroogde bloemen in ons haar. Voordat ik begin na te denken over bloemschikkingen, roep ik mezelf tot de orde. We kunnen echt niet in september of oktober trouwen, hoe mooi een herfstthema ook zou zijn. Tenzij we het tot in het extreme doorvoeren en een variatie doen op het oogstfeest zoals we vroeger op school hadden, waarbij je zelf bakjes eten meeneemt. Deze keer eten we het dan zelf op in plaats van het aan de armen te geven.

Voordat ik kan tegenstribbelen dat dat veel te vroeg is, zit oma Violet alweer met haar hoofd te schudden.

'Nee, nee, nee, Mark. Dat is veel te ver weg. Jullie moeten het echt eerder doen. Mei, bijvoorbeeld.'

Mei? Wat probeert oma Violet me aan te doen? Als het zo doorgaat ben ik degene die onze bruiloft niet haalt, als ik mijn hart zo tekeer voel gaan. Het duurt nog maar drieënhalve maand voordat het mei is. Over drieënhalve maand trouwen is absoluut onmogelijk.

'Is er iets wat je ons moet vertellen, oma?' vraagt Mark. Ik zie de bezorgdheid op zijn gezicht.

'Ik vind alleen dat je trouwen beter in mei kunt doen.'

'Nou, dat is prima, hè, Pen? We weten toch dat je de bruiloft al helemaal hebt ingevuld op je moodboards en op Pinterest.'

Ik werp Mark een snelle blik toe en vraag me af wat hij nog meer weet over mijn geheime planning van de bruiloft. Als hij het over Pinterest weet, weet hij ook misschien over mijn onlinelidmaatschap van Confetti en Hitched. En als hij daarover weet, wat weet hij dan van het bingo? Maar ik schud mijn hoofd. Als hij het wist, dan had ik helemaal geen bruiloft om te plannen.

'Dat is een hele opluchting,' zegt Violet, terwijl ze me aankijkt.

Iets in haar blik zegt me dat ze weet wat ik heb gedaan. Het lijkt wel alsof ze weet dat ik een rotte appel ben met wie haar kleinzoon helemaal niet moet trouwen. Misschien is dit een test.

'Ja, dan wordt het dus mei,' zeg ik, en ik beantwoord Violets blik om te laten zien dat ik niet bang ben. 'Ik kan in drie maanden wel een bruiloft plannen. Geen enkel probleem.'

'Fantastisch,' zegt Violet, terwijl ik datgene probeer te verwerken waarmee ik net heb ingestemd.

Was ik maar even enthousiast.

Eigenlijk weet ik niet waarom ik heb gezegd dat ik oma Violet wel even naar de bibliotheek zou brengen. Ik had gewoon de benen moeten nemen. Waarschijnlijk heb ik naïef gedacht dat ik de tijd in de auto wel kon gebruiken om de datum weer wat verder weg te krijgen. Zelfs als we kozen voor Marks herfstvoorstel zou ik nog wel wat geld kunnen sparen.

'Oké, Penny. Ik heb ongeveer een halfuur nodig om boeken uit te kiezen. Is dat goed?'

Ik werp een blik op mijn horloge. Dan ben ik nooit op tijd terug voor de herhaling van *Midsomer Murders*. 'Ja, hoor, Violet. Doe maar rustig aan.'

Violet loopt weg met een veerkrachtige tred waarbij ik me afvraag of ze wel een dame van achtentachtig is die volgend jaar misschien niet meer onder ons is.

Ik ben in geen jaren in de bibliotheek geweest en ik kijk rond om te zien of het er is veranderd. Ik ben nog steeds bang dat ik te luidruchtig ademhaal. Ik loop wat rond om te zien of ik iets leuks kan vinden en zie dan een bordje op de deur. MAATSCHAPPELIJK WERK. Ik herinner me het kaartje dat de bankmanager me heeft gegeven en dat hij zei dat ze me zouden kunnen helpen.

Ik loop naar de deur, kijk achterom om te zien of oma Violet niet kijkt, en als ik haar blauwspoeling bij de grootletterboeken zie, loop ik snel de deur door.

Ik wacht op een ongemakkelijke, plastic stoel, en het duurt niet lang voordat een vrouw haar hoofd om de hoek van een werkkamer steekt.

'Wilt u binnenkomen?'

Ik loop achter haar aan, een kleine kamer in en ga tegenover haar zitten. Hier zitten de stoelen iets beter; het lijkt wel alsof ik promotie maak richting kamer van de hoofdmeester.

'Wat kunnen we voor u doen?'

Ik had verwacht dat de vrouw ouder zou zijn, maar ze is waarschijnlijk halverwege de dertig. Ik had me voorgesteld dat de wijsheid van een oud dametje zou komen.

'Nou, ik heb eigenlijk financieel advies nodig.'

'Goed. Hebt u schulden?'

'Niet echt.'

'U hebt schulden of u hebt ze niet.'

'Dan niet,' zeg ik ter verheldering. Jeetje, deze vrouw houdt niet van half werk.

'Nou, wat voor problemen hebt u dan, als het geen schulden zijn?'

'Ik ben tienduizend pond kwijtgeraakt.'

'Tienduizend pond van uw geld?'

'Nou ja, het was een gezamenlijke rekening.'

'Hm. Die van u en…?'

'Mijn verloofde,' zeg ik en ik maak het onvermijdelijke dansje met de hand met diamant, waar ik onmiddellijk spijt van heb.

'Juist,' zegt de vrouw alsof ik knettergek ben. 'Dus u zegt dat u tienduizend pond bent kwijtgeraakt. Hoe is dat gegaan?'

'Bingo.'

'Hebt u tienduizend pond verloren door bingo te spelen?'

Het klinkt echt vreselijk als je het zo hardop zegt. Ik kan me er niet toe zetten iets te zeggen, zo erg zit ik me te schamen. Mijn blik is strak gericht op het oude, bruine vloerkleed en ik knik slechts.

'Oké. Nou, dat is niet best, hè? Juist, dus u hebt een gokverslaving.'

'Ik ben niet verslaafd.'

Ik wil dat iedereen weet dat ik niet verslaafd ben. Het is niet zo dat ik er niet mee zou kunnen stoppen. Ik weet zeker dat ik er zo mee zou kunnen ophouden.

'U hebt tienduizend pond verloren met bingo spelen. Ik neem aan niet in één keer?'

Ik schud mijn hoofd.

'Ik vind het vervelend om te zeggen, maar ik denk echt dat u er waarschijnlijk aan verslaafd bent. Wanneer was de laatste keer dat u hebt gegokt?'

'Een paar avonden geleden.'

Veroordeel me nou niet. Ik moest gewoon nog één keer spelen voordat ik ermee ophield. Zodat ik heel misschien wel al mijn geld terug zou winnen en er geen probleem meer was.

'En wat waren die tienduizend pond? U zei dat u geen schulden had, dus was het tienduizend pond spaargeld of stond het op de lopende rekening?'

'Spaargeld.'

'Goed, waar hebt u advies over nodig?'

Wat een vragen. Maar ze kan me nog steeds niet vertellen wat ik moet weten.

'Ik wil weten hoe ik het geld kan terugkrijgen. Mijn verloofde en zijn oma willen dat we in mei trouwen, en ik wil weten hoe ik met vijfduizend pond een bruiloft van twintigduizend kan betalen.'

'Ik ben bang dat ik u daarmee niet kan helpen. Wilt u wat informatie over praatgroepen van Anonieme Gokkers?'

'Ik ben geen gokker.'

'Luister, u lijkt me een aardig meisje.'

Bij dat compliment ga ik een beetje meer rechtop zitten.

'Maar u moet wel beseffen dat u waarschijnlijk een probleem hebt. Of u het nu onder controle hebt of niet, het is nogal wat. Ik stel voor dat u in therapie gaat, of naar Anonieme Gokkers. Of in elk geval een praatgroep.'

Ik baal van het feit dat ze me een gokker blijft noemen. Gokkers zijn mensen met echte problemen. Net als vorig jaar, toen er een man bij ons op kantoor was die zoveel had gegokt dat zijn huis in beslag werd genomen. Dat was vreselijk. Ik moest hem helpen een tijdelijk onderkomen te zoeken en de administratie te regelen om een faillissement aan te vragen.

De adviseur trekt een la open en geeft me een flyertje van een plaatselijke praatgroep voor gokkers. Uit beleefdheid neem ik het aan. Ik kan het buiten altijd nog weggooien.

'Kunt u me niet helpen?' vraag ik smekend. De bankmanager heeft me hierheen gestuurd, en nu laat ook zij het koppie hangen. Wat is dat toch met dit soort mensen?

'Ik ben bang dat ik geen therapeut ben. Ik ben hier om u advies te geven. Zoals hulp zoeken.'

'Fijn,' zeg ik sarcastisch. Het komt er negatiever uit dan ik bedoel.

'Het spijt me, maar ik doe mijn best voor u.'

Nu bezorgt ze me een schuldgevoel.

'Nee, dat snap ik wel, echt wel. Het spijt me. Ik ben hier nogal van streek door. Dit is helemaal niets voor mij, snapt u? Dit soort dingen doe ik meestal niet.'

De vrouw knikt alsof ze dat al duizenden keren heeft gehoord.

'Nee, echt. Zulke dingen overkomen mij anders nooit. We waren voor onze bruiloft aan het sparen en we deden het heel verstandig. Het is allemaal begonnen toen Mark voor accountant studeerde en ik aan de bruiloft dacht en aan het feit dat Mark er meer geld aan kon bijdragen dan ik. Op een avond bedacht ik dat ik het op een andere manier kon proberen.'

Hield ze nou maar op met knikken; ze doet me denken aan zo'n knikkend hondje op de hoedenplank van auto's. Van die hondjes waar ik jeuk van krijg.

'Waarom stelt u de bruiloft niet uit tot u genoeg hebt gespaard? Ik neem aan dat uw toekomstige man van uw gokverslaving afweet?'

Ik durf haar niet aan te kijken omdat ik haar afkeurende blik niet wil zien.

'Denkt u niet dat u het beste kunt beginnen met hem in vertrouwen te nemen?'

'Luister, ik heb alleen advies nodig om aan geld te komen,' zeg ik, niet op haar opmerking ingaand. Dit kan ik Mark echt niet vertellen. Absoluut niet.

'Oké,' zegt de vrouw met een zucht. 'Meestal praat ik met mensen over hoe ze met schulden moeten omgaan, maar misschien kunnen wij het hebben over hoe u kunt besparen op kosten, als u uw bruiloft niet wilt uitstellen. Hebt u overwogen om minder geld uit te geven?'

'Niet serieus. Ik heb van de week naar investeringen en rentetarieven gekeken, maar in drie maanden lukt het me nooit dat geld aan te vullen.'

'Oké,' zegt de vrouw na een lange stilte. Ze begint tegen me te praten zoals je tegen een simpele ziel praat. 'Wat dacht u ervan om een budget van vijfduizend aan te houden voor uw bruiloft?'

Ik lach hardop. Ik lach alsof dat het grappigste is wat ik ooit heb gehoord. Een bruiloft voor vijfduizend pond. Ze maakt zeker een grapje. Ik kijk haar aan. Ze maakt duidelijk geen grapje.

'Hoe speel ik dat dan klaar?'

Daar heb je die hartkloppingen weer. Ik begin in paniek te raken en mijn ademhaling wordt oppervlakkiger. Ik krijg het gevoel dat ik stik.

'Volgens mij is het handig om twee lijsten te maken. Op de eerste stel ik voor dat u alles opschrijft wat u zou willen, een droombudget, om het zo maar te noemen.'

Dat is makkelijk. Die lijst zou ik zo uit mijn hoofd opsommen, zo goed weet ik dat.

'Goed, dat is makkelijk.'

'Ja, die lijst is altijd makkelijk. Op de volgende lijst stel ik voor dat u de kosten inschat op basis van het budget dat u werkelijk hebt.'

'Maar dan moet ik vijftienduizend pond besparen. Hoe moet ik dat klaarspelen?'

'Begin eens met het maken van een lijst en sorteer de din-

gen onder kopjes als: ESSENTIEEL, LEUKE EXTRA'S en LUXEDINGEN.
Dan kunt u de essentiële dingen doorlopen en manieren bedenken om het goedkoper te maken.'

'Hoe moet ik dat doen? Trouwen in een jutezak?'

'Nee, je kunt ook een goedkopere trouwjurk kopen. Bij een huwelijk gaat het niet alleen om de bruiloft, weet u dat?'

Zeg dat maar tegen de tijdschriften waar ik me de laatste twee jaar op heb geabonneerd. Ik wil niet overkomen als een doorgeslagen bruiloftplanner. Ik sta namelijk met beide benen stevig op de grond. Ik wil alleen zo graag een prinsessenbruiloft. Ik wil het niet hoeven doen met alleen het hoognodige.

'Alsjeblieft,' zegt ze. Ze steekt haar hand uit en pakt een van die handige foldertjes en geeft het aan mij. Er staat ZUINIG AAN, WEG MET JE SCHULDEN.

'Pakkende titel,' zeg ik.

'Helaas is deze het meest in trek. Voor u is het iets anders omdat u geen schulden hebt, maar de principes zijn hetzelfde. Het draait om het maken van een budget en je eraan houden. Is er verder iets waarmee ik u kan helpen? Misschien wilt u vrijwilligerswerk doen om bezig te blijven zodat u niet meer kunt gokken?'

Heeft deze vrouw me niet gehoord? Ik probeer geld te verdienen, niet mezelf weg te geven.

'Ik denk van niet,' zeg ik in een poging beleefd te blijven.

'Nou, als er verder niets is...'

'Nee,' zeg ik. Ze heeft mijn droom van een kasteelbruiloft al naar het rijk der fabeltjes verwezen en me het gevoel gegeven dat ik zou moeten optreden in het tv-programma *Dat lossen we samen wel op.*

'Goed. Nou, succes met de bruiloft.'

'Bedankt,' mompel ik, terwijl ik de folders in mijn zak prop.

Wat moet ik nu in hemelsnaam doen? Gedachten aan Mark flitsen door mijn hoofd. Het is ook zijn bruiloft die ik aan het verpesten ben. Ik heb tegen hem gezegd dat ik een superspectaculaire bruiloft voor hem zou plannen, en nu heb ik het helemaal verknald. Ik heb ons zuurverdiende geld verspild aan lege dromen. En nu zitten we straks bonen op toast te eten als bruiloftsontbijt.

Ik loop de ruimte van de bibliotheek weer in en ga als in trance aan een van de tafels bij de computers zitten. Ik werp een blik op de bezuinigingsfolder die de vrouw me heeft gegeven. Meestal doe ik niet aan budgetvoorspellingen, ik werk in HR, maar als je dit leest, krijg je de indruk dat het niet zo moeilijk is. Ik pak een pen uit mijn tas en begin met het opschrijven van de belangrijkste dingen.

Tegen de tijd dat ik TROUWJURK (3000 POND), PAKKEN EN JURKEN BRUIDSMEISJES (1500 POND) en ENTERTAINMENT RECEPTIE (2000 POND) heb opgeschreven, is mijn budget al aan diggelen. Ik ga door met de lijst en zet er zaalhuur, cateringkosten, alcohol, auto's op, en voor ik het weet zie ik mijn droombudget van 21.000 pond staan.

Ik haal diep adem en doe een wanhopige poging wat innerlijke rust van mijn yogales op te roepen. Mijn pen hangt boven het bedrag van de trouwjurk. Daar kan ik geen geld van afhalen, toch? Ik bedoel, het is de enige trouwjurk die ik ooit zal dragen.

Wonder boven wonder lukt het me om van alle andere bedragen iets af te krijgen. Ik bedoel, Mark hoeft toch niet per se een maatpak van Savile Row aan? We kunnen zijn pak toch ook huren? En de bruidsmeisjes vinden het vast niet erg om een jurk uit de winkel aan te trekken in plaats van eentje die op maat is gemaakt. En misschien hoeven er geen honderd gasten te komen. Als we er bijvoorbeeld tachtig vragen, besparen we op zowel catering als alcoholkosten. Zie je wel? Ben ik toch nog een slimme bespaarder.

Maar als ik de berekeningen heb gemaakt, komt er toch geen haalbaar bedrag uit. Ik weet wat ik moet doen. Mijn pen hangt boven het bedrag voor de trouwjurk, en ik moet beide handen gebruiken om er een streep door te zetten. Daar gaat mijn hoop op een designerjurk.

Ik kijk neer op mijn budget op het papier en huiver van afgrijzen.

Trouwjurk ~~Vera Wang~~	~~3000~~	1000
Pakken/jurken bruidsmeisjes	~~1500~~	700
Locatie		4000
Catering ~~100~~ 80 gasten, 80 pp	~~8000~~	6400
Alcohol	~~1000~~	800
Entertainment: band en dj	~~2500~~	1500
Overig (fooi/auto's/cadeautjes/enz)	~~1000~~	700
Totaal	~~**21.000**~~	**15.100**

Ik kan wel janken. Als ik nooit bingo had gespeeld, dan was dit het budget geweest. En dat ziet er heel haalbaar uit. Maar nu wordt dat budget, dankzij mijn Fizzle Bingo-avontuur, overschreden met 10.000 pond. Penny in de bocht, met haar po ging op meer dan twintigduizend te komen! Als ik niet zo geobsedeerd was door het idee van een Vera Wang-jurk, hadden we een prachtige bruiloft kunnen hebben.

Hoe langer ik naar de bedragen kijk, hoe minder mogelijkheden ik zie om nog meer op de bruiloft te besparen. Echt niet. De bedragen zien er nu al zo mager uit als ik ze maar kan maken.

Dat laat me geen andere keus. Op een of andere manier moet ik tienduizend pond zien te vinden zonder dat Mark er iets van weet. Fijn. Nog een geheim dat ik mijn bruidegom niet mag vertellen. Ik tel de bedragen bij elkaar op met de rekenmachine op mijn mobieltje. Ik moet gewoon elke maand tot de bruiloft 3300 pond sparen. En dat lukt nooit. Om te beginnen verdien ik lang zoveel niet. Tenzij ik er een baan bij neem, maar hoe zou ik dat moeten doen zonder dat Mark er iets van weet? Ik werk nu al fulltime.

Jammer dat Carnivore Services geen echt escortbureau blijkt te zijn, anders had ik bij hen kunnen gaan werken. Ik zal een andere manier moeten vinden om aan het geld te komen.

'Alles goed, Penny?' vraagt oma Violet, die achter me is komen staan. Volgens mij kijkt ze me onderzoekend aan.

'Ja, hoor, dank je,' zeg ik tussen opeengeklemde kaken door. Zij kan er ook niets aan doen dat ik niet de bruiloft van mijn dromen krijg, maar toch baal ik van haar voorstel de bruiloft in mei te houden.

'Ik heb een boek voor je meegenomen,' zegt Violet, en ze geeft het me.

Het is *Hoe plan ik mijn bruiloft* van rond 1970.

'Dank je.'

'Graag gedaan, liefje. Met dat boek is die bruiloft een fluitje van een cent.'

Ik kijk oma Violet aan en wou dat dat waar was. Op een of andere manier weet ik dat het plannen van mijn bruiloft geen fluitje van een cent wordt.

4

'En wanneer is de grote dag?' vraagt Jane

Ik kan haar wel iets doen, maar dan besef ik dat ze met een fles Veuve Clicquot staat te zwaaien. Bij een gevecht zou ze die maar laten vallen, en dat zou zonde zijn. Ik hou me in, pak de fles en geef haar man Phil en haar een luchtzoen.

'Kom op, zeg, ze hebben zich net verloofd,' zegt Phil.

Dank je, Phil. Tenminste íemand die zijn hersens gebruikt.

'Maakt niet uit, lieverd. Na al die jaren begrijp je nog niets van vrouwen, en je kent Penny kennelijk ook niet zo goed. Ze is al jaren in het geheim bezig deze bruiloft te plannen.'

Het is duidelijk mijn eigen schuld dat dat het enige onderwerp is dat mensen te binnen schiet als ze mij zien. Voordat we ons verloofden, had ik het al vaak over bruiloften, dus iedereen neemt aan dat ik gewoon doorstoom met de planning, en ze vinden het heel normaal om naar details te vragen als de datum en wat ik aantrek.

'Laat die ring eens zien,' zegt Jane. Voor ik het verplichte handgebaar kan maken, pakt ze mijn hand. Ik hoef geen moeite te doen om de diamant in het licht te laten glinsteren omdat ze mijn hand naar alle kanten kantelt om mijn ring te inspecteren.

'Uitstekende keuze,' zegt Jane tegen Mark, terwijl ze bij ons thuis de gang in loopt.

'Dank je,' zegt Mark, en hij straalt van trots. 'Kom toch binnen!'

We begeven ons naar de zitkamer en Mark trekt een fles prosecco open die in de koelkast heeft gestaan. Ik ga op de armleuning van de bank zitten en probeer mezelf voor te houden dat Jane me niet beoordeelt. Het feit dat Phil en zij in een chique woning wonen, die je een villa kunt noemen, met vijf slaapkamers, wil niet zeggen dat ze mijn woonkamer of kleren beoordeelt. Ze is de enige vrouw voor wie ik me drie keer zou omkleden voordat ik een besluit kon nemen, of eigenlijk voordat ik geen tijd meer heb. Ik heb nu een Karen Millen-jeans aan die ik een keer in de uitverkoop heb gekocht, en een dikke, wollen trui. Dit staat mijlenver af van mijn gebruikelijke, zaterdagse slobberkloffie van een verbleekte joggingbroek en een capuchonsweater.

'Wachten we op Louise en Russell?' vraagt Jane, terwijl ze nieuwsgierig naar de vazen bij de open haard kijkt.

Ja, gelukkig wel, zeg ik bijna.

'Ze zullen zo wel komen,' zeg ik met een blik op mijn horloge. Ik had ze gevraagd of ze er een halfuur geleden wilden zijn, dus naar hun trage standaard zouden ze er elk moment kunnen zijn.

Denk alsjeblieft niet dat ik een hekel aan Jane heb, want dat is niet zo. Mark is Phils beste vriend, en daardoor heb ik zijn vrouw Jane de afgelopen paar jaar redelijk goed leren kennen. Het is alleen dat ze er altijd uitziet om door een ringetje te halen. Er zit geen haartje scheef en ze heeft nooit uitgroei. Ze geeft me altijd het gevoel gewoontjes te zijn, de arme tak van de familie, en daardoor duurt het altijd even voor ik me in haar bijzijn kan ontspannen als we de enige vrouwen in de kamer zijn. Maar Lou is mijn beste vriendin en die is het tegendeel van Jane: zo ongekunsteld als wat.

Ik weet nooit of het een goed idee is om hen tweeën samen

uit te nodigen, maar omdat Phil Marks getuige is en Lou de mijne, dachten we dat we er een gezellige lunch van konden maken. Of dat dacht Mark in elk geval toen hij hen uitnodigde tijdens onze avond in het café om onze verloving te vieren. Zelf ga ik alles wat met trouwen te maken heeft uit de weg tot ik heb bedacht hoe ik tienduizend pond kan stelen, lenen of aan een boom kan laten groeien.

'Ik wil alles horen over je aanzoek. Ik hoor van Phil dat het bij Chez Vivant was. Heerlijk restaurant. Ik neem altijd hert. Wat heb jij genomen, Penny?' vraagt Jane.

Ik wil net antwoord geven als de deurbel gaat. Nu hoef ik tenminste niet te bekennen dat ik heel saai biefstuk met pepersaus heb genomen. Ter verdediging is aan te voeren dat het een van mijn lievelingsgerechten is, en om Chez Vivant en zijn torenhoge rekening eer aan te doen, moet ik zeggen dat het elke penny waard was.

'Ben zo terug,' zeg ik en ik ren naar de deur om Lou en Russell binnen te laten. In de gang geniet ik heel even van de stilte en het ontbreken van trouwgesprekken. Helaas hebben we een grote ruit van matglas in de deur en kunnen ze me zien staan niksen.

'Hallo, lekker ding,' zegt Lou als ik de deur opendoe.

Ze geeft me nog een fles bubbels en ik ga hen voor naar de zitkamer, waar er nog meer gezoend wordt en meer wijn wordt ingeschonken. Sinds ik de kamer ben uit gelopen, is het onderwerp tot mijn grote opluchting veranderd in de jaarlijkse gang van Phil en Jane naar een exotische bestemming waar wij alleen van kunnen dromen. Dit jaar hebben ze kennelijk de Turks- en Caicoseilanden geboekt. Stel je er de verlangende blikken bij voor die Lou en ik uitwisselen.

De lunch is voorbijgegaan in een waas van overdadig eten, of in mijn geval een overdadige hoeveelheid wijn. De jongens zijn net stoute schooljongens als ze bij elkaar zijn. Vandaag zijn ze goed in vorm en vliegen de grappen en grollen je om de oren.

'We hebben het nog niet over de bruiloft gehad,' zegt Jane. Bijna spuug ik mijn dessert uit, maar dan herinner ik me de strijd die ik heb moeten leveren om de laatste doos profitero-les in de wacht te slepen. Uit respect probeer ik ze zo lang mogelijk in mijn mond te houden.

'We kunnen niet over de bruiloft praten. Tenminste, niet waar ik bij ben,' lacht Mark.

Yes! Dank je, Mark. Dat 'Verras de bruidegom' is toch niet zo'n slecht idee.

'Hoe bedoel je?' vraagt Jane. Ze kijkt van mij naar Mark alsof ze bij een tafeltenniswedstrijd zit.

'Penny vond het een leuk idee om de bruiloft zelf te plannen. Je weet wel, net als in het programma *Verras de bruid* op tv, maar wij doen "Verras de bruidegom".'

'Wat een wereldidee. Ik wou dat ik niets over onze bruiloft had geweten. De aanloop, met die Bridezilla daar, was een nachtmerrie.'

O, wat heb je nou gedaan, Phil? Janes gezicht staat op onweer. Ze heeft net een profiterole zo woest aan haar vork geprikt dat de slagroom helemaal over mijn mooie ecru tafelkleed is gespat.

'Nou, sommige dingen zal ik wel te horen krijgen. Zoals wanneer het is, hoop ik,' zegt Mark. Hij probeert duidelijk het gesprek in luchtiger banen te leiden omdat er in de eetkamer een verstikkende spanning hangt.

'Het leek me wel een leuk idee,' zeg ik met een nerveuze lach.

'Ik vind het briljant,' zegt Lou. 'Weet je wat? Laat de mannen maar afruimen, dan gaan wij in de zitkamer lekker bijkletsen.'

Dat was Lous manier om wat vrouwelijke solidariteit te uiten voor Phils opmerking over hun bruiloft. De jongens zijn nu alle drie uit de gratie en ik zie Mark en Russell goedkeurend naar Phil kijken.

'Perfect,' zeg ik. Dat meen ik niet echt, want ik ga me liever in de keuken verstoppen zodat ik niet over onze binnenkort

42

niet-bestaande bruiloft hoef te praten. Maar omdat de spanning tussen Jane en Phil ons bijna de keel snoert, lijkt een ontsnapping naar de zitkamer de enige optie.

'Waar ben je al wezen kijken?' vraagt Jane, en ze slaat haar handen in elkaar nadat ze in de fauteuil is gaan zitten.

'Nog nergens.'

'O, nou, Phil zei dat Mark had gezegd dat de bruiloft in mei is.'

'Dat klopt.'

'Dan zijn alle mooie locaties toch al bezet?'

Ik spring bijna juichend uit mijn stoel. Dit is precies waar ik op hoop.

'Ik zal moeten zien wat er nog beschikbaar is,' zeg ik.

'Dus je meent het dat je Mark niet vertelt waar je het gaat vieren. Heeft hij geen inspraak?' vraagt Jane.

'Ja, dat meen ik. Het lijkt me wel lachen.'

'Het is veel werk. Trouwen betekent veel werk en stress.'

Ik weet toevallig dat Jane een bruiloftsplanner had die haar hele bruiloft in echt Amerikaanse stijl heeft georganiseerd. Dat heb je als je in een Four Seasons-hotel trouwt. Ze hebben voor alles gezorgd, en dan heb ik het niet alleen over de locatie en de catering, maar ook over bloemen, de huwelijksreis, de kappers... Alles.

Stiekem kijk ik naar Lou, en die zit ineens heel geboeid naar mijn gordijnen te kijken. Haar mondhoeken trekken op en ik kan zien dat ze probeert niet te lachen.

'Nou, ik ga de uitdaging aan,' zeg ik vol zelfvertrouwen, ook al heb ik er inwendig helemaal niet zoveel vertrouwen in. Ze hebben geen flauw idee hoe groot deze uitdaging voor me is.

'Ik weet het. Zullen we je helpen? Zullen we een lijst met locaties opstellen die je kunt gaan bekijken,' zegt Jane.

'Ja, dat zou super zijn. We kunnen afspraken maken om te gaan kijken,' valt Lou haar bij.

'Eh, ik weet zeker dat we wel interessantere dingen hebben

om over te praten. Bovendien zijn de jongens zo terug uit de keuken. Zo lang kan het inladen van de vaatwasser niet duren,' zeg ik wanhopig.

'We sturen ze naar de pub,' stelt Lou voor.

Ik wil zelf naar de pub. Misschien kan ik Lou en Jane hier laten om zonder mij over de bruiloft te praten, dan ga ik met de jongens mee.

'Hoorde ik het woord "pub" vallen?' vraagt Phil als hij de kamer in komt.

'Ja, we gaan Penny helpen met de bruiloft,' zegt Jane, met de stem van een ijskoningin.

Phil is echt uit de gratie. Ik zit niet graag bij hen in de auto op weg naar huis. Phil haast zich de kamer uit, kennelijk om de andere jongens in te lichten, want voor we het weten hebben ze afscheid genomen en zijn ze weg.

'Oké, Penny. Pak je laptop en papier.'

Ik heb het idee dat ik moet salueren als ik langs haar heen loop, maar toch doe ik wat ze zegt. Binnen de kortste keren zit ik op de bank en probeer niet te huilen om de locaties die ze googelt.

'Wilde jij niet altijd in een kasteel trouwen?' vraagt Jane.

'Ja, een kasteel in Schotland, hè?' zegt Lou.

Waarom heb ik iedereen over mijn droombruiloft verteld? We zouden nu amper de vluchten en de hotelkosten kunnen betalen, laat staan een heel kasteel.

'We hebben besloten om in de buurt te blijven, snap je, om het makkelijker te maken voor de gasten. We willen niet dat iedereen van alles moet regelen met vluchten en hotels en zo.'

O, wat hou ik ineens veel rekening met andere mensen. Ik ben een vreselijk mens dat ik zulke leugens vertel.

'Gelukkig maar. Ik maakte me al stiekem zorgen dat ik daar helemaal heen moest,' zegt Lou.

'Oké, in de buurt, dan,' zegt Jane.

De beelden van sprookjesachtige kastelen in de Schotse

Hooglanden maken plaats voor het Google-scherm. Jane typt het Four Seasons Hotel in, waar ze zelf is getrouwd en ik weet nog net het woord 'budget' naar haar te piepen. Volgens mij heeft ze opgevangen wat ik heb gezegd, want het scherm gaat weer terug naar Google en naar zoekresultaten voor bruiloften in Surrey.

'O, dit ziet er veelbelovend uit,' zegt Jane, en ze hapt naar adem.

'The Manor, Surrey,' zeg ik, hardop lezend. Het klinkt bekend, maar ik ben er nog nooit geweest.

'Ze hebben bruiloftsarrangementen,' zegt Jane.

Het klinkt alsof ze tegen me zegt: Het is er goedkoop want ze zetten hun prijzen op internet.

'Oké, Lou, hier komen de cijfers.'

Jane begint Lou, die de taak heeft gekregen alles te noteren, de cijfers te dicteren. Er vliegt veel te veel geld naar mijn zin door de lucht. Maar het is hard werken, want de arrangementen zijn per persoon, in plaats van dat ze de prijzen uitsplitsen voor de locatie en de catering. Maar sommige klinken wel betaalbaar.

'Hoeveel gasten komen er?' vraagt Lou.

'Tachtig.'

'O, ik hou van kleine bruiloften,' zegt Jane.

Tachtig gasten is niet klein, toch? Ik dacht dat 'klein' betekende dat je met z'n tweetjes ergens op het strand trouwt, of er alleen je getuige bij hebt. Tachtig mensen klinkt mij niet klein in de oren, vooral niet voor ruim honderd pond per persoon.

'Oké, dan. Voor het Diamant-arrangement heb je het over 13.600. Dat is toch heel goed?' zegt Lou.

'En daar zitten de hoezen voor de stoelen bij in!' roept Jane uit.

Geweldig. De stoelen zouden beter gekleed gaan dan ikzelf, want met die prijzen zou ik een vuilniszak aanhebben.

'Eh, ja. En die andere pakketten dan?' vraag ik.

Lees voor 'andere' 'goedkope', en dat weet Jane.

'Goed. We slaan het Platina over, Goud gaat voor 130 per persoon,' zegt ze.

'Juist, dus dat is 10.400,' zegt Lou, die het op haar telefoon uitrekent.

'Nou, dat is echt een goede deal,' zegt Jane. 'Ik zou niet weten waar je het zo snel voor minder zou kunnen doen.'

Ik krijg een brok in mijn keel en ineens kan ik bijna niet meer slikken.

'Dus dat is voor de locatie, het eten en het drinken?' weet ik uit te brengen.

'Ja, wat een koopje! Volgens mij hebben we je locatie gevonden,' zegt Jane. 'Laten we ze bellen en vragen of we mogen komen kijken.'

'Nee! Dat kan niet,' gil ik bijna. Shit, ik moet een reden bedenken waarom we nu niet kunnen gaan kijken. 'Ik heb mijn zus en moeder beloofd dat ze mee mochten kijken naar trouwlocaties. Bovendien heb ik wijn op. Ik kan me toch niet te veel laten meeslepen?'

'Natuurlijk niet, dat begrijp ik helemaal,' zegt Jane. 'Nou, eens nadenken. Waar kunnen we nog meer mee helpen? Wat dacht je van bloemisten? Ik ken er een met heel gedurfde concepten. Eens zien…'

De website die op het scherm wordt geladen ziet er prachtig uit en, o kijk, daar staan voorbeelden van bruidsboeketten.

'Kijk, hier staat een prijslijst.'

'Jezus, kost een boeket zoveel? Voor een paar bloemen?' roep ik vol afgrijzen.

Jane kijkt geschrokken door mijn krachtterm. Ik denk dat ik mijn budget voor bloemen omhoog moet bijstellen. Een boeket voor mij alleen zal zo te zien al driehonderd pond kosten. Geen wonder dat niemand ze meer weggooit.

'Gaat het wel, Penny? Je ziet een beetje bleek,' zegt Lou.

Nu ze het zegt, voel ik me helemaal niet zo goed. Ik denk zelfs dat ik zo flauwval. Opeens krijg ik geen adem meer en ik denk dat ik doodga. Nee, ik denk niet dat ik dramatisch doe. Ik krijg echt geen adem.

Gaan ze me niet helpen? Ze zien toch wel dat ik niets kan zeggen? Ik begin met mijn armen te flapperen.

'Volgens mij heeft ze een paniekaanval,' zegt Lou, die de kamer uit rent.

Fijn, wat is die Lou behulpzaam! Ze is mijn beste vriendin en nu laat ze me doodgaan waar uitgerekend Jane bij is. Voor ik het weet, is Lou terug en duwt ze me een papieren zak in de hand; hij lijkt verdacht veel op de zak die om de fles bubbels zat, die ze had meegebracht.

'Adem in de zak, dat helpt,' zegt Lou.

Gek genoeg lijkt het echt te helpen, maar zelfs wanneer mijn adem weer normaal is, kan ik me nog steeds niet voorstellen hoe ik deze bruiloft overleef zonder een zware hartaanval te krijgen.

Hoe vindingrijk ik ook zou zijn, of zelfs als ik hem naar een maandag zou verschuiven, waarop niemand zou kunnen komen, dan is er geen schijn van kans dat ik voor een schamele vijfduizend pond mijn droombruiloft krijg.

'Misschien wordt de bruiloft je even te veel. Dat overkomt meer mensen,' zegt Jane.

Ik wil haar net een vuile blik toewerpen, maar dan herinner ik me dat zij tijdens haar eigen bruiloft bijna een zenuwinzinking heeft gekregen. Misschien heeft ze gelijk. Misschien wordt het me allemaal even te veel.

'Als je nou eens hulp inschakelt? Je kunt een weddingplanner nemen, net als ik had,' zegt ze.

Voor mijn ogen verschijnt een lijst met weddingplanners. Ik had geen idee dat je die in Engeland ook had. Ik kan mijn bruiloft laten organiseren door mijn eigen Jennifer Lopez. Maar nu herinner ik me dat ze in de film de bruidegom heeft ingepikt. Ik zou niet willen dat iemand mijn bruidegom inpikt.

Misschien kan een weddingplanner nog slimmer met mijn

budget omgaan en dan heb ik misschien geen papieren zak meer nodig voor als ik hyperventileer.

'Hoeveel denk je dat die kosten?' vraag ik. Het is toch zeker te proberen.

'Volgens mij betaal je meestal tien tot vijftien procent van je budget.'

Tien tot vijftien procent? Dat zou dan meteen vijfhonderd pond zijn. En dan maar hopen dat ik aan de telefoon niet uitgelachen word.

Lou moet het gezicht hebben gezien dat ik om de weddingplanner trek.

'Waarom begin je niet met het opstellen van een checklist voor je bruiloft?' zegt Lou. 'Dan weet je wat je allemaal moet plannen.'

'Goed idee, Louise,' zegt Jane, die meteen googelt. 'Jee, ik ben jaloers op je, Penny, dat jij je bruiloft aan het plannen bent. Dat was een van de gelukkigste periodes van mijn leven.'

'Net zo gelukkig als getrouwd zijn?' zeg ik zonder erbij na te denken. De blik die Jane me toewerpt, vertelt me genoeg. Misschien is wat aan tafel is gebeurd maar het topje van de ijsberg.

'Volgens mij hebben we voor vandaag wel genoeg over de bruiloft gepraat,' zegt Lou. 'Jane, vertel eens hoe het met jullie uitbouw gaat.'

Opgelucht glimlach ik naar Lou. We weten allebei dat we kunnen rekenen op een langdurig verslag van de verbouwingen bij hen thuis om een grotere werkkamer te krijgen en een extra slaapkamer te maken in hun al vijf slaapkamers tellende huis. Op dit moment vind ik alles best als het maar niet over de bruiloft gaat.

Hoewel de middag met Jane en Lou me verschrikkelijk op de zenuwen heeft gewerkt, heeft het me ook aan het denken gezet over hoeveel ik eigenlijk van Mark hou.

Jane en Phil tegen elkaar zien katten, heeft niet alleen voor een ongemakkelijke sfeer gezorgd tijdens het eten, maar het stemt ook tot nadenken.

Ik stop mijn hoofd onder Marks oksel.

'Alles goed met jou?' vraagt hij.

'Ja, hoor. Jij blijft toch altijd van me houden, hè?'

'Ik zou niet met je trouwen als dat niet zo was.'

'Nee, ik bedoel, mensen veranderen, en stel nou dat de liefde opraakt.'

'Dat gebeurt niet. Waar komt dit allemaal vandaan?'

'Ik was er gewoon over aan het nadenken. En over dat het lijkt of alles anders wordt zodra mensen trouwen, en dat we nu gelukkig zijn ook al zijn we niet getrouwd. Soms vraag ik me af of we niet gewoon ongetrouwd en gelukkig moeten blijven.'

Let op, mensen, dit is mijn nieuwste briljante inval.

'En dan het geld aan een ongelooflijk dure vakantie uitgeven?'

Verdorie, daar had ik niet aan gedacht. Als er geen bruiloft komt, ontdekt Mark alsnog dat het geld weg is.

'Nee, ik bedoel...' God, wat bedoel ik eigenlijk? 'Ik wil alleen niet het verandert.'

Mark zucht. 'Komt dit door Jane en Phil?'

'Een beetje wel.'

'Ja, dat hangt al een poosje in de lucht. Eerlijk gezegd weet ik ook niet waarom ze überhaupt zijn getrouwd. Wist je dat Jane hem een ultimatum heeft gesteld en heeft gezegd dat ze moesten trouwen of uit elkaar zouden gaan?'

Nee, dat wist ik niet. Niet te geloven dat Mark me dat nooit heeft verteld.

'Hebben ze zich daarom zo snel verloofd?'

'Ja, maar hij heeft het ons pas tijdens zijn vrijgezellenavond verteld. En toen was het te laat om het nog uit zijn hoofd te praten.'

Jemig. Ik dacht altijd dat ik graag wilde trouwen, maar dit gaat nog een stukje verder.

'Luister, Pen, jij bent heel anders dan Jane, gelukkig. Om te beginnen, als je op Jane leek, zou er helemaal geen bruiloft zijn. Maar luister, ga nou niet stressen over de bruiloft of over onze toekomst. Het gaat alleen om ons, oké? Alleen om jou en mij. En het zal altijd alleen jij en ik zijn.'

'En onze honderden kinderen.'

Stadium zes! Ik neem elke gelegenheid te baat om dat te kunnen zeggen, alleen maar om te zien hoe Marks ogen gaan uitpuilen.

'We zien wel hoe het loopt.'

Ik leun tegen Marks armen. Misschien komt alles toch nog goed. Ik moet het gewoon in perspectief zien. Dan wordt het maar geen spectaculaire, extravagante bruiloft zoals die van Jane, maar zij is niet eens gelukkig. Ik weet in elk geval dat, wat voor bruiloft we ook krijgen, Mark en ik net zo gelukkig zullen zijn als nu.

5

'Ik ben Penny en ik ben verslaafd aan gokken.'

Ongelooflijk, ik heb het hardop uitgesproken. Hoe erg ik het ook vind om toe te geven, het is waar. Ik heb gisteravond weer gegokt omdat ik zeker wist dat ik een beetje geld zou kunnen terugwinnen en mijn trouwbudget wat zou kunnen spekken, maar ik heb verloren.

Ik heb zesenvijftig pond verloren. In de tijd die het Mark kostte om met zijn broer naar de nieuwste verfilming van een stripboek te gaan, heb ik één procent van mijn trouwbudget verloren. Als je weet wat ik in totaal ben kwijtgeraakt, is het natuurlijk niets. Maar als je zo'n klein budget hebt als het mijne, kun je het je niet veroorloven nog meer te verliezen.

Ik heb mijn ogen nog dichtgeknepen omdat ik de rest van de groep niet aan kon kijken terwijl ik mijn bekentenis deed. Ik had verwacht dat er een daverend applaus zou losbarsten, of dat ze ten minste een 'Hallo, Penny' zouden papegaaien, zoals ze in de film op bijeenkomsten van de AA altijd doen. Maar het blijft muisstil.

Ik doe mijn ogen langzaam open en zie de mannen in een

kring zitten. Ze kijken me nieuwsgierig aan. Misschien zijn ze niet gewend een vrouw in hun groep te hebben.

'Eh, Penny, dank je wel dat je dat met ons hebt gedeeld. Eigenlijk is dit de groep voor werkloze mannen. Volgens mij zit de groep die jij zoekt hiernaast.'

Mijn wangen branden, en opeens schaam ik me dood. Hiernaast? Door alle zenuwen en de moeite die het me kostte om mijn benen in actie te krijgen en van de auto naar het buurthuis te lopen, had ik niet zo op het lokaalnummer gelet. Ik had de groep mannen in een kring zien zitten en aangenomen dat dat de gokkersgroep was.

'O, het spijt me ontzettend,' en ik put me uit in mijn vreselijk beleefde, vreselijk gegeneerde Britse modus en haast me zo snel mogelijk het lokaal uit.

Ik denk niet dat ik dat nog een keer kan ondergaan. Is het ook genoeg als ik het hardop heb bekend? Misschien is er, nu ik het in een ruimte vol vreemden heb bekend, op magische wijze een schakelaar in mijn hoofd omgegaan en zal ik nooit meer gokken. Misschien hoef ik die groep toch niet in te gaan. Maar als ik naar de hoofduitgang van het buurthuis loop, vang ik een glimp op van mijn glinsterende verlovingsring en voel een steek van schuldgevoel tegenover Mark. Ik ben het hem verschuldigd om hiervan af te komen.

Ik haal diep adem en loop het lokaal ernaast in. Tijdens het lopen besef ik dat dit er ook niet als een gokkerspraatgroep uitziet. De mensen in de ruimte kijken allemaal naar me. De zakenman in zijn pak, de vrouw die eruitziet alsof ze uit een modecatalogus is weggelopen.

'Sorry, volgens mij is dit het verkeerde lokaal,' zeg ik met een gefrustreerde zucht.

'Wat zocht je dan, liefje?' vraagt de vrouw die met een wit klembord in haar hand staat. Ze ziet eruit als een lerares Frans, in haar blauwwitte streeptruitje en rode sjaaltje om haar nek. Misschien is dit een Franse conversatiegroep. Háár kan ik niet vertellen waar ik voor kom. Wat zou ze wel niet van me denken?

'Ik zoek…' Shit, denk na, Penny, denk na. Waarom ben ik hier zo slecht in? Ik ben alleen bang dat ik ga zeggen dat ik een introductiecursus paaldansen zoek en dat zij dan zegt dat dat deze groep ook is.

'Ik zal je helpen. Dit is het lokaal voor onlinegokkers. Was dat wat je verwachtte?'

Mijn mond valt open. Dit lokaal en deze mensen waren absoluut niet wat ik had verwacht.

'Het spijt me. Ja, ik ben Penelope Holmes.'

'Welkom, Penelope. Ga zitten. Nu zijn we er zo'n beetje allemaal. Ik ben Mary en ik ben gokverslaafd, net als jullie allemaal. Deze bijeenkomsten zijn een eerste stap op weg naar het beheersen van je verslaving. Dus ontzettend goed dat jullie zijn gekomen.'

Ik voel een golf van trots dat ik voor het eerst in weken iets goed heb gedaan.

'Vanavond zullen we ons aan elkaar voorstellen en stellen we je aan je eigen mentor voor. Dan geven we jullie wat tijd om elkaar te leren kennen. Meestal laten we een van onze mentoren aan het woord over hun weg naar genezing om jullie te inspireren. Deze bijeenkomsten duren twee uur en kunnen letterlijk je leven veranderen,' zegt Mary stralend.

Jemig, twee uur? Ik dacht dat het hooguit een uur zou duren. Zo haal ik mijn body combat-les niet. Misschien kan ik maar beter nu weggaan. Mark wil tenslotte geen bruid met een dikke kont op de bruiloft. Dan schiet me weer te binnen dat er, als ik mijn bingoverslaving niet in de hand krijg, helemaal geen bruiloft komt.

'We beginnen rustig en vertellen elkaar wat we hebben gedaan en waarom we hier vandaag bij elkaar zitten,' zeg Mary.

Ik voel dat ik weer ' zo'n paniekaanval krijg. Ik dacht dat ik naar een soort AA-bijeenkomst was gekomen waar je gewoon naar iemand zit te luisteren. Misschien dat ik mijn naam zou moeten noemen. Maar van het idee dat ik anderen over mijn vreselijke geheim moet vertellen, krijg ik spontaan galbulten.

'Oké, ik zal beginnen. Ik ben Mary en ik ben gokverslaafde geworden door bingo te spelen op internet. Ik begon te spelen toen ik ophield met werken en me verveelde, en nu heeft mijn man moeten doorwerken om mijn gokschuld af te betalen. Ik ben nu een jaar lang van het gokken af en ik ben ook weer parttime gaan werken om mijn man te helpen.'

Wauw. Ik heb meteen het gevoel dat ik niet alleen sta. Mary is net als ik. Erger nog, door haar heeft haar man zijn pensioen moeten uitstellen.

Terwijl we de kring rondgaan, besef ik dat ik bij lange na niet alleen sta. De strak uitziende zakenman is verslaafd aan het kopen en verkopen van aandelen. Hij was eens in slaap gevallen toen hij wachtte tot de markten in Azië zouden openen, en dat heeft hem tienduizend pond gekost.

Dan is de vrouw aan de beurt die eruitziet alsof ze uit een modecatalogus is weggelopen. Ze blijkt bibliothecaresse te zijn en is verslaafd geraakt aan de loterij en de spelletjes die je elke dag op die site kunt spelen.

Er zit nog een bingoverslaafde, twee mannen die geobsedeerd zijn door het gokken op sport en nog een man die aan allerlei soorten gokken op internet doet. Ik had geen idee dat dit allemaal achter de gesloten gordijnen gebeurde. Ik dacht dat je op de renbaan stond of bij een booker als je gokker was. Nogal onnozel eigenlijk. Voordat ik een paar weken geleden mijn saldo bekeek vond ik mezelf niet eens een gokker, maar toch zit ik hier, een van de vele gokverslaafden.

O, shit. De man naast me is uitgepraat en nu ben ik aan de beurt. Wat moet ik zeggen? Ik ben zo gewend om het voor me te houden en leugens te vertellen dat ik niet denk dat ik de woorden over mijn lippen kan krijgen.

'En jij, liefje?' vraagt Mary, en ze wijst naar mij.

Ik doe mijn mond open en weer dicht. Als ik niet uitkijk, denken de anderen in de kring dat ik een vissenact doe.

'Ik ben Penelope.' Ging ik nou stotteren? Mijn handen zijn zo klam dat ik erop moet gaan zitten, anders druipen ze straks nog op de grond. En onder mijn oksels is het zo nat dat ik net zo'n man in een Axe-reclame ben.

'Mijn verloofde en ik hebben gespaard voor een bruiloft. Tenminste, we waren aan het sparen voordat we ons verloofden. Ik heb op onze spaarrekening gekeken om te zien hoeveel we hadden en we hadden tienduizend minder dan had gemoeten. Ik heb het aan internetbingo uitgegeven. Ik dacht echt dat ik de rekening spekte in plaats van dat ik ervan gebruikte. Stom, hè?'

'Het is niet stom, Penelope,' zegt Mary.

Ik kijk rond en zie dat iedereen me meelevend aankijkt en knikt. Ik was doodsbang om mijn verhaal te vertellen, maar niemand gooit stenen naar me of roept dat ik op de brandstapel moet. Ze begrijpen het echt.

'Goed zo,' zegt Mary. 'Heel goed dat iedereen over zijn problemen heeft kunnen vertellen. Dat is een van de moeilijkste aspecten: het aan jezelf toegeven. Maar in de loop van de weken bespreken we allerlei dingen. Over de onderliggende oorzaak waarom je gokt.'

De mijne is makkelijk. Je kunt hem in drie woorden beschrijven: Vera Wang-bruidsjurk.

'We zullen het er ook over hebben hoe we gaan proberen op te houden met deze gewoonte en hoe we de mensen om ons heen kunnen vertellen wat er aan de hand is.'

Mijn maag draait zich om bij de gedachte dat Mark zou weten dat ik hier ben geweest. Mark mag het niet weten. Dat zou het einde van onze relatie betekenen.

'Soms merken groepsleden dat het makkelijker is het eerst tegen iemand anders te zeggen die dicht bij je staat, voordat je het je partner vertelt, maar daar komen we ook nog aan toe.'

Fijn. Nu heb ik het gevoel dat ik het Lou moet vertellen. Van alle mensen ter wereld, afgezien van Mark, is Lou de aangewezen persoon om het te vertellen. Zij weet altijd in alle situaties wat ze moet doen. We vertellen elkaar alles. Nou ja, bijna alles. We doen veel met z'n vieren maar er zijn dingen die ik niet over haar man hoef te weten. Maar ik kan me niet voorstellen dat ik het haar vertel. Lou worstelt nu al zo met geld. Misschien is 'worstelen' niet het juiste woord, maar Russell en zij hebben het zeker niet zo breed als Mark en ik.

Eigenlijk is Lou de reden waarom we met dat stomme sparen voor de bruiloft zijn begonnen. Ze liet zich op een avond ontvallen dat zij de hare nog steeds aan het afbetalen was. Hoe leuk hun bruiloft ook was, het was het sommetje dat ze nu, drie jaar later, nog elke maand betaalden, niet waard.

Ik heb het weer gedaan. Ik heb weer over andere dingen zitten denken en heb geen idee wat Mary net heeft gezegd. Stel dat ze net heeft verteld hoe ik mijn gokverslaving de nek kan omdraaien, en ik dat heb gemist. Ik moet beter gaan opletten.

'Goed, het is tijd dat je wordt voorgesteld aan je mentor. Het is iemand die, binnen redelijke grenzen, vierentwintig uur per dag voor je klaarstaat. Iemand die het zelf heeft meegemaakt en je begrijpt.'

Ik draai me om en daar, achter ons, staat een groep vreemden. O jee, staan die al de hele tijd daar achter ons? Hebben ze alles gehoord wat we zeiden? Waarschijnlijk was ik toen ik binnenkwam net zo'n konijntje dat gevangenzit in het licht van een stel koplampen en heb ik niets gezien.

Ze zien eruit als een willekeurig groepje mensen, net als wij. Weer een mengeling van mannen en vrouwen in verschillende leeftijdsgroepen. O, hallo. Daar zit een bloedmooie vent. Jammer dat ik ga trouwen, want anders had ik nu naast hem gestaan.

'Ik heb jullie via de lijst gekoppeld, afgaand op de informatie die jullie door de telefoon hebben gegeven. Het gaat altijd het beste als mensen dezelfde levensstijl hebben. Als je overdag werkt, wil je geen buddy hebben die 's nachts dienst heeft,' zegt Mary. 'Goed, ik zal de namen voorlezen.'

Ik begin te bidden dat ik die sexy vent krijg. Niet dat het iets uitmaakt, ik denk sowieso niet dat ik een mentor nodig heb, maar het is altijd goed om de sexy vent te krijgen.

Ineens ben ik terug in de tijd op school waarin je iets met z'n tweeën moest doen en de juf of meester willekeurige namen opnoemt. In je hoofd herhaal je de namen van coole kinderen met wie je dat dan ontzettend graag wilt doen. Op school kreeg ik natuurlijk altijd weer de sukkels. Soort zoekt soort, zeggen ze.

'Penelope, jij krijgt Josh daar. Josh, zwaai maar eens.'

Ik kijk de rij mensen af, wanhopig op zoek naar Josh, en dan zie ik de sexy vent en dat hij met zijn hand zwaait. O, mijn god, ik heb echt de coole vent gekregen. Ik straal van trots, maar dan besef ik dat ik er nu uitzie als een bakvis van vijftien. Abrupt staar ik naar de vloer. Ter verdediging kan ik aanvoeren dat het heel mooi parket is, dat prachtig zou staan in ons Victoriaanse rijtjeshuis.

'Hoi, ik ben Josh.'

Ik weersta de neiging om te zeggen dat ik dat weet. In plaats daarvan schakel ik over op de zakelijke modus en steek mijn hand uit.

'Penelope, maar je mag me Penny noemen.'

Of wat je maar wilt. Wat heb ik nou? Ik blijf maar vergeten dat ik verloofd ben. Hij is alleen zo lang en heeft van die dromerige, blauwe ogen, en hij heeft een leren jack aan. Jep, ik ben vijftien. En nog steeds een sukkel.

'Leuk je te leren kennen, Penny. Ik heb je verhaal gehoord.'

'Om je dood te schamen, hè?'

'Ja, maar ik heb wel erger gehoord.'

Ik probeer niet te bedenken wat erger kan zijn. Dat is veel te deprimerend.

'Kom op, je kunt toch nog wel lachen? Hé, je hebt in elk geval niemand bestolen,' zegt Josh.

Nee, dat is waar. Ik heb niemand bestolen. Behalve mezelf en ik denk Mark ook. Het was ook zíjn geld.

'Nou, in zekere zin wel. Het geld was grotendeels van mijn verloofde.'

'O, ja, dat is waar.'

Nou, lekker. Ik ben een gokker en een dief. Zo had ik het nog niet bekeken. Dit is een fantastische start. Ik hoop echt dat mijn mentor nog meer tips en wijsheden heeft waardoor ik me minder vreselijk voel over mijn verslaving.

O, nee. Daar komen de tranen. Ik kan ze gewoon niet tegenhouden.

'Ho, wacht. Niet huilen. Je hebt hulp gevraagd. Dat is een goede stap.'

Hij wrijft over mijn arm met van die mannelijke handen. Op zulke momenten wilde ik dat mijn verlovingsring wat zwaarder aan mijn hand trok, gewoon om me aan mijn verloofde te herinneren. Mark. Márk. Concentreer je op Mark en niet op Josh met zijn dromerige, blauwe ogen.

'En wat is jouw verhaal?' vraag ik Josh, voordat ik wegdroom in een trouwfantasie waarin Josh grote kans maakt in een hoofdrol aan het altaar te verschijnen.

'Ik ben verslaafd geweest aan internetpoker. Ik heb bijna twintigduizend pond gewonnen.'

'Jezus christus, daar zou ik mijn droombruiloft mee kunnen betalen.'

Misschien moet ik Josh vragen een paar potjes voor me te spelen om me te helpen.

'Ja, maar uiteindelijk verloor ik vijftigduizend pond. Mijn partner, Mel, kwam erachter en heeft me laten kiezen tussen het gokken of de relatie. Op dat moment besefte ik dat ik een probleem had en ben ik hulp gaan zoeken.'

Partner. Verdorie. Natuurlijk heeft Josh een vriendin. Ik wil wedden dat ze perfect is en hun trouwfonds nooit zou vergokken.

Mark. Mark. Mark. Wat heb ik nou toch? Ik heb een verloofde.

'En nu gok je helemaal niet meer?' vraag ik om me te concentreren op de situatie.

'Nee. Als ik niet werk gebruik ik de computer nauwelijks. Op die manier is het gewoon makkelijker.'

Stel je voor dat je buiten je werk geen internet gebruikt! Ik denk niet dat ik dat aan zou kunnen. Het is één ding om in één keer van het bingospelen af te komen, maar iets heel anders om niet af en toe lekker online te shoppen.

'Hoe gaat het nu dan verder, met jou en mij? Ik bedoel, jij als mijn mentor.'

Ik wil niet dat hij denkt dat ik met 'jou en mij' iets relatie-achtigs bedoel of zo. Ik zal maar even met mijn haar frutselen, dan ziet hij mijn verlovingsring duidelijk en weet hij dat ik niet met hem wil flirten.

'Laten we nummers uitwisselen, dan kun je me bellen of sms'en als je bingo wilt spelen. Dan praten we even of kunnen we afspreken.'

'En als ik niet in de verleiding kom om bingo te spelen?'

'Dan zien we elkaar tijdens de bijeenkomst op dinsdag. Zie mij maar als een valnet. Je wilt me eigenlijk niet gebruiken, maar je weet dat ik er ben als je valt.'

Ik mag Josh. Ik mag hem heel graag. Dat ik boos werd toen hij me een dief noemde, neem ik terug.

'Mooi.'

'Pak je telefoon maar, dan geef ik je mijn nummer.'

Ineens krijg ik de zenuwen door het op mijn telefoon zetten van Josh' telefoonnummer. Waar moet ik hem onder opslaan? Alles wat naar 'mentor' neigt zal een beetje verdacht overkomen. En ik kan hem ook niet zomaar Josh noemen, want dan vraagt Mark zich af wie het is. Ik weet het, ik sla hem op als Glinda, de behulpzame heks in *De tovenaar van Oz*.

'Nou, nu moet je je een beetje onder de anderen gaan mengen. Zoals Mary al zei, het helpt om de groep te leren kennen.'

'Dank je, Josh.'

Ik kijk de kamer rond, en zo te zien staat de rest ook nog met zijn mentor te praten. Ik kan niet weer naar Josh gaan, want die is nu in een gesprek met Mary verwikkeld. Het probleem met dat mentorgedoe is dat iedereen persoonlijke gesprekken staat te voeren en ik me er niet zomaar in kan mengen.

Ik zal eens een kopje koffie voor mezelf inschenken. Net als ik denk dat ik door de grond wil zakken van verlegenheid, komt de catalogusvrouw naar me toe.

'Penelope, toch?'

'Ja, hoor.' Ik probeer te glimlachen en zo vriendelijk mogelijk te kijken.

'Je naam is blijven hangen omdat het klonk als Penelope Pitstop.'

'Daar ben ik ook naar vernoemd. Had iets te maken met mijn vader die verliefd was op een cartoonfiguur.'

'Schattig. Ik ben Rebecca.'

'Hallo, Rebecca.'

'Gek, hè, ik was doodsbang dat ik hier vandaag een moeder van school tegen zou komen.'

Tot dan toe had ik niet stilgestaan bij het feit dat deze mensen echte gezinnen en kinderen hebben. Waar zijn we toch allemaal mee bezig?

'Ik wist ook niet goed wat ik ervan moest verwachten,' zeg ik.

'Maar ik ben blij dat ik ben gekomen. Ik heb een aardige mentor. Ik denk dat ik probeer het in één keer af te zweren.'

'Stoer, hoor, Rebecca. Dat hoop ik ook te doen. Ik moet alleen uitvogelen hoe ik mijn bruiloft binnen een bepaald budget hou.'

'O, ja, jij bent degene die gaat trouwen. Spannend, hoor.'

'Ja, nou, dat zou het zijn. Maar ik heb het geld niet meer, en ik ben als de dood dat Mark, mijn verloofde, erachter komt.'

'Heb je het hem nog niet verteld?' vraagt ze.

Ik schud mijn hoofd. 'Ik blijf hopen dat ik het op een of andere manier kan goedmaken. Je weet wel, onze bruiloft voor vijfduizend pond organiseren en er toch onze droombruiloft van maken.'

'Dat kun je nog steeds.'

Ik schiet bijna in de lach, maar dan besef ik dat ze het meent, net als de vrouw van het maatschappelijk werk.

'Ik weet dat het, toen ik trouwde, allemaal wat anders ging.

Maar weet je, het gaat niet allemaal om geld. Ik weet zeker dat je er met een beetje creativiteit ook wel komt. En hoe je bruiloft ook uitpakt, het wordt toch de mooiste dag van je leven.'

Ik wou dat dat waar was. Alle bruiden die ik heb gekend, hebben gezegd dat het de mooiste dag van hun leven was, maar alle bruiden die ik heb gekend, hadden ook de bruiloft van hun dromen.

'Maar goed, ik zie je volgende week weer. Ik moet de oppas gaan aflossen.'

'Veel geluk met het afkicken,' zeg ik, en ik besef dat ik heel bijgelovig mijn vingers gekruist hou.

Gelukkig vat Rebecca het op als goed bedoeld en doet ze hetzelfde.

De groep is al aan het uitdunnen, en ik heb het bekende gevoel van hartkloppingen bij het besef dat me een enorme taak wacht. Ik besluit weg te gaan nu ik er de moed voor heb.

Ik zwaai bij mijn vertrek naar Josh met de mooie ogen. Hij zwaait terug en ik hoop dat ik reden heb om hem te bellen. Nee. Zo mag ik niet denken.

Ik wil hem deze week niet bellen, anders betekent het dat ik een stoute gokker ben geweest.

Nee, ik zal Josh niet bellen.

Helemaal niet.

Hoe blauw zijn ogen ook zijn.

Nu ga ik naar huis, naar mijn verloofde. Heerlijke, heerlijke Márk. En ik zal proberen niet te schuldig te kijken als ik hem weer niets vertel over wat er in mijn leven aan de hand is.

6

Vandaag is de dag dat ik de trouwlocatie regel. Echt. Dat ik nu bijna een maand verloofd ben en nog nergens heb geboekt, ondanks het feit dat het nog maar drie maanden duurt tot de potentiële bruiloft, wil niet zeggen dat ik mijn kop in het zand heb gestoken.

Nee, ik heb mezelf aangepakt. Ik heb de bingo-apps van mijn telefoon gehaald. Ja, af en toe heb ik ze gebruikt. En ik heb ouderlijk toezicht op mijn laptop geïnstalleerd en alle bingosites waar ik me de naam van kon herinneren op de verboden lijst gezet. Op mijn werk zaten de bingosites al achter de firewall, net als de externe mailsites en de webwinkels. Ik heb de mensen van ICT de webwinkels er ook bij laten zetten, en heb verteld dat een van onze medewerkers eraan was verslaafd. In feite houdt het in dat ik in de lunchpauze nu daadwerkelijk achter mijn bureau vandaan kom en niet meer zwijmel bij plaatjes van handtassen en kleren die ik me niet kan veroorloven.

Tot nu toe is het weren van bingo uit mijn leven gelukt. Ik heb niet eens naar de virtuele bingostift gegrepen en ben op het rechte pad gebleven. Hoewel ik bijna echt bingo ben gaan spelen toen ik vanochtend door de stad liep. Ik had een moment van zwakte toen ik langs de bingohal kwam en een oudere vrouw met een blauwspoeling zag. Ik vond het een eng idee dat Marks oma Violet er misschien wel was.

Donderdag had ik ook zo'n moment; ik was bijna gaan gokken, maar dat had meer te maken met de gedachte aan de blauwe ogen van Josh die ik gewoon weer wilde zien. Toen herinnerde ik me dat ik met maar vijfduizend pond echt niets meer mocht verliezen.

'Ben je voor de bruiloft aan het surfen?' vraagt Mark, die in de fauteuil komt zitten. Ik snuffel snel onder mijn oksels om te ruiken of ik niet heel erg stink, want waarom zou hij er anders voor kiezen om aan de andere kant van de kamer te gaan zitten?

'Hm-mm.'

'Dacht ik al; je hebt die frons op je gezicht. Maak je geen zorgen, ik kijk niet. Ik wilde alleen naar voetbal kijken, goed?'

'Ja, hoor.'

Gelukkig. Ik stink kennelijk niet. Maar hij heeft gelijk over de frons. Ik moet uitkijken dat de klok geen twaalf uur slaat, anders ga ik voorgoed verward fronsend door het leven.

Ik kijk naar al die prachtige trouwlocaties die Jane heeft gevonden. Ik probeer de hele tijd verstandig te rekenen maar de enige manier om niet méér dan honderdvijfentwintig pond per persoon uit te geven is om maar veertig gasten uit te nodigen. En deze locatie heeft zestig als minimum. En dan zouden we geen geld meer hebben voor iets anders dan de locatie en het eten.

Er moet een goedkopere manier zijn. Misschien kan ik wat vindingrijker googelen:

GOEDKOOP TROUWEN IN HET BUITENLAND

O, in het buitenland. Gewoon Mark en ik. Wat romantisch, alleen wij tweeën bij zonsondergang op het strand. Ik ga zo op in de fantasie dat ik het zand tussen mijn tenen kan voelen en het water aan mijn voeten voel likken. Maar na de ceremonie houdt de dagdroom op. Wat zouden we daarna doen? Ik weet wel wat we dáárna zouden doen – daar heb ik nogal wat fantasietjes over. Maar ik bedoel aansluitend op de ceremonie. Zouden we gaan eten, met z'n tweetjes?

'Hoe sta jij tegenover het idee van een bruiloft in het buitenland?' vraag ik zo nonchalant mogelijk, zodat hij niet de indruk krijgt dat het onze enige optie is.

'Waar?'

'Weet ik niet. Ik zat gewoon te denken: jij en ik op het strand. Met z'n tweetjes.'

'En onze ouders dan? En oma Violet? Dat vind ik niet zo'n goed idee.'

Die stomme familie verpest alles weer. Natuurlijk heeft Mark gelijk. Ik wil ook dat onze familie erbij is. Stel je voor wat mijn moeder anders over me zou schrijven in haar kerstbrief. Om maar te zwijgen van het feit dat ik waarschijnlijk word onterfd als ik mijn moeder de gelegenheid ontzeg om een nieuwe hoed voor de bruiloft te kopen.

Tijd voor een andere aanpak. Ik googel:

IDEEËN VOOR BUDGETBRUILOFTEN

Bingo! O, dat is een ongelukkige woordkeus. Ik wilde alleen maar zeggen dat ik misschien op het goede spoor ben. Er zijn honderden forums vol tips.

BRIDGETJ123
IK TROUW IN ONS GEMEENTEHUIS EN DAARNA IS HET FEEST IN ONS WIJKCENTRUM. MIJN MOEDER DOET HET ETEN EN MIJN TANTE HEEFT MIJN JURK GEMAAKT. TOTALE KOSTEN 1500 POND.

Dat klinkt beter. Hoewel ik niet denk dat het wijkcentrum waar ik mijn gokbijeenkomsten bijwoon echt de juiste keuze

is. Om het in een wijkcentrum te doen, stel ik me een knus ge-
bouwtje voor met vlaggetjes en lichtslingers. Croquet op het
gazon. High tea. Maak er maar een high tea met champagne
van. Met een barbershopkwartet op de achtergrond.

Nee dus. Dat past niet allemaal in vijfduizend pond, vooral
hier niet.

CASEYGOGO
IK GA MET MIJN BESTE VRIENDEN EN FAMILIE EN
TOEKOMSTIGE MANLIEF IN EEN MINIBUS NAAR GRETNA
GREEN!!! HOPELIJK KUNNEN WE DAARNA NOG LEKKER
ETEN. ONS BUDGET IS 1000 POND.

Zie je wel? Er zijn massa's mensen die dit soort dingen met
een klein budget doen. Ik moet gewoon buiten de gebaande
paden denken.

'Wat dacht je van Gretna Green voor de bruiloft?'

'Te gewoon. Luister, wordt de druk je te veel? Wil je dat ik
je help met het organiseren van de bruiloft?'

'Nee!' Oeps, dat kwam er bijna als een schreeuw uit. 'Nee,
het gaat prima, dank je, liefje. Ik probeerde een rookgordijn op
te trekken.'

Kijk, daar heb je dat schuin gehouden hoofd dat nu zo'n
beetje Marks standaarduitdrukking wordt. Dat doet hij de
laatste tijd vaak. Hij denkt dat ik doorsla. Neem het hem eens
kwalijk.

Misschien sla ik met de zoekterm 'budgetbruiloft' niet de
juiste weg in.

ONGEBRUIKELIJKE TROUWLOCATIES HAMPSHIRE SURREY

Ik sta versteld van de hoeveelheid sites die ik krijg met Google.
Er zijn blogs die helemaal gewijd zijn aan ongebruikelijke locaties. Als ik zo vluchtig lees, zie ik dat iets onconventioneels
doen helemaal hot is.

Misschien zeg ik dat tegen mensen. Ik wilde geen prinsessen-bruiloft omdat dat zo cliché is. Ik ben supertrendy en mijn tijd ver vooruit.

De website die ik nu bekijk, is perfect. Er staan massa's tips over waar je je receptie kunt houden. Afgedankte treinstations, stoomtreinen, boten. Wil ik sowieso wel een thema?

Er is zelfs een apart tabblad voor musea. Wie wil er nu in een museum trouwen? Met al die etalagepoppen en oude spullen om je heen? Toch klik ik op het tabblad, gewoon om te zien wat voor bruiloft het dan wordt, daar tussen de vitrines.

Hallo zeg! Ik heb een gigantische fout op de website ge-vonden. Stiekem ben ik er gek op om fouten als deze tegen te komen. Het is toch een giller als je naast het Surrey Militair Museum, dat als een stoffig, oud museum klinkt, een plaatje zet van een prachtig oud landhuis.

Waar staat dat landhuis? Het ziet er beeldschoon uit. Als ik op de foto klik, kom ik misschien op de goede website.

Dit is vast een fout in de link want ik kom op de site van het Surrey Militair Museum terecht.

DIT IS EEN MUSEUM DAT HET VEELBEWOGEN EN BOEIENDE VERLEDEN VAN SURREY VERTELT, WAARONDER HET VERHAAL VAN DE REGIMENTEN DIE IN DE TWEEDE WERELDOORLOG HIER OP HET PLATTELAND GESTATIONEERD WAREN.

Blablabla. Waar staat het stuk over trouwerijen? Aha, hier.

HET MUSEUM VERZORGT NU EXCLUSIEVE TROUWERIJEN IN EEN OUDE OFFICIERSMESS.

Ongelooflijk. Het museum is het huis op de foto. Dat ziet er verrukkelijk uit. Bijna net zo verrukkelijk als The Manor, dat Jane me heeft laten zien.

Ik wil alleen uitzoeken hoe duur het is, maar dit is zo'n ir-ritante website die maar uit twee pagina's bestaat en waarop je eigenlijk alleen maar kunt vinden hoe je er moet komen.

'Goede vangst?' vraagt Mark.

Ik kijk op, en hij zit naar me te lachen. Waarschijnlijk is mijn frons veranderd in een uitdrukking van verlangen en geluk. Ik hoop alleen dat het goedkoper is dan The Manor.

'Waarschijnlijk wel.'

Ik kijk naar de kaart van de routebeschrijving. Het is maar zo'n twintig minuutjes rijden, en ze zijn op zaterdag geopend. Ik kan vandaag gaan. Ik kan nu gaan. Wie weet heb ik vanmiddag wel een trouwlocatie geboekt.

'Ik ga ergens kijken.'

De opwinding klinkt kennelijk in mijn stem door want ik word beloond met een heerlijke lach van Mark.

'Zal ik meegaan?'

'Nee, hoeft niet. Ik heb hier een goed gevoel over.'

En dat is ook zo, een heel goed gevoel.

Als ik mijn auto voor het museum parkeer, blijkt het net zo mooi te zijn als op de foto. Om op het terrein te komen moest je over een grachtje en door een smalle poort. Ik hou mijn adem in om mijn auto ertussendoor te krijgen, en mijn Kever is breder dan handig is.

Het doet me een beetje denken aan de uitstapjes waar we vroeger met onze ouders heen gingen. Parkeren op een geïmproviseerde parkeerplek op een stenig grasveldje. Langs het museumwinkeltje met de potloden en gummetjes lopen. Ik kon het nooit laten mijn etui-inhoud aan te vullen met museumschrijfwaar. En mijn moeder kocht het dan voor me omdat het opvoedkundig bijna verantwoord was. Het kwam tenslotte wel uit een museum.

Dit zou een perfecte trouwlocatie kunnen worden. Laat het alsjeblieft binnen het budget zijn!

Voor het gebouw is een trap die ik mezelf in trouwjurk al zie afdalen, met de sleep achter me aan. O, wacht, waarschijnlijk kan ik geen sleep betalen. Ik kan me wel voorstellen dat ik die trap afloop in een jurk, ruisend en wel. Ik zal toch wel een ruisende jurk kunnen betalen?

Ik weet niet goed wat er achter die ingang komt. Ik hou mijn adem in en bid dat het binnen net zo oogverblindend mooi is.

'Hallo,' zegt een stralend kijkende vrouw zodra ik een voet over de drempel zet. Een beetje gretig klinkt ze wel.

'Hoi.'

Het gaat goed. De receptiebalie is een oud, mahoniehouten bureau en de rest van het interieur ziet er... Nou ja, het ziet eruit als eigendom van de National Trust.

'Iets zegt me dat je over een bruiloft komt praten.'

De vrouw wijst naar me; ik hoop dat ze niet naar mijn buik wijst. We hebben gebruncht met een enorm uitgebreid Engels ontbijt. Hopelijk ziet ze mijn dikke buik niet aan voor een baby in wording. Deze bruiloft wordt geen moetje.

Dan zie ik dat ze waarschijnlijk naar mijn verlovingsring kijkt. Ja, daar wijst haar vinger naar. Wat een opluchting!

'Ja, ik vroeg me af of ik met iemand kon praten over de kosten en zo, en over data, misschien.'

'Oké, dat is wel te regelen. Ik roep Ted even. Ted?'

Er komt een oude man die eruitziet als iemands opa. Hij ziet er zo leuk en vriendelijk uit, dat ik de verleiding moet weerstaan om hem een knuffel te geven en bij hem op de knie te kruipen. Maar dat klinkt pervers, alsof ik een opacomplex heb. Ik bedoel gewoon dat hij er lief uitziet.

'Zal ik u eerst de zaal laten zien?'

'Oké, dat zou fijn zijn. Dank u.'

In al mijn opwinding buiten was ik vergeten dat er ook ruimte voor een receptie moest komen. Stel dat dat de ruimte is met al die vitrines en enge etalagepoppen?

Maar wanneer de vrouw de deur opendoet, vallen alle twijfels weg. Dit is de volmaakte feestzaal. Hij is perfect. Hij heeft een mooie, houten lambrisering, niet op die foute seventiesmanier, maar echt mooi. In het midden staat een lange, mahoniehouten tafel met stoelen en er hangen olieverfschilderijen aan de muren.

De ramen geven uitzicht op de heuvels van Surrey. Ongelooflijk dat zoiets moois bestaat, vooral in een museum. Dat zal me leren nergens heen te gaan wat ook maar enigszins cultureel klínkt.

'Deze zaal reserveren we voor bruiloften en partijen. Zo kunnen we het museum openhouden,' zegt de vrouw.

'Ik vind het prachtig. O, kijk, dat plafond!'

Er hangen kroonluchters! Dit wordt een veel te groot prijskaartje.

'Afhankelijk van het aantal gasten kunt u kiezen voor de lange tafel – daar passen er dertig aan – of we kunnen hem er voor een grotere bruiloft uit halen. Dan zetten we ronde tafels neer. Op hoeveel gasten reken je?'

'We hadden er honderd, maar ik denk dat tachtig realistischer is.'

'Tachtig gaat prima; met honderd gasten wordt het een beetje krap voor een diner. Maar voor 's avond kan honderdvijftig heel goed. Dit is waarschijnlijk de plek waar het podium komt voor een band of dj.'

Een dansorkest zou hier heel goed passen. Dat past uitstekend bij de sfeer van deze plek. Misschien kunnen we er een vintagebruiloft van maken. Dan doe ik de avond ervoor papillotten in mijn haar om krullen te krijgen en koop ik een vintagetrouwjurk. Een couture vintagejurk. Dat is vast veel goedkoper dan een splinternieuwe trouwjurk.

'Gaat het?' vraagt ze, mijn gedachtegang onderbrekend.

'Ja, hoor. Sorry, ik was in gedachten al aan het plannen.'

De vrouw glimlacht naar me en knikt.

'Als je een strijkkwartet tijdens het ontbijt wilt, hebben we hierboven nog een klein balkon. Daar krijg je ook heel mooie foto's, als je de fotograaf daarboven laat staan en alle gasten beneden zitten.'

Ik knik als een niet-begrijpende toerist. Waarschijnlijk is het ook een perfecte plek om je boeket vanaf te gooien. Maar vanaf die hoogte kan het ook best gevaarlijk zijn.

'Perfect,' zeg ik. 'Maar ik heb een beperkt budget, dus voor ik ga zitten zwijmelen, kunnen we maar beter over de prijs praten.'

'Dat klinkt verstandig. Ga zitten.'

Aan de tafel gaan zitten heeft iets onwerkelijks. Ik weet niet of dat komt doordat je in een museum meestal wordt afgeblaft als je maar naar een voorwerp wijst, of doordat hij er te oud en mooi uitziet om aangeraakt te worden. Hoe dan ook, ik vind het eng om te gaan zitten, ook al heeft de vrouw gezegd dat ik kon gaan zitten.

'Oké, laten we het eens over prijzen hebben.'

Voor deze keer heb ik geluisterd naar het stemmetje in mijn hoofd dat verdacht veel als Mark klinkt, en ik heb een notitieblok en pen meegenomen. Ik haal die twee dingen uit mijn tas en voel me net een verslaggever, zo met mijn pen in de aanslag boven het papier.

'De huur van de zaal, voor deze zaal en het museumterrein, is drieduizend pond per dag.'

Hoera, dat klinkt alsof het binnen mijn prijsbereik ligt.

'En dan heb je de catering. We hebben een aantal cateraars waaruit je kunt kiezen, goedkopere en duurdere.'

'Kunt u zeggen wat het per persoon kost?'

'Ja, de goedkoopste optie is ongeveer vijfendertig pond per persoon en de duurste is vijftig pond.'

Ik begin diep adem te halen, want dit is echt te betalen. Oké, ik geef toe dat rekenen niet mijn sterkste punt is. Op dit punt bewijst Mark meestal wat hij waard is. Maar ik denk dat we het kunnen betalen, als we niets anders kopen, geen entertainment nemen en geen wijn schenken. Dat vinden mensen toch wel leuk? We kunnen er een thema van maken: het thema saai.

Had ik al dat geld maar niet vergokt, dan hadden we een prachtige locatie als deze kunnen betalen, die de helft kost van wat de andere kosten en er dan nog bergen grappige, sfeer-volle dingen bij kunnen doen. Ik weet dat ik de tijd niet kan terugdraaien en veranderen wat ik heb gedaan, maar op dit moment ben ik woedend op mezelf.

'Gaat het?'

De vrouw kijkt heel bezorgd. Wie weet ziet ze wel rook uit mijn oren komen.

'Dat klinkt allemaal heel redelijk. Ik weet alleen niet zeker of we dat wel kunnen betalen. Ik neem aan dat u geen...'

Nee, ik kan het niet. Ik krijg de woorden mijn mond niet uit.

'Wat neem je aan?'

'Dat u geen korting geeft op de huur. U weet wel, als we bijvoorbeeld op een maandag trouwen.'

Zo. Ik heb het gezegd. Ik schaam me diep.

'Ik ben bang van niet. En op maandag zijn we gesloten. Ik weet dat het waarschijnlijk veel lijkt, maar als je bij andere lo-caties in de omgeving kijkt, zul je zien dat die veel duurder zijn.'

'O, ja, dat weet ik. Ik weet dat dit heel voordelig is. Het is meer dat ik het geld wel had, maar dat ik het nu niet meer heb. In elk geval heb ik hier niet genoeg voor.'

Ik weet uit de stoel te komen en sta op. Ik wil hier niet weg. Het is echt voor het eerst van mijn leven dat ik dat in een mu-seum zeg.

'Het spijt me, liefje. Ik ben bang dat we dit bedrag moeten rekenen, anders kunnen we het museum niet openhouden.'

'Natuurlijk, dat begrijp ik echt wel.'

'De enige mensen die korting krijgen, is het personeel.'

'En vacatures hebt u zeker niet,' zeg ik lachend.

Ik bedoelde het als grapje, maar dat zou twee vliegen in één klap zijn. Korting en wat extra centjes sparen voor de grote dag.

'Geen betaald werk. We hebben maar een paar betaalde krachten.'

'Jammer.'

We staan weer in de hal bij het prachtige mahoniehouten bureau en Ted, die ik zo als opa zou willen adopteren.

'Hartelijk dank voor uw tijd. Het spijt me dat ik niet kan boeken.'

'Geeft niet, hoor. Wil je het museum nog zien, nu je er toch bent?' vraagt ze.

Ik schud mijn hoofd. Voor het geval je het nog niet hebt geraden, zijn musea niet echt iets voor mij. Net als ik op het punt sta te vertrekken gaat me ineens een licht op.

'Zei u nou dat u geen betaalde banen had? Betekent dat dat u wel onbetaalde banen heeft?'

'O, ja. We hebben vrijwilligers die in het museum helpen en die achter de schermen meehelpen.'

'En die krijgen ook korting?'

Mijn brein werkt op volle toeren. Zelfs een klein beetje korting zou al betekenen dat ik een stukje dichter bij onze bruiloft hier kom.

'Ja, maar…'

O, jee. Er is altijd een maar, en de vinger van de vrouw gaat de lucht in, wat inhoudt dat dit 'maar' helemaal geen goed nieuws is.

'Om korting te krijgen moeten onze vrijwilligers regelmatig komen en hier minstens drie maanden hebben gewerkt.'

'Dat lukt me wel!'

Dat zou me echt wel lukken. Het is nog drie maanden tot onze bruiloft. Ik weet zeker dat ik tot die tijd als vrijwilliger kan werken.

'Kunt u twee uur per week missen om hier vrijwilligerswerk te komen doen?'

'Kan het ook in het weekend?'

'Ja, we hebben op zaterdagochtend vrijwilligers.'

Perfect, precies als Mark gaat golfen.

'Mooi. Hoe moet ik me aanmelden?'

'Je moet even met de curator praten. Ze is er vandaag niet, maar u kunt haar dinsdag bellen.'

De vrouw geeft me een papiertje met de naam en het telefoonnummer erop, en ik druk het tegen mijn borst alsof het
het meest waardevolle bezit ter wereld is.

'Dat doe ik. En hoeveel korting krijg ik dan?' vraag ik.

'Dan zou u de kostprijs moeten betalen en dat is ongeveer
vijfhonderd pond.'

Dat is een behoorlijke korting. Zelfs ik kan de besparing
berekenen. Vijfentwintighonderd pond. Verbluffend.

'Geweldig. Bedankt voor al uw hulp. En ik bel dinsdag de
curator.'

Ik zwaai naar de vrouw en Ted en loop de hoofdingang uit,
de draaitrap af.

Ik heb het gevoel alsof ik er vanaf zweef. Niet omdat ik mezelf voorstel als droombruidje, maar omdat ik voor het eerst
in weken het gevoel heb dat het goed komt met deze bruiloft. Ik kan maar beter een schietgebedje doen en hopen dat
de curator het goedvindt dat ik vrijwilligerswerk kom doen,
anders ben ik weer terug bij af.

7

Ik begin greep op deze bruiloft te krijgen. Nee, ik heb de locatie nog niet geboekt en zelfs nog niet gevraagd welke data nog vrij waren, maar ik stel het in elk geval niet meer uit.

Ik moet zaterdag in het museum werken om te zien of ik geschikt ben. Ik doe echt alles om ervoor te zorgen dat dat zo is, want anders kunnen we de bruiloft vergeten, en dan kan ik het ook wel vergeten, want dan moet ik het aan Mark bekennen van de vreselijke, door gokken veroorzaakte puinhoop.

Waarschijnlijk goed om te horen: ik heb al een hele week niet gegokt. Ik heb zelfs geen lot bij de loterij gekocht. Volgens mij denkt Mark dat ik het helemaal kwijt ben, want ik heb hem bijna getackeld toen hij bij Tesco naar de balie liep om een lot te kopen. Ik zei dat we met het oog op de bruiloft hard moesten sparen.

Dit is mijn tweede week bij de praatgroep voor gokkers. Ik heb een naar gevoel in mijn maag. Dat gevoel dat ik vroeger op school altijd kreeg als ik na een paar dagen vrij weer naar school moest. Ik stelde het me altijd veel erger voor dan het feitelijk was. Ik weet dat het wel meevalt als ik er eenmaal ben. De tweede keer kan het toch niet erger zijn?

'Penelope!'

Ik blijf stokstijf staan en probeer een smoes te verzinnen om te verklaren waarom ik op dinsdagmiddag om halfvijf in het buurthuis ben, terwijl ik hoor te werken. Je zou denken dat ik mijn verhaaltje wel klaar heb. Het is nu de tweede keer dat ik hier ben. Maar dat is niet zo. Ik ben gewoon niet creatief. Het is duidelijk dat ik de slechtste spion ter wereld zou zijn.

Ik draai me langzaam om en vraag me af wie er nou precies achter me staat.

O, wat een opluchting: het is Rebecca van de groep.

'Ha, Rebecca,' zeg ik veel te gretig. Ik loop het risico sarcastisch en gemeen te klinken, maar dat is de bedoeling niet. Ik ben alleen opgelucht dat het niet een tante van Mark is die hier rondhangt.

'Toch maar weer gekomen?'

'Ja. Ik ben net zo zenuwachtig als vorige week. Suf, hè?' zeg ik.

'Dat heb ik ook. Ik heb Mary bijna gebeld om te zeggen dat een van mijn kinderen ziek was. En toen herinnerde ik me dat ik hier kom om te stoppen met liegen.'

Ik mag Rebecca wel. Omdat ik zelf geen kinderen heb, zou ik haar niet zomaar tegenkomen. Ik weet dat ik haar pas twee keer heb gesproken, maar als ik met haar praat weet ik meteen dat ze precies begrijpt wat ik doormaak. Nou, niet precies wat ik doormaak. Ze is tenslotte al getrouwd en hoeft niet het hele bruiloftscircus te ondergaan.

'Ik kan maar niet ophouden met liegen, lijkt het wel, omdat ik Mark niet over de bruiloft mag vertellen.'

Als ik het lokaal in het buurthuis in loop, weet ik ineens niet meer waar ik me zo druk over maakte. Mary kijkt mij en Rebecca stralend aan, en verder staat iedereen enthousiast met elkaar te kletsen. Mensen slaan elkaar op de schouder en geven elkaar complimentjes. Ineens voel ik me stukken beter en heb ik het idee dat dit me wel gaat lukken. Ik krijg die bingoverslaving er wel onder.

'Ha, Penelope.'

'O, hoi, Josh. Ik zag je niet binnenkomen.' Anders had ik mijn shabby jas wel uitgedaan en mijn haar gladgestreken. Het komt door die verhipte ogen van hem. Deed hij maar net als Bono, dan had hij altijd een zonnebril op. Dan werd ik niet zo door hem gehypnotiseerd.

'Hoe is het gegaan van de week?' vraagt hij.

'Goed. Ik heb helemaal niet gegokt. Zelfs geen lot gekocht,' zeg ik trots.

'Hé, dat is goed om te horen. Goed gedaan, zeg.'

Wanneer Josh naar me glimlacht en zegt dat ik het goed gedaan heb, voel ik me net het lieverdje van de leraar en gloei ik helemaal vanbinnen.

'Oké, mensen, zullen we beginnen? Volgens mij zijn we er allemaal,' zegt Mary.

Ik ga naast Rebecca zitten, en Josh gaat achter in het lokaal zitten, waar alle coole kinderen altijd zitten. Of in dit geval de andere mentoren.

'Vandaag hebben we het over onze gevoelens bij onze gokverslaving. Waarom doen we het en wat voor gevoel krijgen we ervan? Penelope, begin jij maar.'

Onmiddellijk krijg ik een vuurrood hoofd. Dit gebeurde op school ook altijd. Dan werd ik het eerst aangewezen. Volgens mij komt dat omdat ik een naam heb die je niet zomaar vergeet en de docenten zich mijn naam het eerst herinnerden, vóór de namen van alle andere kinderen.

'Eh, oké. Wat moet ik zeggen?'

'Nou begin maar bij het begin. Waarom ben je gaan gokken? Wat voor kick geeft het je?'

Ik raak in paniek, ik raak echt in paniek. Wat moet ik zeggen? Wat is het juiste antwoord?

'Ik wilde een Vera Wang-trouwjurk.'

Aan de verblufte blikken in het lokaal zie ik dat dit misschien niet het juiste antwoord is.

'Een trouwjurk?' herhaalt Mary op een toon die suggereert dat ze denkt dat ze me verkeerd heeft verstaan.

'Ja. Nou, ik speelde bingo om een droombruiloft bij elkaar te winnen. We hadden geld gespaard, maar ik wilde de kers op de taart. Je weet wel, de Vera Wang-trouwjurk, de Jimmy Choos of Louboutins aan mijn voeten, de verbluffende diadeem, de goochelaar of de suikerspinmachine.'

Bijna verlies ik me weer in mijn droombruiloft, en in gedachten zie ik de gezichten van mijn gasten bij het aantreffen van al dat moois.

Wanneer ik mijn ogen opendoe schaam ik me dat ik mijn ziel en zaligheid heb blootgelegd voor al deze mensen die ik amper ken.

'En waarom heb je – wat deed je ook weer? – bingo gekozen?'

Wat ik echt denk, kan ik niet zeggen. Dat ik als klein meisje aan bingo verslingerd ben geraakt. Sinds mijn oma ons op een donderdagmiddag een keer meenam naar het buurthuis bij haar in de buurt. Als meisje van acht werd ik gehypnotiseerd door de felle kleuren van de stiften. Vanaf dat moment speelden mijn zus en ik samen bingo en dan was mijn oma de spelleider. Maar we veranderden de rijmwoorden zodat het werd 'twee zwemmende zwanen: tweeëntwintig' en 'twee dikke nijlpaarden: achtentachtig'. Maar dat kan ik niet zeggen, want dat is niet de reden waarom ik bingo heb gekozen.

'Ik heb het een paar keer op tv gezien, en ik had erover nagedacht. Toen zag ik op een dag een pop-up op internet waarin je tien pond werd beloofd. Ik verveelde me omdat mijn verloofde altijd boven voor zijn examens zat te studeren.'

'Verveling, dat geldt voor veel van ons. En ben je blij als je wint?'

'Dat zal wel.'

'Dat zal wel? Hoe voelt het als je wint?'

'Het voelt alsof ik dichter bij mijn droom kom.'

Waarom was ik nou het eerst aan de beurt? Dit is vreselijk.

'En die droom is je bruiloft? En wat betekent het voor je als je verliest?'

'Het stomme was dat ik niet zo oplette of ik won of verloor.

Dat maakte niet zoveel uit. Alleen al door te spelen kreeg ik het gevoel dat ik een stap dichter bij de bruiloft was gekomen. Meestal was ik me niet eens bewust van de ronde die aan de gang was. Ik ging zo op in mijn dromen en fantasieën dat het bingo er bijna niet toe deed.'

'Net als bij mij.'

Even schrik ik als ik een andere stem hoor. Ik kijk op en zie dat de stem afkomstig is van de man die verslaafd is aan de voetbaltoto op internet.

'Ik merkte dat ik niet eens naar de wedstrijden keek of naar de uitslagen. Voor mij ging het niet om winnen of verliezen, het was gewoon de verslaving om het te doen,' vertelt de man verder.

Terwijl hij doorgaat, glimlach ik naar hem, als dank voor het feit dat hij me heeft gered. Even later heeft de hele groep verteld over hun gevoelens en begin ik in te zien dat een gokverslaving niet is wat ik me er altijd bij heb voorgesteld. We sprongen geen gat in de lucht als we wonnen, het ging ons er meer om dat we meededen. Anderen in de groep voelden zich zo schuldig als ze hadden gewonnen dat ze net zo lang speelden tot ze verloren.

Tegen het eind van de twee uur weet ik eigenlijk helemaal niet meer waarom ik speelde. Er zal toch wel een zwaarder wegende reden voor mijn bingoverslaving zijn dan het feit dat ik het leuk vond om met mijn oma's bingostiften te spelen?

Ik loop als een robot naar de koffiehoek. Ik doe mijn best om in mijn geheugen terug te gaan naar die dag, afgelopen zomer, toen ik voor het eerst bingo speelde. Ik weet dat ik op internet zat en naar trouwjurken keek. Jemig, wat wilde ik wanhopig graag trouwen. En ik herinner me vaag een pop-up waarin stond dat ik tien pond kreeg om mee te bingoën.

Ik heb erop geklikt omdat ik met oma's bingo altijd geluk had. Ik wilde alleen maar die tien pond opmaken; het was niet de bedoeling dat ik verslaafd zou raken. Had ik die avond maar gewoon een boek gelezen of iets anders nuttigs gedaan.

Had ik maar niet gegokt, dan verzoop ik nu in de e-mails op mijn werk, en stond ik niet met mijn medeverslaafden in een sjofel buurthuis.

'Wat goed van je dat je er zo openlijk over vertelde,' zegt Josh.

'Dank je.'

Ik heb niet het gevoel dat ik goed was. Het heeft me alleen maar een scherper beeld gegeven van de afstotelijke persoon die ik ben. Ik had mijn bruiloft op een presenteerblaadje, maar ik wilde meer, als een inhalig kind.

'Ik had verwacht dat je me deze week zou bellen.'

'Echt?'

Kan ik nog gretiger klinken? Waarom gaat mijn stem zo idioot omhoog als Josh in de buurt is?

'Ik had verwacht dat je misschien wel met me wilde praten. Je weet wel, om een schouder te hebben om op uit te huilen.'

Ik weet zeker dat hij dat met opzet zei, zodat ik naar zijn schouders zou kijken – zijn prachtige, brede schouders waarop het heerlijk uithuilen zou zijn. Heerlijk slapen. Heerlijk om wat dan ook te doen.

Wat heb ik toch? Ik ga trouwen. Met MARK, niet met Josh.

'Je kunt me bellen, hoor. Als je bijvoorbeeld in de verleiding komt om te gokken of als je gewoon met iemand wilt praten die weet wat je doormaakt. Maar met je droom van het trouwen kan ik je niet helpen. Ik geloof niet in het huwelijk.'

Wat jammer. Hopelijk heb ik dat gedacht en niet gezegd. Ik kijk op naar Josh en zie dat hij nog normaal kijkt en dat hij niet vol afschuw een stap achteruit doet, dus ik denk dat ik het heb gedacht.

'Ik ben braaf geweest. Ik heb al die sites op mijn laptop geblokkeerd en ik heb de bingo-apps van mijn mobieltje gehaald.'

'Hartstikke goed. Een goed begin. Cold turkey is altijd moeilijk. Heb je nog overwogen het aan je partner te vertellen? Hoe heet hij ook weer?'

Eigenlijk wil ik 'Josh' roepen. Maar ik weet Marks naam uit te brengen.

'Mark. En nee, ik vertel het hem niet. Nooit.'

Zelfs als hij teleurgesteld kijkt, is Josh sexy.

'Ik vind dat je er nog eens over na moet denken. Het is wel iets groots dat je voor hem geheimhoudt.'

'Ik kan het Mark niet vertellen. En wat heeft het ook voor zin? Ik ga nooit meer gokken. Ik ga de bruiloft van onze dromen organiseren, dus hij hoeft het ook nooit te weten.'

'Vind jij dat de beste manier om aan een huwelijk te beginnen?'

'Wat weet jij daar nou van? Jij was toch degene die niet in het huwelijk geloofde?' snauw ik.

Onmiddellijk heb ik spijt van mijn woorden. Ik wilde niet snauwen; het is meer dat Josh een tere snaar raakte. Hij heeft gewoon gelijk. Het is geen goede manier om aan een huwelijk te beginnen. Maar ik heb geen keus. Ik kan het Mark niet vertellen. Er komt niet eens een bruiloft als ik het Mark vertel, zeg ik tegen mezelf.

'Sorry, Josh. Dat meende ik niet.'

'Ach, daar zijn mentoren toch voor? Luister, ik vind dat jij en ik elkaar ergens tussendoor moeten spreken. Ik vind dat we meer met elkaar moeten praten dan alleen die paar minuten die we hier krijgen.'

'Ik weet het niet. Ik heb het nogal druk deze week,' lieg ik. Het is best druk, maar niet zo druk dat ik niet een keer 's avonds iets kan gaan drinken. Het is meer dat ik momenteel met zoveel leugens leef dat ik niet denk dat ik met Josh kan afspreken en een smoes voor Mark kan verzinnen.

'Oké. Nou, het hoeft ook niet per se deze week. Maar ik vind dat we moeten praten.'

Ik verdrink weer in Josh' ogen. Het lijkt wel alsof hij me hypnotiseert. Ik voel dat ik knik en ja zeg. Ik heb mijn reacties niet onder controle.

'Ik moet gaan,' zeg ik tegen hem. Ik moet nu weg. Ik wil die ogen niet meer zien.

'Oké. Nou, denk eraan, sms me maar als je wilt praten.'

Ik knik en zwaai naar de anderen voordat ik het lokaal bijna uit ren. De bijeenkomst was vandaag een beetje te heftig voor me.

Het is maar goed dat ik ga sporten voordat ik naar huis ga. Meestal doe ik op dinsdag body combat. Niet dat ik dat nu haal – daar ben ik te laat voor. De les begint om zes uur en het is al halfzeven. Ik heb vorige week ontdekt dat de instructeur niet blij is met laatkomers. Ik had nog geen voet binnen gezet of ze joeg me alweer weg. Ik heb nog wel tijd om mijn neus op de sportschool te laten zien voordat ik naar huis naar Mark ga.

Net als ik de deur van het buurthuis uit loop, zie ik een flyer: bloemschikken. Nee, ik ben niet ineens een vrouw die met pensioen is en die iets te doen zoekt, maar ik heb bijna een jeukaanval gekregen van de prijzen van bloemisten. Als ik het zelf kan doen, dan zal het toch wel goedkoper zijn?

Zo moeilijk kan het toch niet zijn? Gewoon wat bloemen bij elkaar zoeken en ze in een boeket te binden. Eigenlijk denk ik dat ik dat best goed kan. Ik haal mijn nieuwe, handige notitieboekje en pen tevoorschijn en krabbel de contactinformatie neer.

Sporten was net wat ik nodig had na de geestelijk vermoeiende sessie in het buurthuis. Het was misschien niet mijn langste training, maar het was goed. Ik kon nog tien minuten hardlopen op de loopband, en toen heb ik nog tien minuten onder de douche gestaan. Die douches zijn geweldig. Daar zou ik alleen al het lidmaatschapsgeld voor betalen.

'Ha, Penny.'

O, shit. Ik heb het zo getimed dat ik me aan het aankleden ben als de body combat-les is afgelopen.

'O, hoi, Kate.'

'Ik heb je de afgelopen paar weken gemist. Gaat alles goed?'

Fijn. Nog iemand tegen wie ik moet liegen.

'Ja, prima. Het is op het moment een gekkenhuis op het werk.'

Waarom vond ik dat ik een net zo gek handgebaar moest maken om het te onderstrepen? Door dat liegen krijgt mijn lichaam allerlei tics.

'O, dat ken ik. Nou, misschien tot volgende week?'

'Ja, hopelijk wel,' zeg ik. Nog een leugen.

'Mooi. Nou, ik kan maar beter snel een douche nemen. Ik zal wel stinken, na die les. Ik verheug me erop volgende week bij te praten en te horen hoe het met je trouwplannen gaat!'

'Ja, leuk.'

Ik vraag me af of het aantal leugens dat je kunt vertellen zonder dat je neus langer wordt aan een maximum gebonden is.

Tegen de tijd dat ik thuiskom ben ik uitgeput. Zelfs de gedachte aan eten maken is me te veel. Ik wil me alleen maar in bed oprollen en slapen. Ik heb niet eens zin om trouwforums af te schuimen, zo moe ben ik.

Maar ik ben de eerste die thuis is, dus ik moet eigenlijk met het eten beginnen voordat Mark thuiskomt.

'Hallo, schatje. Ik ben thuis.'

Als je het over de duvel hebt. Hij klinkt uitbundig, dus hij is duidelijk opgewekt. Dan is dat er tenminste één.

'Ik ben in de keuken.'

'Ha, ben je echt eten aan het koken?'

Ik sla hem speels met de theedoek terwijl ik op hem afloop.

Eten koken is te veel gezegd, want ik heb nog geen enkel ingrediënt op het aanrecht staan. Maar ik was er al over aan het nadenken, dus dan was ik begonnen.

'Thaise curry?' vraag ik, terwijl ik de koelkast opendoe en zie dat we kip en een aubergine hebben. Mijn brein is nog zo wazig van de groepstherapie dat ik niet creatief kan zijn.

'Klinkt goed. Hoe ging het sporten?'

'Goed, hoor.'

'Je moet niet zo'n spillepoot worden. Ik ken massa's meisjes op mijn werk die vóór hun bruiloft nog maat zesendertig wilden krijgen. Die zagen er op de foto's verschrikkelijk mager uit.'

Dat is dan dik voor elkaar. Sorry voor de woordspeling. Met de praatgroep op dinsdag op een tijd dat ik eigenlijk naar body combat moet, en de les bloemschikken die niet strookt met mijn sportactiviteiten, zal ik moeite moeten doen om naar de sportschool te kunnen.

Als dit zo doorgaat moet ik tijdens de lunch gaan sporten, anders is er straks geen trouwjurk meer waar ik in pas. We mogen op het werk een spijkerbroek aan, als we niet naar een interview hoeven. En dat was lekker totdat de skinny jeans in de mode raakten. Spijkerbroeken naar mijn werk aandoen is voor mij nu een ware last geworden. Nu moest ik naar zo'n sportles in plaats van gewoon wat op de apparaten trainen, anders zie ik er in skinny jeans uit als een gestrande walvis.

'Gaat het wel? Je ziet er uitgeput uit. Wil je dat ik kook?'

Ik knik. Ook al betekent het dat ik de afwasmachine moet uitruimen en vol zetten. En daar heb ik de pest aan. Het kan me nu niets schelen, want op dit moment zou ik alles goedvinden om maar in een stoel te kunnen neerploffen.

'Dank je wel, lieverd. Dat zou fijn zijn. Vertel eens hoe het bij jou ging vandaag.'

Ik maak het me gemakkelijk, zo gemakkelijk als maar kan op een houten keukenstoel, en luister naar Mark die vertelt over hoe zijn dag is geweest. Over zijn cliënten die willen dat hij hun een zo laag mogelijke belastingaanslag bezorgt en over de praatjes tijdens zijn squashwedstrijd.

Mijn blik wordt troebel terwijl ik naar hem zit te luisteren. Ik vind het vreselijk dat ik zo stom ben geweest onze toekomst te vergokken en tegen hem te liegen. Voor ik het weet stromen de tranen over mijn wangen.

'Hé, Pen. Wat is er toch?'

'Niets,' snotter ik. De waarheid ligt op het puntje van mijn tong. Maar ik kan het niet. Hij vergeeft het me nooit. 'Ik ben gewoon moe en de hormonen spelen op.'

Dat is het grote voordeel van het vrouw-zijn: je kunt bijna alles wijten aan opspelende hormonen.

'Ga maar lekker in de kamer zitten met je voeten omhoog, dan zet ik een kopje thee.'

Ik ben de allerergste verloofde ter wereld.

'Dat zou heerlijk zijn,' zeg ik.

En dan begin ik nog harder te huilen. Waaraan heb ik zo'n schat als verloofde verdiend? En wat nog belangrijker is, waaraan heeft hij zo'n leugenachtig wijf als ik verdiend?

8

Natuurlijk regent het pijpestelen op de eerste dag dat ik vrijwilligerswerk bij het museum ga doen, en besluit Mark dat hij een mooiweergolfer is.

Ik moest al mijn wilskracht bij elkaar schrapen om uit ons heerlijke bed te komen. En dat is des te moeilijker als er een blote man in ligt, die je zalig aan het knuffelen is.

Hij is zo onder de indruk van mijn vastberadenheid om naar mijn nieuwe zumbales te gaan, dat hij zegt dat hij een extralekkere warme lunch voor me gaat klaarmaken, als beloning omdat ik er dan miljoenen calorieën af heb getraind. Op deze manier zit ik alle lunchpauzes in de sportschool. Ha, misschien val ik nog af door tijdens de lunch mijn lunch over te slaan.

Ik stel verheugd vast dat het museum er in de regen net zo mooi uitziet. Tenminste, toen ik de lange oprit afreed wel. Ik vind het minder als ik mijn auto uit kom en de draaitrap op ren. Beelden van mij in mijn tulen trouwjurk worden vervangen door mij op mijn rubberlaarzen. Lieve bruiloftsgoden, laat het op mijn trouwdag alsjeblieft mooi weer zijn.

Tegen de tijd dat ik bij de balie aankom, zie ik eruit als een verzopen kat. Ik doe mijn regenjas uit en hang hem – op aanwijzing van Ted, de man die ik als opa wil adopteren – op aan de kapstok. Dan verontschuldig ik me en ga ik naar de wc, waar ik me snel uit mijn sportkleren en in mijn spijkerbroek en mooie trui hijs. Ik wil een goede indruk maken.

Als ik naar huis ga, moet ik er alleen nog aan denken mijn hoofd onder de kraan te stoppen zodat het eruitziet alsof ik zo onder de douche vandaan kom. Of ik kan gewoon naar huis lopen, dan ziet het eruit alsof ik met kleren en al onder de douche heb gestaan.

Als ik mijn haar weer enigszins in bedwang heb, laat ik de veiligheid van de wc's achter me.

Ted belt iemand die me komt halen, en al snel loop ik achter een andere museumassistent aan, achter de schermen van het museum. Het voelt een beetje stout om achter de vitrines een deur door te gaan. Ik krijg bijna het gevoel dat ik in Narnia terechtkom.

De museumassistent is niet in de stemming om een praatje te maken, en hij neemt me in sneltreinvaart mee door het netwerk van eender uitziende gangen. Als ik hier ooit levend uit kom, mag het een wonder heten. Uiteindelijk kom ik aan in een verrassend lichte en luchtige kamer, ergens onder het hoofdgebouw van het museum.

'Aha, jij bent vast Penelope,' zegt een vrouw, die naar me toe komt.

'Ja, maar je mag me Penny noemen.'

'Penny. Oké. Welkom. Ik ben Cathy, de curator van het museum. Dit is onze zaterdagse vrijwilligersclub.'

'Hallo,' zeg ik en ik zwaai naar de andere drie dames.

'Meestal zijn we met meer, maar met dit weer komen alleen de echte museumfans hierheen.'

'Niemand gaat dood van een spatje regen,' zegt een van de vrouwen.

Ik ga naast een vrouw zitten, en de curator komt aan mijn andere kant zitten.

'Nou, Penny, heb je dit soort vrijwilligerswerk wel eens gedaan?'

Ik schud van nee.

'Oké. Nou, we doen het werk in projecten. Op dit moment zijn we bezig beklede kleerhangers te maken voor onze uniformcollectie. Hoe ben je met naald en draad?'

Rampzalig, wil ik zeggen. Ik heb mijn naald aan de wilgen gehangen toen Mark me had gevraagd een gat in zijn sok te stoppen. Toen hij hem aantrok bleef hij steken omdat ik zijn sok halverwege had dichtgenaaid.

Aan de telefoon had de curator niets gezegd over naaien. De kans dat ik hier kan trouwen, begint net zo groot te worden als de kans dat ik *X Factor* win, en dat gebeurt nooit omdat ik geen toon kan houden.

'Het is niet echt mijn grootste talent,' zeg ik met een grimas. Wauw, het is best verfrissend om voor de verandering eens de waarheid te zeggen.

'Dat geeft niet. Als je wilt mag je het patroon knippen.'

'Oké.'

Dat klinkt beter. Geef mij maar een schaar. Knippen kan ik wel.

De volgende tien minuten legt de curator uit hoe de hangers in elkaar zitten en waarom we ze moeten maken. Het is veel interessanter dan ik had gedacht. Wie kon vermoeden dat er onder het museum een heel magazijn zat met honderden uniformonderdelen? En dat al die uniformen stuk voor stuk zorgvuldig moesten worden opgeborgen en bewaard? Dit vrijwilligerswerk is het bewijs dat je nooit te oud bent om te leren.

Binnen de kortste keren ben ik van patroon knippen bevorderd naar kijken hoe ik schuimrubber om de kleerhangers moet wikkelen om ze zacht te maken, waarna ze naar de dames worden gebracht die naaien. Ik ben voorgesteld aan Betty, Lilian en Nina. Betty en Lilian zijn allebei met pensioen, en Nina is een studente die na haar studie conservator wil worden.

We hebben alles besproken in de categorie die ik de Blind

date-onderwerpen noem (wie je bent en waar je vandaan komt) en nu zijn we overgegaan op mijn favoriete onderwerp: bruiloften.

'Sommige bruiloften hier waren echt geweldig,' zegt Lilian.

'Sommige wel. Dat is het leukst van het werk hier op zaterdagochtend – je krijgt de kans om te kijken hoe alles er boven uitziet, voordat iedereen er is,' stemt Betty in.

'En natuurlijk heb je er soms iets vreselijks tussen zitten,' zegt Lilian. 'Weet je nog die roze bruiloft, Betty?'

Betty kijkt alsof ze grote moeite doet om niet te grijnzen. Over die roze bruiloft moet ik meer weten.

'De bruid wilde alles in het roze: roze jurk, roze schoenen, roze taart. Ze had zelfs een roze spoeling in haar haar.'

Wauw. Daar zijn geen woorden voor.

'Het leukste was nog toen ze hier aankwam en woest werd. Haar schoonmoeder was in het rood, en ze trok niet alleen veel meer aandacht dan de bruid, maar vloekte ook nog vreselijk met alles,' zegt Betty, en ze lacht voluit. Een vette mannenlach.

Waar haalt ze die vandaan? Ze lijkt zo'n keurige, oude dame.

'O, lieverd, jij hebt toch geen roze thema?' vraagt Lilian.

Betty stopt met lachen en kijkt ineens heel serieus.

'Nee, maak je maar geen zorgen. Ik doe geen roze thema. Ik heb eerlijk gezegd nog niet echt nagedacht over een thema.'

Eerlijk gezegd heb ik dringender zaken aan mijn hoofd gehad, zoals proberen te trouwen voordat de bruidegom me afmaakt.

'Ach, bruiloften hoeven geen thema te hebben,' zegt Betty.

'Ik wilde een prinsessenbruiloft,' zeg ik, terwijl ik visioenen krijg van een enorme jurk met lange sleep en honderd bruidsmeisjes achter me aan. Mijn droom vervliegt als ik me herinner dat die bruiloft een verre herinnering is.

'En ben je van gedachten veranderd?' vraagt Betty.

'Ik ben volwassen geworden, denk ik,' zeg ik eerlijk.

'Ik vind het prinsessenthema ook wel erg uitgekauwd. Al die pracht en praal met een sleep en glazen koetsen, dat vind ik zo opzichtig,' zegt Nina. 'Als ik trouw, komen alleen de bruidegom en ik.'

'Ach, nee, liefje, dat is niet eerlijk voor je ouders,' zegt Betty.

Nina haalt haar schouders op. *Kon ik dat maar, Nina.* Maar Betty heeft gelijk. We hebben te veel familieleden die ons zouden onterven als ik dat serieus zou overwegen.

'Oké. Nou, ik vind dat ik voor vandaag wel klaar ben,' zegt Lilian.

'O, ja, moet je zien hoe laat het is. Tijd voor een kopje thee?' vraagt Betty.

Ik kijk op mijn horloge en zie tot mijn verbazing dat het al elf uur is. Waarom gaan twee uur op mijn werk niet zo snel?

Dan herinner ik me dat ik op mijn werk niet twee uur aan één stuk door kan kletsen, tenzij ik een training geef. Maar dan sta ik alleen maar dingen te verkondigen en dringt het niet tot me door wat ik zeg.

'Penny, zullen we zo eens praten over die bruiloft van jou?' vraagt Cathy de curator.

'Ja, dat zou fijn zijn.'

Ik loop met haar mee naar haar kantoor. Ik krijg de neiging om broodkruimels te laten vallen zodat ik de weg naar buiten weer kan vinden. Het is net een doolhof hier. Ik hoop dat er op ons feest niemand zo dronken wordt dat hij op weg naar de toiletten de verkeerde gang neemt, anders blijft hij eeuwig door deze witte gangen dwalen.

'We zijn er,' zegt Cathy, en ze doet de deur open.

Ik sta versteld van haar kantoor. Een muur vol boekenkasten met een hoeveelheid boeken die ik sinds de universiteit niet bij elkaar heb gezien. Cathy's bureau gaat schuil onder stapels papieren en mappen, en er liggen allerlei voorwerpen op. Gasmaskers en rubberen dingen die eruitzien alsof ze eerder op een rubberparty thuishoren dan in een museum.

'Sorry voor de rommel. Zo wordt het altijd aan het einde van het boekjaar. Er moeten verslagen over uitgaven van subsidies geschreven worden, en verslagen voor commissarissen en zo.'

Ik knik alsof ik er alles van weet. Eerlijk gezegd zijn het enige wat ik over het einde van het boekjaar weet de miljoenen telefoontjes die we op de HR-afdeling krijgen over eindejaarsbonussen. Ze bellen ons nog steeds, hoeveel e-mails of brieven we ons kantoor ook sturen om te zeggen dat we niets te maken hebben met betalingen of andere dingen die met geld te maken hebben. En dat geldt ook voor bonussen. We hebben een mooi hoofdkantoor in Zweden dat dat voor ons doet. We krijgen alle leuke dingen te doen, zoals ervoor zorgen dat we alles volgens Britse wetgeving en beleid doen, en het aannemen en ontslaan van het personeel hier.

'Oké, eens zien. Je wilt in mei of juni trouwen? En ik begrijp dat je graag in aanmerking wilt komen voor de korting voor vrijwilligers.'

'Dat klopt. Ik kom graag op zaterdagochtend helpen.'

'Mooi zo. Het is leuk om op zaterdag een club van verschillende leeftijden te hebben. Als je niet uitkijkt, krijg je het idee dat de seniorenclub een uitje heeft. En daar gaat het niet om bij vrijwilligerswerk. Je zou een aardige mix van generaties moeten hebben.'

Voor een buitenstaander klinkt het misschien alsof Cathy is gehersenspoeld door de propaganda over 'het brede middenveld van de maatschappij' waar de overheid het altijd over heeft, maar ze klinkt alsof ze het werkelijk meent.

'Sorry, ik dwaal af. Om voor de korting in aanmerking te komen, moet je je committeren om ten minste drie maanden vrijwillig voor ons te werken.'

'Dat is prima.'

'En dat zou bijna elke zaterdag moeten zijn. We eisen echt niet dat je ons precies dertien weken van je tijd geeft, maar je kunt niet maar een paar keer komen en toch een korting willen. Dat gebeurt dus niet.'

Ineens krijg ik het gevoel dat ik weer op school ben, in de kamer van de directrice. Niet dat ik daar vaak moest komen, of zo. Eerlijk niet. Het was niet mijn schuld dat ik een paar groeispurten heb gehad en dat mijn eens knielange rokken nu gevaarlijk hoog op het bovenbeen hingen.

'Ik snap het.'

'Mooi. Ik wilde je er alleen aan herinneren. We hebben gevallen gehad dat mensen beloofden te komen werken en niet kwamen opdagen. En dan kregen ze na de bruiloft de rekening en dan kan het wel eens vervelend worden. Een schadeclaim, advocaten – je weet wat ik bedoel.'

Waarom krijg ik het idee dat ik een pact met de duivel sluit? Ik zie niet in waarom het zo erg zou zijn om hier elke week te komen werken. Ik kom ook voor mijn werk mijn bed uit, en dat vind ik niet eens erg leuk.

Oké, voor mijn werk word ik betaald, maar hier krijg je koekjes. Op het werk hebben we geen koekjes, tenzij je ze zelf meeneemt. Dat hebben we te danken aan Trevor en de koekjeskwestie. De eerste week na de koekjeskwestie heb ik een rol koekjes meegenomen en toen heb ik het hele pak Jammy Dodgers in mijn eentje opgegeten. Sindsdien vertrouw ik mijn wilskracht niet meer en werk ik koekloos.

'Ik vond het ontzettend leuk, vanochtend. De dames zijn erg aardig.'

'Ja, ze zijn ook echt aardig. Er zijn maar een paar van die dragonders, maar die blaffen harder dan ze bijten.'

Ik dacht dat Cathy dit vrijwilligerswerk moest aanprijzen, in plaats van me te ontmoedigen. Maar ik glimlach nog, zij het met opeengeklemde kaken.

'Zullen we dan even naar de data voor de bruiloft kijken?' vraagt Cathy.

Ben ik dan geslaagd voor de test? Kan ik nu een volwaardige vrijwilliger worden? Ik weersta de neiging een high five met Cathy te doen. Dit hele gedoe met 'Verras de bruidegom' is echt lastig; Mark en ik hadden elkaar bij het horen van zulk nieuws een high five gegeven.

Ik knik omdat ik het niet wil verpesten door iets doms te

91

zeggen als 'dank je, dank je, dank je vreselijk'. Cathy lijkt me niet het soort vrouw dat dat kan waarderen.

'Eens zien,' zegt ze. Ze bladert zo snel door de agenda dat ik me afvraag hoe ze het allemaal in zich opneemt. Geen wonder dat ze zoveel boeken heeft, als ze in dat tempo leest.

'Ik ben bang dat er niet veel keus is. We hebben het derde weekend in mei vrij.'

'Prima,' zeg ik, voordat ik er erg in heb.

'Moet je niet eerst met je verloofde praten?'

'Nee, nee. Ik organiseer de bruiloft. Dat wordt een verrassing.'

'Hij weet toch wel dat jullie gaan trouwen, hè?'

Cathy werpt me een blik toe alsof ze bang is om alleen met mij in een kamer in de kelder te zijn.

'Ja, dat weet hij wel. Hij heeft een aanzoek gedaan,' zeg ik, en ik probeer een niet-maniakale lach te laten horen. 'We doen dat van *Verras de bruid*, maar dan in de versie waarbij de bruidegom wordt verrast.'

'Ze zijn je toch niet aan het filmen?'

'Nee, we doen het gewoon voor de lol.'

Ik kan wel door de grond zakken. Cathy is een serieuze volwassene, zoals het hoort, en ik klink als een kind.

'Oké. Nou, ik zal je voorlopig inplannen. We hebben geen vergunning om te trouwen, dus dat moet je ergens anders doen.'

'Oké, ik regel wel een plek.'

Dat kan niet al te moeilijk zijn. Iedereen weet dat de locatie voor de receptie het moeilijkst te boeken is.

'Dus ik reserveer die dag voor je, en we houden hem een paar weken vast tot jij het kunt bevestigen met de plaats waar je gaat trouwen. Als dat eenmaal bevestigd is, dan hebben we alleen je vijfhonderd pond nodig. Als jij vrijwilligerswerk blijft doen, is dat alles wat je moet betalen, maar als je dat niet doet, dan dient het geld als aanbetaling en moet je de resterende tweeënhalfduizend pond alsnog betalen.'

Ik zal hier vrijwilligerswerk doen, al moet ik ervoor op mijn kop gaan staan. Niet te geloven. Ik kan dit toch wel in m'n eentje. Ik kan de handig bezuinigende bruid zijn zonder dat iemand er iets van weet.

'Dank je, Cathy. Ik zal de ceremonie regelen en het je laten weten.'

'Dan breng ik je nu terug naar de receptie.'

Cathy kan gedachten lezen. Ik begon net weer in paniek te raken over verdwalen in de kelder, waarna iemand me vijftig jaar later als skelet terugvindt en denkt dat ik bij de collectie hoor.

Tegen de tijd dat ik weer thuis ben, loop ik praktisch te huppelen. Nou, ja, ik moet toch op een of andere manier die calorieën verbranden die ik anders zou verbranden bij die denkbeeldige zumbales.

'Hallooooo,' roep ik.

'Ha, Pen, ik zit in de kamer.'

Zo snel mogelijk pel ik alle lagen af, en raak verstrikt in mijn sjaal, die ik waarschijnlijk niet meer nodig heb, maar ik ben er in de loop van de winter zo aan gehecht geraakt dat ik zonder dat ding de deur niet uitga. Ik ben zo opgetogen dat ik het Mark wel móét vertellen.

'We hebben een trouwdatum!' zeg ik, en ik storm de kamer in. Dan sta ik stil. Ik had niet beseft dat Mark niet alleen was. Oma Violet zit in de fauteuil een kopje thee te drinken. In ons huis. Dat is raar. Ze is nog nooit onaangekondigd langsgekomen. Tenminste niet sinds ze besefte dat wij geen taartjes op voorraad hadden voor onverwachte gasten. Hoewel ik wat cakejes in de kast achter de hand heb, voor zulke gelegenheden. Weggestopt voor Mark, natuurlijk. Hopelijk zijn ze niet over de houdbaarheidsdatum.

'Een trouwdatum. Geweldig,' zegt Violet, en ze klapt in haar handen.

Je moet me niet verkeerd begrijpen. Oma Violet is geen gemeen mens. Ze is een lieve oma. Alleen lijkt ze er sinds we ons hebben verloofd op uit om me te betrappen, en dan zie ik echt geen spoken, wat Mark ook zegt.

Ik ga voorzichtig naast Mark op de bank zitten. Ineens kan ik me in mijn eigen huis niet meer ontspannen.

'Ik mag de datum toch wel weten?' zegt Mark lachend.

'Natuurlijk, gekkie. Je moet weten wanneer je moet komen opdagen! Het is achttien mei.'

'Wauw, over nog geen drie maanden ben je mevrouw Robinson.'

Daar klinken de Lemonheads weer.

'Ik weet het, ik kan het bijna niet geloven.' Ik geef Mark een kusje op zijn wang en vergeet even dat Violet er is.

Maar als ik me weer omdraai, kijkt ze me aan met de Blik in haar ogen. De blik die ik niet kan ontcijferen.

'Iemand zin in meer thee?' vraag ik, en ik spring op. Er is iets aan de hand met oma Violet en ik kan er maar niet achter komen wat.

Ik weet dat ze het niet goedkeurt dat Mark niets mag weten, maar ik ben ervan overtuigd dat er meer is dan ze zegt. Ik zie geen spoken. Ik denk dat oma Violet een vermoeden heeft.

9

'Pen, kun je even komen?' vraagt Mark.

Ik word ontboden naar de zitkamer terwijl ik sta te koken. Dit moet wel ernstig zijn, want Mark weet dat als hij me onderbreekt, er altijd een risico is dat ik nooit die keuken meer inga om het eten af te maken.

'Wat is er?' vraag ik, en ik ga naast hem op de bank zitten.

'We moeten even ernstig praten.'

'Oké,' zeg ik.

Mijn hart begint sneller te kloppen en ik krijg de neiging naar een zakje te grijpen omdat ik een paniekaanval voel opkomen. Het zweet breekt me uit en op mijn voorhoofd vormen zich nu echte druppels. Ik weet zeker dat hij de trouwrekening heeft gezien en van mijn stiekeme gokverslaving afweet. Wat zou hij me anders te vertellen hebben?

Hij pakt mijn hand en begint hem te masseren. Dit loopt helemaal fout. Hij is me duidelijk op voorhand mild aan het stemmen voordat hij het uitmaakt. Stel dat dit nu eens helemaal niet met mijn gokverslaving te maken heeft. Stel dat Mark iemand anders heeft ontmoet en bij me weggaat. Dat zou ik niet aankunnen.

'Wat is er, Mark?'

'Het gaat over dat gedoe met "Verras de bruidegom".'

O, nee, zeg alsjeblieft niet dat hij daarop terugkomt. Hij deed het net zo goed.

'Wat is daarmee?' vraag ik op mijn hoede.

'Nou, oma had het erover toen ze van het weekend hier was.'

O, ik had kunnen weten dat Violet ermee te maken had. Ik weet dat ze me tegenwoordig niet kan uitstaan.

'Wat heeft ze dan gezegd?'

'Ze had het erover dat wij gingen trouwen en ze uitte haar bezorgdheid.'

'Ik wist het. Ik weet dat ze me niet mag.'

'Pen, het heeft niets te maken met of ze je mag of niet. Dat heb ik toch gezegd? Je beeldt je maar wat in.'

Nee, dat beeld ik me niet in.

'Nou, wat is het dan?' vraag ik.

'Ze is teleurgesteld dat ik geen stem krijg in de keuze waar we trouwen, en volgens mij is ze daar erg door van streek.'

'Maar jij vindt het toch niet erg dat je niets weet?'

'Nee, ik vertrouw je wel. Ik denk alleen dat oma zich zorgen maakt over wat voor ceremonie het wordt.'

'Hallo, ik organiseer heus geen heidens ritueel of zo.'

Wacht even, dat is nog zo'n slecht idee niet, nu ik erover nadenk. Ik zou een prachtige heidense bruid zijn. Ik kan mijn haar laten groeien en het in losse krullen laten hangen met een krans van wilde bloemen op mijn hoofd. Ik kan een soepel vallende jurk aandoen met van die vleermuismouwen, dan ben ik een kruising tussen een elfje en een Moeder Aarde-godin. Zou Mark dat als thema zien zitten?

'Penny, gaat het wel?'

Heb ik het weer gedaan. Ik ben weer weggezweefd op mijn trouwdroomwolk. Zoals ik al zo vaak heb gezegd, dat bruiloftsplannen is gevaarlijk. Voor je het weet zit je heel ergens anders met je gedachten.

'Sorry. Ik zat even ergens anders. Wat zei je ook weer over oma Violet?'

'Nou, ze vond het zo jammer dat we niet in haar kerk trouwden.'

In haar kerk? gil ik bijna. Heeft ze enig idee hoe duur kerktrouwerijen zijn? Niet dat ikzelf enig idee heb, maar die móéten wel peperduur zijn. Dat komt op hetzelfde neer als het huren van een extra locatie. Dat is heel iets anders dan even snel trouwen voor vijfhonderd pond in het gemeentehuis.

'Haar kerk,' zeg ik langzaam.

'Ja, de St.-James en St.-Thomas. We zijn er een keer geweest, voor de begrafenis van mijn opa.'

Ik streel Marks hand om te laten weten dat ik me dat herinner. Het was een prachtige, ouderwetse kerk.

'Wil je dat?' vraag ik.

'Mijn familie zou het heel fijn vinden, en ik ook, denk ik.'

'Ik heb er niet zo bij stilgestaan.'

Eén blik op Marks gezicht en ik ben om. Die kerk zal ik moeten boeken. Ik kan dit verzoek absoluut niet afwijzen. Ook al houdt het in dat ik naar de kerk moet lopen en me een chique auto moet ontzeggen.

'Oké, Mark. Ik zal eens bij de dominee langsgaan.'

'Dank je, Pen. Het spijt me dat ik je geheime planning een beetje dwarsboom, maar dit is gewoon te belangrijk.'

'Maak je geen zorgen, Mark. Er is nog genoeg wat je niet weet,' zeg ik en ik probeer te glimlachen.

En er is ook nog genoeg wat ík niet weet. Zoals hoe ik die kerk in godsnaam ga betalen.

De volgende avond zit ik in de ijskoude hal van de kerk te wachten tot de dominee me komt halen. De vriendelijke dame die in de kerk bloemen aan het schikken was, zei dat hij eraan kwam. Bij nader inzien had ik beter met die dame kunnen meelopen om wat handigheidjes op te doen, want mijn eerste bloemschikles is donderdag.

'Hallo. Penelope was het toch, hè?' zegt de dominee als hij de hal in loopt.

Het is fijn als mensen een uniform aanhebben waaraan ze onmiddellijk herkenbaar zijn.

'Zeg maar Penny, hoor.'

'Oké, Penelope, leuk je te leren kennen. Ik ben dominee Phillips.'

'Hallo, dominee,' zeg ik, en ik geef hem een hand. Het wordt dus Penelope.

'Ik begrijp dat je in de St.-James en St.-Thomas wilt trouwen?'

'Dat klopt.'

'En waar is je verloofde? Meestal komen beide partners samen langs. Of doet hij dienst in het buitenland? We hebben hier ook een paar militaire huwelijken.'

'O, nee, hij is gewoon thuis.'

'Nou, meestal is het beter om dit soort gesprekken met beide partners te voeren. We moeten wel weten of dit de juiste trouwerij voor allebei is.'

'O, dat is het zeker. Zijn oma Violet is een parochielid van u. Mark wil heel graag hier trouwen.'

'En toch zit hij thuis.'

'Ja, maar het is niet wat u denkt.'

De dominee zal wel denken dat Mark de grootste luilak ter wereld is.

'Het is meer dat we "Verras de bruidegom" doen. En dat lijkt een beetje op het bbc-programma *Verras de bruid*. Kent u dat?'

'Nee, maar ik heb er wel over gehoord,' zegt hij. Hij lijkt niet onder de indruk.

'Nou, zoiets is het dus. Ik vertel Mark niet wat ik plan.'

'Ik snap het. En het wordt zeker opgenomen.'

Volgens mij begrijpen mensen niet dat het een analogie is. Het lijkt op een tv-programma, maar is het niet.

'Nee, het wordt niet opgenomen.'

'Waarom doe je het dan?'

'Omdat we dachten dat het leuk zou zijn.'

De dominee krabt zich achter zijn oor en even denk ik dat hij gaat weigeren. Dit is het enige deel van de hele trouwerij waar Mark op staat, en ik loop het risico dat het niet gaat gebeuren.

'Penelope, een huwelijk tussen twee mensen moet je niet lichtzinnig tegemoet treden.'

'Dat doen Mark en ik ook niet. We wonen al eeuwen samen en ik heb jaren met smart gewacht tot hij me een aanzoek deed.'

Wacht even, dat kwam er niet uit zoals ik het bedoelde. Ik wilde niet aan de dominee doorgeven dat we in zonde leefden. Dat zal toch niet tegen ons werken?

'Ik zal het anders zeggen. Ik stem niet in met een huwelijk als ik jullie niet allebei kan leren kennen. Jullie moeten allebei naar een voorbereidende huwelijkscursus komen, en naar de diensten waarin jullie huwelijk wordt aangekondigd.'

Een voorbereidingscursus? Krijg nou wat. Hoeveel zal dat nu weer gaan kosten?

'Dus u vindt dat Mark moet komen om kennis te maken voordat we kunnen trouwen?'

'Dat is precies wat ik zeg. Zo leuk als het lijkt om het helemaal in je eentje te organiseren, het feitelijke huwelijk is heilig en mag geen onderdeel van de lol zijn. Dat is het gedeelte van de dag waar je bruiloft helemaal om draait. Dat halfuur zal je leven veranderen. Niet het diner of de uren die je danst. Dat halfuur en de beloften die je doet, zijn het begin van je hele reis die het huwelijk is.'

Ik voel me ongeveer een dreumes van twee.

'Mag ik Mark bellen of hij komt?'

'Als hij snel is. We hebben om acht uur een alfacursus.'

'Oké, ik zal zeggen dat hij moet opschieten. Voor ik hem bel, mag ik even vragen of u de dag die wij hebben gekozen vrij bent? Ik wil niet dat hij helemaal hierheen komt en dan wordt teleurgesteld,' zeg ik. Ik zou het naar vinden als Mark zich zorgen gaat maken om het enige deel van de trouwerij dat hij heeft uitgekozen.

'Dat is goed,' zegt hij, en hij slaat een groot zwart boek open dat hij onder zijn arm geklemd had. 'Welke dag had je op het oog, Penelope?'

'Achttien mei.'

'Volgend jaar?' vraagt hij.

'Dit jaar,' weet ik met een piepstem uit te brengen.

Dominee Phillips is niet erg goed in verbergen wat hij denkt; de afkeuring druipt van zijn gezicht.

'Juist. Nou, het lijkt erop dat je geluk hebt. We hebben om één uur een huwelijk en de rest van de dag is vrij omdat er om drie uur iemand heeft afgezegd,' zegt hij.

'Perfect! Ik bedoel, niet perfect dat iemand zijn bruiloft heeft moeten afzeggen, maar goed nieuws dat er ruimte voor ons is!' Jemig, heeft er iemand een graafmachine om me uit dit gat op te graven? Dit is allemaal te mooi om waar te zijn. Zowel de kerk als het museum heeft deze datum vrij. Zo soepel kan het toch niet lopen?

'Kunt u me zeggen hoeveel het gaat kosten?' vraag ik.

'Het kost driehonderdvijftig pond. En als je er dan de trouwvergunning en de kosten voor de organist bij optelt, kom je waarschijnlijk op ongeveer vierhonderd pond.'

Wauw, dat is veel minder dan ik verwachtte. Mijn mond staat open van verbazing. Een prettig soort verbazing voor de verandering.

'En die huwelijkscursus en de aankondiging van het huwelijk?' Er moet toch ergens een addertje onder het gras zitten.

'De voorbereidingscursus is gratis en het aankondigingscertificaat kost vijfentwintig pond.'

'Wat een koopje.'

O, dat had ik niet hardop willen zeggen.

'Ja, dat is het ook,' zegt dominee Phillips met een zucht. 'Ga nou maar je verloofde bellen, dan kunnen we het er serieus over hebben.'

Ik knik en ren zo snel als mijn beentjes me kunnen dragen de kerk uit om signaal te zoeken en Mark te bellen.

De volgende avond ben ik superopgetogen dat we de kerk en de receptie op dezelfde dag hebben geboekt. Nu draai ik als trouwplanner op volle toeren.

Had ik eerder maar geweten dat in een kerk trouwen goedkoper is dan in het gemeentehuis. En er zit nog een voorbereidingscursus bij in, dus dan is het helemaal spotgoedkoop. Nu we vijfenzeventig pond besparen door in de kerk te trouwen, heb ik besloten door te gaan met de uitnodigingen. We hoeven alleen nog maar de gastenlijst op te stellen zodat we weten hoeveel kaarten we moeten bestellen.

Mark en ik zitten nu ieder aan een kant van de kamer. Het lijkt wel een pistolenduel. We zijn bezig met de derde ronde bij het opstellen van lijsten. We schrijven allebei de gasten op die we willen uitnodigen, en daarna ruilen we van lijst. Dan krijgen we de kans om een veto uit te spreken over elkaars keuzes.

Tot nu toe gaat het best goed. Ik heb tegen Mark gezegd dat er maar tachtig mensen kunnen komen omdat je dan een intiemere sfeer krijgt, en het is ons gelukt om vijftien mensen van onze eerste lijst af te romen. Nu moeten we er nog zes zien kwijt te raken.

'En Sheila en Tony dan?' vraag ik, en ik lees Marks bijna onleesbare handschrift.

'Dat zijn mijn peetouders.'

'Ja, maar zien we die ooit?'

'We zien ze elk jaar met Kerst bij mijn ouders thuis.'

'O, zijn die het.'

Meestal ben ik niet zo slecht in namen, maar het leek Mark vijf jaar geleden een goed idee om me op Kerstavond voor het eerst mee naar zijn ouders te nemen. Er waren zoveel familie en vrienden dat ik hun namen niet allemaal heb kunnen onthouden. En Sheila en Tony, nu weet ik hoe ze heten, hadden zichzelf aan me voorgesteld en ik ben natuurlijk prompt alles vergeten wat ze tegen me zeiden. En nu omhelzen ze me elk jaar met Kerst alsof ik hun verloren dochter ben die ze na jaren weer zien, en ik heb geen idee wie het zijn. Nu dus wel. Dus waarschijnlijk moeten die op de lijst blijven.

'En Kate en Sylvie?' vraagt Mark.

'Die moeten komen. Tijdens mijn studie heb ik bij hen in huis gewoond.'

'Wanneer heb je ze voor het laatst gezien?'

Ik draai op mijn stoel. Oké, ik heb ze al een paar jaar niet gezien, maar met oude vrienden telt dat toch niet? Ze zouden mij ook voor hun bruiloft uitnodigen, toch?

'Als je je niet kunt herinneren wanneer je ze voor het laatst hebt gezien, mogen ze niet komen.'

Jee, wat is Mark bazig vanavond. Wel opwindend. Zouden we misschien naar boven kunnen gaan en, je weet wel, kunnen oefenen voor stadium zes.

'Ik weet het! Ze zijn naar ons Halloween-feestje gekomen, toen ze als matrozen verkleed waren.'

'Dat was niet met Halloween. Dat was een zeefeestje dat je gaf toen je vijfentwintig werd. Vier jaar geleden dus.'

Verdorie. Dus Kate en Sylvie moeten van de gastenlijst.

'Oké, en hoe zit het dan met OV, van wie ik nog nooit heb gehoord?' zeg ik.

'Dat is oma Violet. Je wilt toch niet voorstellen die niet uit te nodigen?'

'Natuurlijk niet.' Stomme Mark met zijn stomme afkortingen.

'Nog maar vier te gaan. En vergeet niet dat sommige mensen misschien niet kunnen, en dan kunnen we de mensen op de reservelijst vragen.'

'Oké,' zeg ik met een blik op de lijst. 'En Pam en Ben dan?'

'Ben is een oude vriend van de familie.'

'Ben je naar zijn bruiloft geweest?'

'Nee, maar die was in Schotland.'

'Dat maakt niet uit. Als hij je niet heeft uitgenodigd, hoef je hem ook niet uit te nodigen.'

Mark trekt rimpels in zijn neus. Ha, nu heb ik hem tuk. Volgens mij ben ik een goede partij voor hem.

'Oké,' zegt hij. 'Nog twee te gaan.'

'En Mike en Amanda?' vraag ik met een blik op zijn lijst. Het verrast me dat hij ze überhaupt op zijn lijst heeft gezet. Het zijn Marks baas en zijn vrouw. 'Kun je ze niet alleen voor de avond uitnodigen? Je weet dat je altijd nerveus van hem wordt.'

'Dat is waar…'

Het was echt waar. Ze zijn een keer komen eten, en Mark was zo zenuwachtig dat hij een raar lachje had ontwikkeld dat klonk alsof hij helium had ingeademd. Dat was geen leuke avond.

'Mooi. Dat is dus rond. Tachtig gasten.'

Te gek, het is ons gelukt. Op deze manier blijven we makkelijk binnen het budget.

Nu hoef ik alleen de uitnodiging nog maar te maken. Ik heb al een printservice met bodemprijzen op mijn bureaublad gezet. Ze hebben van die handige templates, dus ik hoef alleen hier en daar een kleine aanpassing te doen, en voilà, we hebben uitnodigingen. Maar we hebben ze nog niet, want ik ben zuinig en we moeten drie weken wachten tot ze worden bezorgd. Soms worden ze eerder verzonden, staat er, dus daar hoop ik op. En dan zijn ze er nog ruim zes weken voor de bruiloft.

Misschien stuur ik iedereen een mailtje om ze de datum te laten weten, gewoon voor de zekerheid.

Ik kijk naar de pdf-versie van de uitnodiging en glimlach onwillekeurig. Om de bruidegom inderdaad te verrassen, staat alleen het adres van de kerk erop. Er staat gewoon op 'Receptie volgt nog'. Ik doe er wel een kaartje bij waar het op staat, samen met informatie over hotels in de buurt van het museum (als ik die heb opgezocht), en ik laat ze weten dat het maar een kwartiertje rijden is van de kerk naar de receptie.

Nu ik de tijd en locatie van onze bruiloft onder onze namen zie staan, wordt het allemaal heel echt. Over drie maanden zijn Mark en ik man en vrouw. Dat is nu al zo dichtbij dat ik het gevoel heb maar een hand te hoeven uitsteken om het te kunnen vastpakken. Ik moet er alleen voor zorgen dat ik verder niets doms doe om het te verpesten.

10

Ongelooflijk dat er al twee weken voorbij zijn gegaan sinds ik de trouwlocatie en de kerk heb geboekt en de uitnodigingen heb gemaakt. Meer heb ik nog niet gedaan. Maar dat zijn toch wel de belangrijkste dingen? We gaan echt trouwen en we hebben een plek om daarna heen te gaan en dankzij de uitnodigingen weten onze gasten ervan. En dat alles voor de prijs van 932 pond. Dat we niets te eten of om naar te luisteren hebben, of voor Mark en mij om aan te trekken, daar heb ik het maar even niet over. Ik heb nog ruim twee maanden om die details in te vullen.

'Dag, Betty, tot volgende week.' Ik zwaai als Betty wegloopt, naar de bushalte. Haar zoon en kleinkinderen komen bij haar lunchen, dus ze kan niet met de anderen van de zaterdagclub blijven koffiedrinken.

Voor deze keer ga ik niet snel weg om mezelf eruit te laten zien alsof ik net van zumbales kom. Ik heb tegen Mark gezegd dat ik Lou de locatie wil laten zien, en voor het eerst in tijden lieg ik niet, als het over de bruiloft gaat.

Het heeft lang geduurd voordat Lou mee kon naar deze plek. We hebben het de laatste tijd allebei heel druk. Ik met mijn 'werk', beter bekend als de geheime trouwplanning, en Lou met… Nou ja, ze is nogal vaag geweest over waar ze mee bezig was.

Ik heb heel geheimzinnig gedaan tegen Lou. Ik heb haar niets verteld over de plek waar ik met haar heb afgesproken. Ik heb haar een uur geleden een sms'je gestuurd met een postcode, in de hoop dat ze het gewoon in haar navigatieapparaat zou invoeren en het niet eerst zou googelen.

Ik wil dat ze net zo stomverbaasd is bij het zien van de locatie als ik was, en dat ze er vooraf geen beeld van heeft. Ik wil eigenlijk dat het een soort test is van hoe het op de andere gasten zal overkomen als ze hier eenmaal aankomen.

Ik hou mijn adem in en hoop maar dat ze het net zo mooi vindt als ik en dat ik niet alleen maar in de wolken was omdat het de mooiste plek was die ik kon betalen. Ik twijfel nu meer dan ooit aan mijn beoordelingsvermogen; per slot van rekening heb ik wel tienduizend pond aan bingo uitgegeven om een jurk te kunnen kopen die misschien maar drieduizend had gekost, en om schoenen te kopen die vijfhonderdvijftig pond hadden gekost. Ik weet dat ik heb gezegd dat rekenen niet mijn sterkste punt is, maar zelfs ik kan wel becijferen dat ik met het geld dat ik heb verloren zo'n beetje drie jurken met bijpassende schoenen had kunnen kopen.

Daar is de auto van Lou. Ze heeft me nog niet gezien, en dat mag een wonder heten, want ik sta te zwaaien als een idioot. Ik zie haar mond wijdopen staan. Ik kan haar vullingen tellen, zo wijd.

Nu ziet ze me, en ik leg meer energie in het zwaaien als om te bevestigen dat ik heb gezien dat zij mij heeft gezien.

Ik kan niet afwachten tot ze bij me is en stuiter als een opgetogen puppy naar de parkeerplaats.

'Wat vind je ervan?' vraag ik voor ze de kans heeft gekregen de auto uit te komen.

'Geweldig! Hoe heb je dit gevonden?'

'Veel gegoogeld. Ik probeerde iets origineels te vinden.'

'Nou, dat is dit zeker. Mark zal dit in geen miljoen jaar raden. Ik zei nog tegen Russell dat ik mijn geld op een kasteel zette. Nu ben ik hem een zak Maltesers schuldig.'

Had ik maar met Maltesers gegokt in plaats van met geld. Ik ken mezelf; als ik zoveel Maltesers had gegeten als ik had vergokt, was ik waarschijnlijk een stuk dikker geweest, maar dan had ik in elk geval wel een kasteel kunnen betalen. Zo moet ik niet meer denken. Dit is prachtig.

'Straks heb ik met de cateraars afgesproken, dus ik weet nog niet wat het in z'n geheel gaat kosten. Maar als het een mooie dag is, kunnen we de welkomstdrankjes hier op het grasveld drinken.'

Ik hoop hartgrondig dat het op onze trouwdag fantastisch weer is. Het grasveld aan de voorkant ligt in de beschutting van de muren van de voormalige barakken, die me aan een kasteelmuur doen denken. Er staat een grote eik in de hoek die voor schaduw zou zorgen voor onze oververmoeide gasten, en in de andere hoek ligt een rozentuin die de volmaakte achtergrond is voor de foto's. Als ik een fotograaf inhuur, tenminste.

'O, het wordt super. Boek je muziek hierbuiten? Een strijkkwartet? O, ik weet iets – een steelband. Dat zou leuk zijn.'

Dat zou het ook. Op mijn droomtrouwdag is dat precies wat ik had willen hebben. Ik kan niet tegen Lou zeggen dat ik het niet kan betalen.

'Ik denk niet dat Mark van dat soort muziek houdt,' zeg ik, en ik duw Lou bijna de trap op.

'Stel je de foto's eens voor van ons hier op de trap.'

'Prachtig, echt prachtig. Deze locatie is perfect, echt ongelooflijk. Hoe is het binnen? Allemaal wapens en harnassen?' vraagt Lou.

'Die staan in de hoofdzalen van het museum, maar niet waar we de receptie houden.'

'Hoe is het met je, Penny?' vraagt Ted als we de draaideur door komen.

'Goed, hoor, Ted, dank je. Ik laat mijn vriendin de trouw-zaal zien.'

'O, prima. Ze zijn net klaar met het neerzetten van de spullen voor de trouwerij van vandaag.'

Ik was bijna vergeten dat er ook nog andere mensen dan ik hier trouwen. Ik raak zo op deze plek gesteld dat ik vergeet dat het hier niet van mij is.

Ik glimlach en haak mijn arm door die van Lou terwijl we de voorzaal in lopen.

'Hier komt de bar.'

Ik zie Lou opkijken zodra ze binnenkomt. Dat was ook het eerste wat ik deed. Het plafond heeft een kruisgewelf dat is gedecoreerd met indrukwekkende, symbolische beschilderingen. Het doet me eraan denken dat ik Cathy nog moet vragen wat het allemaal betekent.

'Wat een prachtige zaal,' zegt Lou.

'Wacht maar eens af.'

Ik doe de deur naar de grote zaal open en even ben ik ademloos bij de aanblik van die fantastische ruimte. De grote mahonichouten tafel is weg en in plaats daarvan staan er negen perfect gedekte, ronde tafels, overdekt met witte tafelkleden en de mooiste bloemstukken. Ze hebben zelfs witte hoezen over de stoelen met turkooizen linten. Voor het eerst rouw ik om de stoelhoezen die ik niet kan betalen. Ze zien er zo mooi uit.

'Ik ben sprakeloos,' zegt Lou. 'Dit moet het best bewaarde geheim van Engeland zijn.'

'Weet ik. Denk je dat Mark het mooi vindt?'

'Mark zal het geweldig vinden.'

Ik straal. Misschien ben ik toch niet de meest verdorven verloofde ter wereld.

'O, kijk eens naar de hoofdtafel,' zeg ik. 'Hier komen wij te zitten. Hier, kijk. Dat is jouw plek daar, aan het eind van de tafel.'

Ik draai me om, maar ze staat niet naar de hoofdtafel te kijken, maar naar het plafond. Het is een prachtig plafond, maar ik had een beetje meer enthousiasme verwacht over het feit dat ze getuige is en haar plaats aan tafel.

'Neem je een band of een drive-in?'

Wat het goedkoopst is, denk ik.

'Weet ik nog niet. Ik moet nog even om me heen kijken. Ik denk aan een salonorkest, je weet wel, iets in een vintagesfeer wat bij de zaal past.'

'O, leuk. En vintage is ontzettend in tegenwoordig. Iedereen zal het helemaal top vinden.'

Iedereen, behalve mijn bankrekening.

'De band schuine streep dj komt hier op het podium,' zeg ik, de rondleiding voortzettend. Lou begint weer veel meer belangstelling te tonen.

'O, moet je het uitzicht zien! Dat zag ik eerst niet. Zijn dat de North Downs?' vraagt Lou.

'Ja, dat klopt. Schitterend, hè?'

'Zeker weten. Dit zal wel een fortuin kosten, hè?'

Ik wil Lou de waarheid vertellen. Ik wil dolgraag iemand in vertrouwen nemen want ik heb het gevoel dat ik het grootste geheim ter wereld met me meedraag.

'Het is te betalen.'

'Jij hebt natuurlijk voor je trouwdag gespaard. Jullie gaan zo verstandig met geld om. Ik weet zeker dat Russell en ik van jou en Mark zouden kunnen leren.'

Lou had net zo goed mijn hart met een vork kunnen doorboren. Zo voelt het tenminste. Ik wil haar echt graag vertellen hoe onverantwoordelijk ik met geld omga, alleen om aan te tonen dat ik gruwelijk veel erger ben met geld dan zij. Ze kijkt er nogal treurig bij.

'Maar jouw bruiloft was elke cent waard.'

'Het was een fantastische dag. Ik weet alleen niet of het het offer van alle buitenlandse vakanties van de afgelopen paar jaar waard was. In elk geval is hij nu afbetaald.'

'Eindelijk weer naar het buitenland, dan?' vraag ik om haar weer te laten lachen.

'Hm, was het maar waar,' mompelt ze.

'Wat bedoel je?'

'Niets. Wat voor eten ga je bestellen, denk je?'

Wat het goedkoopst is, denk ik weer. Is dat het verkeerde antwoord? Iets heerlijks dat in het budget past. Klinkt dat beter?

'Dat weet ik pas echt zeker als ik met de cateraars heb gesproken, maar ik zei al, ik spreek ze zo meteen. We hebben nog tijd voor koffie in de cafetaria, als je wilt. Dan trakteer ik je op een stuk taart om je een beetje vet te mesten zodat je er op mijn trouwdag als bruidsmeisje niet mooier uitziet dan ik. Ik wil geen Pippa Middleton op mijn bruiloft,' zeg ik.

Lou glimlacht niet. Ik maakte maar een grapje. Lou is oogverblindend met haar net-uit-bed, zonder-make-up-look. Ze heeft superglad haar en het pluist nooit. En in de tien jaar dat ik haar ken, heb ik haar nog nooit met een slechte huid gezien. Het taartcomplimentje was ook een grapje omdat ze altijd maat zesendertig heeft, wat ze ook eet. Maatje zesendertig, ja? Ook na een enorm currybuffet. Als ze mijn beste vriendin niet was, zou ik een hekel aan haar hebben.

'Ik maak maar een grapje – je hebt om te beginnen al een veel mooier kontje dan Pippa. We kunnen ook alleen koffie nemen, zonder taart, als je wilt. Dan kunnen we het over verschillende stijlen voor de bruidsjurk hebben. Ik heb snelkoppelingen op mijn telefoon gezet.'

'Ik kan helaas niet. Ik moet terug naar Russell – we hebben plannen.'

'O.'

Ligt het nou aan mij, of komt het een beetje abrupt? Heb ik haar van streek gemaakt omdat zij net haar eigen bruiloft heeft afbetaald? Er is vandaag iets niet helemaal in orde met Lou, en ik geloof geen moment dat ze plannen met Russell heeft.

Meestal zie ik dat ze liegt aan het gebaar waarmee ze haar haar achter haar oor strijkt.

Ik zie haar rechterhand trekken alsof ze haar haar achter haar oor wil strijken. Ze weet dat ik weet dat dat kenmerkend voor haar is als ze liegt, en volgens mij probeert ze er weerstand aan te bieden.

'Weet je zeker dat je niet nog twintig minuutjes kunt blijven? Dan kunnen we overleggen welke kleuren goed bij jou passen zodat we er rekening mee kunnen houden met de bloemen en versieringen...'

'Nee, sorry. Ik heb het Russell beloofd en...' Haar stem sterft weg en daar is het kenmerkende handgebaar met de hand die haar haar wegstopt achter haar oor.

Verrast hou ik abrupt mijn adem in. Ze kijkt me in paniek aan. We weten allebei dat ik weet dat ze liegt. We staan elkaar even ontdaan aan te kijken.

'Oké, ik moet gaan, Pen.'

'Oké, dan.' Ik maak aanstalten om met haar mee naar buiten te lopen. Cathy staat achter het bureau en ik probeer mezelf zo klein mogelijk te houden zodat ze niets over mijn vrijwilligerswerk zegt waar Lou bij is. Ik zou er weer veel leugens en verklaringen voor nodig hebben om dat glad te strijken.

'Ik spreek je nog, Penny,' zegt Cathy.

'Dag,' zeg ik en ik zwaai.

'Goh, wat zijn ze vriendelijk hier, hè? Leuk dat iedereen je naam al weet. Wat een goede klantenbinding,' zegt Lou.

Ik bijt op mijn tong om de waarheid er niet uit te gooien en weet nog net te knikken.

Buiten in de frisse lucht hoop ik heimelijk dat Lou van gedachten verandert en toch koffie met me wil drinken.

'Leuk dat je me dit wilde laten zien, lieverd,' zegt ze, en ze buigt zich naar me toe om me op de wang te kussen.

'Graag gedaan. Jammer dat je weg moet. Maar we moeten nog wel bij elkaar komen om de jurken uit te zoeken.'

'Ja, ja,' zegt ze, al halverwege de trap. Rent ze nou? Ben ik nou gek of doet Lou gewoon ontzettend raar?

Omdat ik nog twintig minuten voor mijn afspraak met de cateraar heb en te boos ben om te gaan zitten met een kop koffie, besluit ik te doen wat ik in geen jaren in dit land heb gedaan. Ik loop uit eigen vrije wil door een museum.

'Penny,' zegt Ted.

Ik kijk om en zie Ted achter me staan. Ik was zozeer opgegaan in het spelen op de computer in een van de zalen dat ik niet had gemerkt dat hij zachtjes achter me is komen staan.

'De cateraars zijn er.'

Ik kijk op mijn horloge en besef dat de twintig minuten om zijn gevlogen. Musea zijn in de loop der jaren wel veranderd. Een museum is geen stoffige tent meer vol oude spullen, en hier hebben ze in plaats daarvan lichte en felgekleurde muren met dingen waar je echt aan mag komen en waar je mee mag spelen. Ik weet dat het meeste voor kinderen is bedoeld, maar ik kon de verleiding niet weerstaan. Ik bedoel maar, hoe vaak krijg je de kans om een Victoriaanse helm te passen?

Ik sta aan een nieuw thema voor de bruiloft te denken. De militaire sfeer is in de mode, toch? Ik zou Mark de outfit van een ouderwetse, sexy soldaat kunnen geven, dan kan ik in regencystijl gaan en me als Elizabeth Bennet kleden. Ja, dat klopt, ik heb vroeger te veel naar *Sharpe* gekeken. Maar Mark geeft Sean Bean het nakijken.

'Penny, de cateraars,' zegt Ted. 'Jij bent altijd in dromenland, hè?'

Die bruiloft ook. Ik vraag me af of ik altijd zo'n dagdromer ben geweest. Ik loop achter Ted aan naar de receptie en neem me voor mijn rondgang door het museum volgende week af te maken.

'Hallo, jij bent vast Penny,' zegt een vrouw in gesteven, witte kokskleren en een fel turkooizen broek.

'Ja, dat klopt. Fijn dat u tijd hebt. Mooie broek.'

'Dank je. Ik probeer altijd mijn kleren aan te passen aan het thema van de bruiloft. Dat is weer een opsteker voor de bruid op haar grote dag.'

Ik vind Jenny de cateraar nu al leuk. Het heeft niets te maken met het feit dat ze de goedkoopste cateringoptie waren.

'Zullen we even gaan zitten? Ik heb nog een halfuur voor ik de keuken in moet.'

'Dat zou mooi zijn. Fijn dat u tijd voor me maakt.'

Ik loop met Jenny mee naar de receptiezaal en we gaan aan een van de tafels zitten. Ik doe mijn best om erbij te blijven en me niet te laten afleiden door fantasieën over mezelf als gast op wie z'n bruiloft dit ook wordt.

'Oké, laten we met het aantal gasten beginnen,' zegt ze.

'Goed. Op het moment reken ik op tachtig gasten.'

'En heb je naar onze voorbeeldmenu's gekeken? Heb je een voorkeur?'

'Menu twee lijkt me lekker.'

Niet omdat het een van de goedkoopste menu's is, maar omdat het heerlijk klinkt. Een maaltijd die afsluit met Toblerone-kwarktaart heeft voor mij bij voorbaat gewonnen.

'Dat is ons populairste menu. Meestal bevalt het erg goed. En maak je geen zorgen, we hebben altijd wat extra gerechten voor het geval er een moeilijke eter tussen zit. Als je me een paar weken van tevoren het exacte aantal geeft, en de dieetwensen, dan kunnen we het menu nog aanpassen als dat nodig is.'

'Klinkt goed.'

'En dan de drankjes.'

'Ja, er wordt wel gedronken.' En stevig ook. Als ik mijn gasten ken, drinken ze de bar leeg.

'We hebben een barbudget van honderd pond, met een minimum van vijfhonderd dat aan drank besteed moet worden, of een budget van tweehonderd pond, zonder minimum.'

'Oké,' zeg ik, en ik probeer een braaf meisje te zijn door de cijfers neer te pennen.

'En dan heb je nog het kurkengeld.'

Wat voor geld?

'Dat is vijf pond per persoon, of het vervalt als je onze wijn koopt.'

Opeens wens ik dat ik mijn rekenmachine had meegenomen, maar ik moet zeggen dat ik van mezelf onder de indruk ben van mijn snelle gereken. Ik betaal straks vierhonderd pond voor het voorrecht dat mijn gasten kunnen drinken. En dan heb ik nog geen druppel alcohol betaald.

'Ik weet dat het duur klinkt, maar het zijn de normale prijzen, vooral als je onze prijs per persoon vergelijkt met andere cateraars.'

'Het is prima, Jenny. Ik moet alleen uitzoeken of het in mijn budget past.'

'Oké. Ik dacht alleen dat ik je even kwijt was.'

'Nee, nee. Ik ben er nog.'

Maar vanbinnen kan ik wel gillen. Ik vraag me af of onze gasten het erg zouden vinden om hun eigen drank mee te nemen. Ze zouden alcohol in een heupflacon kunnen binnensmokkelen, net als ik tijdens mijn studie deed.

'Valt het welkomstdrankje ook onder het kurkengeld?'

'Ja. Als je wilt kun je daar ook je eigen drankje voor meenemen. Heb je daar al een idee voor?'

'Sangria.'

Wat nou? Iedereen doet al Pimms. Van sangria worden de mensen vrolijk. Misschien kan ik een Spaans thema doen. Een bloem in mijn haar, een jurk met flamencorushes. Ik kan zelfs een mariachiband bestellen. Of is dat Mexicaans?

'Oké, eens kijken, voor tachtig mensen moet je op minstens honderdtwintig drankjes rekenen omdat de helft van de mensen een tweede glas neemt.'

Mijn vrienden kennende, nemen ze ook wel een derde.

'Ik zal je een bedrag voor sangria sturen, want dat staat niet op de prijslijst. Ik mail je ook hoeveel wijn en frisdrank je nodig hebt als je het zelf wilt verzorgen. En dan zijn we klaar.'

'Dat was makkelijk.'

Het principe is makkelijk, maar hoe ik het allemaal moet financieren mag Joost weten.

'Mooi. Nou, leuk je te hebben leren kennen, Penny. En vergeet niet me te laten weten wat de kleuren worden. Ik wil graag zorgen dat ik een bijpassende broek heb!'

Ik glimlach. 'Dank je, Jenny.'

Terwijl ze de keuken in loopt, zit ik te rekenen op mijn notitieblok.

Het eten wordt dertig pond per persoon, plus vijf pond kurkengeld, dus dat maakt achtentwintighonderd pond totaal. Tel dat op bij mijn negenhonderd voor de locatie en de kerk, dan heb ik nog zestienhonderd over en wat ik eventueel tot die tijd nog weet te sparen.

Zowel Mark als ik laat nog steeds vijftig pond per maand naar de rekening overschrijven, en dat blijven we tot aan de bruiloft doen. Dat is dus nog eens driehonderd pond. Dus we hebben negentienhonderd over.

Dat klinkt redelijk. En ik hoef alleen het vervoer, de bloemen, pakken, mijn jurk, jurken voor de bruidsmeisjes, de dj/band, fotograaf en de afscheidscadeautjes nog maar te regelen. Heb ik iets overgeslagen?

Ik ben weer op het punt dat ik een zak nodig heb om in te ademen.

Ik kijk om me heen in de opgetuigde zaal en kan wel janken. Wiens bruiloft dit ook is, ze mag van geluk spreken. Het is echt een droombruiloft. De cadeautjes zijn zo te zien loterijlootjes in van die leuke, speciale envelopjes voor lootjes die ik op internet heb gezien. Er zijn prachtig gedecoreerde tafelnummers en de naambordjes zien eruit alsof ze speciaal zijn ontworpen en geprint.

Dit moet een fortuin kosten. Of het kost minstens wat ik heb verloren.

Sinds ik cold turkey ben opgehouden met gokken ben ik niet meer zo dicht bij bezwijken voor mijn goklust geweest. Ik probeer het stemmetje in mijn hoofd te negeren dat me zover probeert te krijgen alle afscheidscadeautjes te stelen. Deze bruiloft krijgt ruim honderd gasten. Dat houdt in dat er honderd loten moeten liggen. Hoe groot is de kans dat er ergens in die berg loten een winnend lot zit?

Mijn hand zweeft boven een van de enveloppen en, net als ik hem wil pakken, word ik met een ruk de werkelijkheid weer in getrokken doordat mijn mobiel gaat.

Ik neem op en zwaai naar Ted bij de balie, terwijl ik de draaitrap afloop, naar buiten, om zo snel mogelijk weg te komen bij de lotenverleiding.

'Hallo schat.'

'Ha, Pen. Ik vroeg me af of je bijna klaar was. Ik heb zin om naar de film te gaan. Wat vind je? Ik dacht dat we daarna wel ergens konden gaan eten.'

'Dat klinkt goed.'

'Ik trakteer. Ik bedacht dat jij een lange dag hebt gehad vol georganiseer voor de bruiloft, die natuurlijk geweldig wordt.'

Ik kan wel door de grond zakken. Als Mark wist hoe het zat met mijn organisatietalent...

'Wat denk je?' vraagt Mark.

'Klinkt perfect,' zeg ik, terwijl ik probeer mijn tranen in te houden. 'Ik ben over een halfuur thuis.'

'Een halfuur, hè? Ik trek een cirkel met een straal van een halfuur op de kaart.'

'Grappig, hoor. Tot straks.'

Ik hang op en staar naar de telefoon. Ook als het me door een of ander wonder lukt de bruiloft van onze dromen te organiseren, zal ik me dan elke keer dat ik eraan denk zo ellendig voelen?

11

De verloving, beter bekend als stadium vier van ons levens-plan, is veel zwaarder dan ik had verwacht. Voor ik verloofd was dacht ik dat het de heerlijkste tijd van mijn leven zou zijn. Proeven op trouwlocaties en champagne nippen in bruids-winkels. Maar mijn stadium vier loopt heel anders.

Vanochtend ging ik naar het postkantoor om onze prachtige uitnodigingen te posten, en dat heeft me een klein fortuin ge-kost. Sinds wanneer zijn postzegels zo duur? En dan heb ik het nog niet over de snee in mijn tong die ik heb opgelopen door het dichtlikken van de enveloppen gisteravond.

Ik weet dat ik binnenkort ook voor de jurk moet gaan win-kelen. Mijn moeder blijft me maar bellen en sms'en om een datum te prikken. Het is gek, de jurk was het onderdeel van stadium vier waar ik me het meest op verheugde, maar nu is die het meest gevreesde onderdeel.

Stel dat het een jurk wordt van vreselijk, synthetisch mate-riaal in plaats van de wolken kant en zijde waar mijn droom-prinsessenjurk van gemaakt is?

Dat trauma kan ik nog niet aan. Ik zeg almaar tegen mijn moeder dat ik nog een paar weken wil hebben om wat pondjes kwijt te raken. Maar zij zegt dat het dan veel te laat wordt om nog een jurk bij een bruidswinkel te kopen, want dat kan maanden duren. En onze grote dag is al over twee maanden. Zelfs Lou is me met klem gaan vragen om een jurk te kopen. Ik blijf maar voorstellen dat we haar jurk gaan uitzoeken, maar zij vindt dat het veel beter zou zijn om mijn jurk te regelen, omdat dat gevolgen heeft voor de jurken die ik voor de bruidsmeisjes uitzoek.

Genoeg over de bruiloft. Ik geef mezelf een weekend vrij. Het is Pasen en er is geen vrijwilligerswerk in het museum. Het weer is niet vreselijk en het is een vrije dag, dus ik breng de dag met Mark op het platteland door.

Ik ben gaan inzien dat ik nauwelijks tijd heb genomen voor ons samen sinds we ons hebben verloofd. Ik ben altijd op de sportschool, beter bekend als gokkerspraatgroep/bloemschikken/het museum, doorhalen wat niet van toepassing is. Ook ben ik 's avonds uitgeput omdat ik volle dagen werk en mijn training in de lunchpauze moet proppen, zodat ik niet zoveel aankom en mijn alibi niet kwijtraak. En als ik 's avonds thuiskom en niet te moe ben speur ik internet af in een poging mezelf te veranderen in een budgetbruid.

Maar vandaag heb ik tijd voor Mark. We gaan een mooie wandeling over de North Downs maken, en daarna hebben we een heel late lunch geboekt in een pub in een klein dorpje.

Het wordt perfect. En het fijnste aan het feit dat Mark niets over de bruiloft weet, is dat het geen onderwerp van gesprek zal zijn en ik er de héle dag niet over na hoef te denken.

Tegen de tijd dat ik tegen de muren opvlieg, komt Mark thuis, en na een snelle douche en omkleden, zitten we in de auto. Een van ons heeft nog gejammerd dat Manchester United tegen Liverpool speelde, maar dat heeft niet lang geduurd. En nu zijn we onderweg naar het platteland. Waar de lucht helder is en zo.

'Mijn moeder wil weten of je hulp kunt gebruiken met de bruiloft,' zegt Mark.

Argh, daar heb je het b-woord weer. Weet Mark dan niet dat ik vandaag vrij neem als planner?

'Zeg maar dat het prima gaat. Alles onder controle.' Ik zeg het met zoveel overtuiging dat ik het bijna zelf geloof.

'Oké. Ze zei dat als de bruiloft dichterbij komt, je het haar maar moet laten weten als er iets is wat ze kan doen.'

'Dat is lief van haar. Zeg maar dat ik haar misschien wel bel. Maar nu geen bruiloftspraatjes meer. Heb je Phil de laatste tijd nog gesproken?'

'Ik heb hem maandag gesproken.'

'Gaat het, je weet wel, gaat het goed?' vraag ik behoedzaam.

'Ik denk het. Kennelijk proberen ze zwanger te worden.'

'Nou, ik hoop dat ze tot na de bruiloft hun beentjes bij elkaar houden, anders horen we alleen maar zwangerschapspraatjes.'

Normaal gesproken zou ik niet zo gemeen zijn over mensen die proberen zwanger te worden, maar ik kan me zo goed voorstellen hoe Jane dan wordt. Toen ze vorige maand bij ons langskwam zijn we drie uur lang vergast op verhalen over hun verbouwing. In die tijd had ik waarschijnlijk die verbouwing voor haar kunnen doen.

'Ik denk dat Phil hoopt dat het Jane iets geeft om zich op te richten.'

Om geobsedeerd door te raken, zul je bedoelen. Ik heb echt een beetje medelijden met Phil. Waarschijnlijk moet hij met militaire precisie met haar vrijen totdat hij haar zwanger maakt.

Ik kijk naar buiten en het verbaast me dat we de stad nog niet uit zijn. Zo'n grote stad is het ook weer niet, en ik zie nog heel veel huizen.

'Waar gaan we heen?'

'O, dat vergat ik je te vertellen. Ik sprak mijn broer gisteren en toen ik zei dat we een wandeling gingen maken, vroeg hij of we Bouncer mee konden nemen.'

Bouncer is de liefste labrador van de wereld. En ja, hij is genoemd naar Bouncer van *Neighbours*. Ik had er eerder aan moeten denken hem mee te nemen. Dit betekent dat we een echte wandeling op het platteland gaan maken.

Toen ik zei dat Bouncer lief was, bedoelde ik denk ik dat hij lief was als hij me niet onder spat met modderspetters en niet elke vijf minuten zijn bal voor mijn voeten laat vallen, zoals hij de hele wandeling heeft gedaan. Om maar te zwijgen van wat hij net heeft gedaan. Mark en ik staan al minstens twee minuten stil op een pad, en af en toe werpen we een blik op de hoop hondenpoep die eruitziet als een softijsje chocola.

'Ik organiseer de hele bruiloft in m'n eentje, en daarom moet jij het oprapen,' zeg ik.

'Hallo, jij hebt aangeboden dat te doen, dus die martelaarstroef kun je niet uitspelen. Ik doe thuis al het schoonmaakwerk.'

Ik doe mijn mond open, en weer dicht. Mark doet inderdaad al het schoonmaakwerk.

'Maar ik doe de was en de boodschappen.'

'Daar krijg je geen vieze handen bij.'

'Nou dan. Ik ben hier niet aan gewend. Jij hebt duidelijk meer oefening dus dan ben je beter gewend aan dit soort dingen,' pleit ik.

'Misschien heb je dan wat oefening nodig.'

'Jij hebt grotere handen.'

'Wat heeft dat er nou mee te maken?'

'Nou, jouw mouwen zijn dan verder bij de poep vandaan als je je bukt om het op te rapen.'

Mark buigt zich naar me toe en rolt mijn mouwen op.

'Alsjeblieft. Nu kun je alles aan.'

'Maar Mark,' pruil ik, en ik zet mijn kleinemeisjesstemmetje op.

'Niet pruilen. Pen, je moet er toch aan wennen als je kinderen krijgt.'

'Hé, dat ik een vrouw ben, wil niet zeggen dat ik altijd over de poep ga. Bovendien is het als wíj kinderen krijgen, niet als ík kinderen krijg.'

120

Mark zucht. 'Ik zie dat ik geen keus heb. Ik breng zwaar geschut in stelling. Duimpje drukken of steen, papier, schaar?'

'Steen, papier, schaar.'

Met die idioot sterke duimen van Mark verlies ik altijd met duimpje drukken. Met steen, papier, schaar zit er een toevalselement in. Ook dat verlies ik meestal. Maar dan weet ik dat ik dat in elk geval niet kan wijten aan mijn armzalige duimpjes.

'Een, twee, drie,' zegt Mark.

Schaar. We hebben allebei schaar. Hou ik het nu bij schaar en hoop ik dat hij papier zegt, terwijl ik denk dat hij hoopt dat ik voor steen ga, of zal ik inderdaad voor steen gaan? Dit spel vergt veel van je denkvermogen.

'Een, twee, drie,' zegt Mark weer.

Ik steek mijn hand weer uit met schaar maar knip hem bot op Marks steen.

'Ha, ha,' zegt hij, en hij geeft me een kus op mijn wang. 'Dit zul je wel kunnen gebruiken.'

Ik kijk naar de plastic zak in zijn hand en herinner me waarom we dit spelletje ook weer deden. Hij heeft zo'n onweerstaanbare glimlach op zijn gezicht dat, als we niet naast een berg van Bouncers specialiteit stonden, ik hem een heerlijk lange zoen in het bos had gegeven.

'Nou, dat is besloten. We nemen geen kinderen. Dit is het walgelijkste wat ik ooit heb gedaan.'

'Volgens mij zijn babyluiers nog veel erger,' zegt hij.

'Echt? Nee, we stoppen bij stadium vijf.'

'Prima. Dan hoef ik mijn golf op zaterdag niet op te geven.'

'Zou je het golfen opgeven als we kinderen krijgen?'

'Nou, ja, niet helemaal, maar ik zal toch niet alle zaterdagen kunnen?'

'Maar je bent gek op golfen.'

'Weet ik, maar ook op jou. En zolang de kinderen niet op de melkboer lijken, waarschijnlijk ook op hen.'

Deze keer steek ik daadwerkelijk mijn hand uit, trek hem aan de kraag van zijn hoodie naar me toe en zoen hem helemaal plat. Bouncer jankt van schrik en springt de struiken in. Pas als we een fietsbcl horen rinkelen, herinner ik me dat we midden op het pad staan.

'Misschien kan ik de baby wel verschonen. Je weet wel, als jij bereid bent je golf op te offeren.'

'Eh, ik zei mínder golf spelen. Niet golf opofferen. Dat is wel een verschilletje.'

Zo ken ik Mark weer. Maar toch. Minder golf is nog altijd een groot offer.

Tegen de tijd dat we bij de pub zijn, verga ik van de honger. We hebben minstens vijftien kilometer gelopen en zelfs Bouncer is uitgeput. Ik heb het recht om een dikke, vette burger en een toffeepudding toe te bestellen absoluut verdiend.

Voordat we de pub ingaan, wachten we tot Bouncer zich helemaal laveloos heeft gedronken uit de hondendrinkbak buiten. Het lijkt eeuwen te duren, en elke keer als hij begint te slobberen, wordt hij afgeleid door mensen die langslopen, de pub in en uit.

'Kom op, Bouncer, drinken,' zeg ik, en ik buk me om naar de bak met water te wijzen. Dat lijkt te werken. Ik ben duidelijk een hondenfluisteraar.

Wanneer ik overeind kom zie ik de voeten van degene die de pub uit komt. Die grote Timberland-schoenen komen me erg bekend voor. Pas als ik me tot ooghoogte heb opgericht, besef ik dat ik recht in de blauwste ogen kijk die ik ooit heb gezien.

Josh.

Onmiddellijk glimlach ik en ik gooi er voor ik het weet een hallo uit. Mark staat vlak naast me.

Josh kijkt me aan en hij zet enigszins grote ogen op; zo te zien weet hij niet goed of hij wel iets moet zeggen.

Ik kijk naar Mark en die kijkt van Josh naar mij alsof hij probeert iets te begrijpen.

'Hoi, Penny,' zegt Josh, die uiteindelijk de ongemakkelijke stilte verbreekt.

Ik kijk om me heen om te zien of zijn vriendin er ook is, maar zo te zien heeft hij twee oudere mensen bij zich. Ze moeten zijn ouders wel zijn, want de man heeft dezelfde, doordringend blauwe ogen.

'Ha, Josh.'

Had ik al hallo gezegd? Ik weet niet goed waar dit heen gaat. Bouncer is eindelijk klaar met drinken en heeft besloten het teveel aan water van zijn bek op Josh' schoenen te laten druipen.

'Josh is een collega van me,' zeg ik tegen Mark.

Ik ben de slechtste leugenaar ter wereld, maar dit is de enige manier die ik kan bedenken om te verklaren dat ik hem ken. Hoe kan ik anders verklaren dat een verloofde vrouw een andere man heeft leren kennen die net even te knap voor zijn eigen bestwil is?

'Hallo, ik ben Mark.'

Mark herinnert zich zijn manieren tenminste, in tegenstelling tot mij.

'Sorry. Josh, dit is mijn verloofde Mark.'

'Leuk je te leren kennen, Mark. Ik heb al veel over je bruiloft gehoord.'

'Ha. Nou, daar kan ik niet over meepraten,' zegt Mark, die zijn wenkbrauwen naar me optrekt.

'Penny houdt het geheim als verrassing voor Mark,' zegt Josh tegen zijn ouders. 'Dit zijn trouwens mijn ouders. Penny werkt bij HR.'

Goed herinnerd, Josh. Ik ben blij dat ik dat andersom niet hoefde te doen. Ik heb nog steeds geen idee wat hij voor werk doet.

Ik zet mijn beste lievemeisjesglimlach op, die ik altijd inzet bij ouders. Hij lijkt effect te hebben want ze lachen terug.

'Geen Mel vandaag?' zeg ik tegen Josh, meer om te voorkomen dat Mark denkt dat er iets verdachts aan de hand is.

'Nee, vandaag niet. Maar goed, we moeten nu echt verder. Ik moet mijn vader en moeder op de trein zetten.'

'Leuk u ontmoet te hebben,' zeg ik tegen hen.

Ik zie dat Josh en Mark elkaar nog steeds op hun hoede bekijken, voordat ik Bouncer en Mark de pub in duw.

Nou, dat had veel slechter kunnen gaan. Goddank was Josh snel in het oppikken van de smoes.

We kiezen een plekje in de pub en gaan een eindje bij het knappende haardvuur vandaan zitten. Het is zo'n pub waar het vuur lekker brandt. We hebben al vaker de fout begaan om er dichtbij te gaan zitten. Aan het eind van de maaltijd leek het wel of we strippoker aan het doen waren, omdat we na elke gang een laag kleren afpelden.

Mark loopt naar onze tafel toe en zet mijn cranberrysap voor me neer. Het past bij mijn lange trektocht dat ik een drankje drink dat even verstandig en gezond is. Ik heb het even niet over het feit dat er waarschijnlijk een lading suiker in zit.

'Op welke afdeling zit Josh eigenlijk?'

Was het niet klaar toen we buiten voor de pub afscheid van hem namen? Misschien vergeet hij het als ik de kaart heel intensief bestudeer alsof ik nadenk over of ik nu de knoflook-champignonburger neem, of de stilton-baconburger. Ja, ik ben me ervan bewust dat er een bruiloft aan komt. Maar deze vijftien kilometer lange wandeling betekent dat het niet uitmaakt welke burger ik eet.

'Hallo, aarde aan Penny.'

Verdorie. Het intensief bestuderen van de kaart heeft niet geholpen.

'Hè? Sorry, ik was de kaart aan het lezen.'

'Oké. Ik vroeg wat die vent van je werk deed.'

'O, Josh?' zeg ik nonchalant, alsof hij het over iedereen zou kunnen hebben. 'Die zit bij IT.'

Ik bedoel, ik meen me te herinneren dat hij voor een grote internationale onderneming werkt. Die hebben altijd hopen afdelingen.

'O, juist.'

Ik weet dat hij zit te peinzen over hoe ik zulk nauw contact met de IT-afdeling kon hebben dat Josh iets over de bruiloft weet.

'Hij heeft eerder dit jaar wat persoonlijke dingetjes gehad,' zeg ik gedempt. Het is de stem die ik gebruik als ik op mijn werk discreet wil zijn.

'O, oké,' zegt Mark met een knikje. 'Ik kan me niet herinneren dat ik hem afgelopen jaar op het Kerstfeest heb gezien.'

Shit. Hij laat het er niet bij zitten. Ik had gehoopt dat 'persoonlijke dingetjes' wel een punt achter het gesprek zou zetten. Omdat het een persoonlijke personeelskwestie was, zou hij moeten weten dat ik er niet over mag praten. Tenminste, niet als hij de naam weet. Natuurlijk vertel ik hem wel eens wat, maar ik probeer altijd de identiteit van de persoon te beschermen.

'Kan ik me ook niet herinneren,' zeg ik eerlijk. 'Misschien is hij niet geweest. Niet iedereen houdt ervan.'

'Dat geef je nu eindelijk eens toe. Betekent dat dat we dit jaar niet hoeven?' vraagt Mark.

'Nee, zo makkelijk kom je er niet van af. Als ik naar jouw suffe feestje moet, kom jij naar het onze.'

Mark heeft een pesthekel aan de Kerstfeesten van mijn werk omdat we aan thema's en verkleden doen. Daar moet ik rekening mee houden met de bruiloftsthema's: geen verkleedpartijen. Misschien moet ik het hele Spaanse thema en Mark verkleed als matador heroverwegen.

'Wat zou het thema voor het Kerstfeest van dit jaar zijn? Ik heb geruchten gehoord over iets met sciencefiction, bijvoorbeeld *Star Wars* of *Star Trek*.'

En voor je het vraagt, ja, ik werk inderdaad op een groot engineeringbedrijf. Ik hou er niet van om stereotypen te versterken, maar laten we zeggen dat een *Star Wars*-thema iedereen blij zou maken.

'Ik denk eigenlijk dat het hele gedoe van zo'n geheime bruiloft niet zo'n goed idee is,' zegt Mark.

125

Dat weer. En ik heb nog niet eens te eten gehad, na onze volledige dag lopen en het toevallig treffen met Josh. Ik ben geestelijk en lichamelijk te moe voor dit gevecht.

'Maar we zijn al zover, en ik ben pas op de helft. Het zou niet goed zijn als jij nu halverwege alles hoort, want ik heb mijn meesterwerk nog maar half af. Dat zou geen zin hebben.'

Mark kijkt niet blij. Ik wil niet dat hij op dit punt alles over de bruiloft te weten komt. Ik heb zo hard mijn best gedaan om alles voor budgetprijzen te regelen en geprobeerd om mijn verslaving onder controle te krijgen.

'Ik vind het gewoon niet leuk dat die vent meer over mijn bruiloft weet dan ik,' zegt hij.

'Maar dat is niet zo.'

Eindelijk een beetje waarheid. Josh weet echt geen details over de bruiloft. Oké, misschien weet hij iets meer achtergrondfeitjes dan Mark, maar hij weet niets over de trouwerij zelf.

'Volgens mij dacht hij van wel.'

'Dat komt doordat hij een jongen is,' zeg ik. 'Op mijn werk heb ik het vaak over de bruiloft, dat geef ik toe. Maar alleen zoals ik er tegen jou over praatte. Ik zit te dagdromen over jurken, schoenen en de allerleukste afscheidscadeautjes. Het is een man. Waarschijnlijk krijgt hij al een glazige blik als ik het woord trouwen noem. Dat zou jij ook doen als je alle details wist,' zeg ik.

Mark glimlacht nu half. De uitdrukking in zijn ogen is iets warmer geworden, en ik denk dat ik nu wel tot hem doordring.

'Je wilt toch niet dat ik een soort Jane word?' vraag ik.

'O, lieve help, nee, dat niet. Jane was een monster in de aanloop naar haar bruiloft. Ik weet zeker dat dat de reden was dat het zo lang duurde voordat ik je vroeg.'

'Nou, zo ben ik niet. Ik ben een nuchtere bruid, en ik wil vooral dat jij van de bruiloft geniet. Daarom wil ik dat het een verrassing is.'

De serveerster onderbreekt ons gesprekje en komt onze bestelling opnemen, waarna ze Bouncer een paar honden-koekjes geeft. De koekjes zijn al verdwenen voordat ze is weggelopen.

'Rustig aan, Bouncer. Je moet leren van je eten te genieten,' zeg ik. Bouncer is echt een schattig beest. Ik buig me voor-over en aai hem even over zijn kop. Hij rolt meteen om en laat me op zijn buik krabbelen.

Bouncer heeft het makkelijk. Ik wou dat ik een hond was. Altijd knuffels, mensen die je rug voor je krabbelen. En boven alles: hij heeft poten in plaats van handen, dus hij kan niet op internet gokken en al zijn geld voor zijn bruiloft kwijtraken. Niet dat hij een bruiloft zou hebben. Het is wel een hond, hè?

'Je kunt goed met honden omgaan. Misschien moeten we over een poosje ook een hond nemen,' zegt Mark.

'Na het incident met het chocoladesoftijsje nemen we al-leen een hond als jij belooft alle poep op te ruimen.'

Mark lacht. Eindelijk heb ik het gevoel dat het kruisverhoor is afgelopen.

'Dit was leuk. Ik heb het idee dat ik je de laatste tijd niet zoveel heb gezien,' zeg ik.

'Weet ik. Jij ook met je achterlijk drukke fitness-schema.'

'Na de bruiloft wordt het rustiger, dat beloof ik.' Nog twee maanden tot de bruiloft, en de tijd tikt door.

'Misschien moeten we vaker bellen of we Bouncer mogen lenen.'

'Dat zou ik leuk vinden.'

En zo krijgen we ons geweldige dagje uit weer op de rails. Het gekke is dat ik me niet schuldig voel over de ge-heime bruiloft die ik aan het plannen ben, maar het heeft me eraan herinnerd waarom ik überhaupt trouw. Ik hou meer van Mark dan van wie ook. Ik moet gewoon flink zijn, en als ik gestrest raak moet ik denken waarom ik het doe.

'Ik hou van je, schatje.'

'Ik ook van jou,' zegt hij en hij kust me.

Ja, ik moet er gewoon aan denken dat ik mevrouw Robinson mag worden, en dat is me alles waard.

12

Ik heb echt mijn best gedaan met mijn vrijwilligerswerk op zaterdagochtend. Tot nu toe ben ik elke keer geweest. Vandaag is de eerste zaterdag dat ik niet wil. Niet omdat ik het werk niet wil doen, maar omdat ik hier zo ver mogelijk vandaan wil komen.

Vandaag is de dag dat ik jurken ga kijken. De dag waar ik al over droom sinds ik een kleine meid was en ik me vaak verkleedde. Ik droeg dan een elastische, roze jurk van mijn moeder en speelde het bruidsmeisje van mijn zus, die mijn moeders echte trouwjurk aan mocht.

In plaats van helemaal opgetogen te zijn over het jurken kijken, voel ik me diep ellendig. Ik kan mijn moeder niet vertellen dat het budget voor mijn jurk ongeveer tweehonderd pond is, dus ik moet doen alsof ik geen enkele van de prachtige jurken die ik vandaag aantrek mooi vind.

Dat wordt een martelgang. Alsof je in de Häagen-Dazsfabriek staat met een lepel in je hand, en je te horen krijgt dat je er alleen mee in het ijs mag roeren en er niet mee mag eten.

'Hallo, meisje,' zegt Betty als ik aan de tafel ga zitten.

'Hoi, Betty.'

'Wat is er? Je bent je gebruikelijke, opgewekte zelf niet,' zegt ze.

'Gewoon, bruiloftsgedoe,' zeg ik schouderophalend.

Cathy legt uit dat we vandaag tuniekzakken gaan maken. Ik neem de kartelschaar en knip de stof die Betty uitmeet en aftekent. Nina speldt dan klittenband op de stof en Lilian en Marjorie zitten aan de andere kant van de kamer aan naaimachines die er antiek uitzien.

'Ik begrijp die bruiloften van tegenwoordig niet,' zegt Betty. 'In mijn tijd ging het niet zo. We hadden het er niet zo ontzettend druk mee. Vaak organiseerden we het praktisch in een dag. In mijn zus d'r generatie deden ze dat in veel gevallen ook. Dan kwam hun verloofde thuis met weekendverlof en ging hij als een getrouwd man weer naar het front.'

Die hadden het makkelijk. Wacht even, nee, niet in de oorlog. Zo bedoelde ik het niet. Ik bedoelde alleen dat dat misschien de beste manier is om het te doen. Snel trouwen. Geen tijd om aan de geldvoorraad te knabbelen of piekeren over de vraag wat mijn voorhoofd het hoogst maakt: een kroontje of een diadeem.

'Hoe was jouw bruiloft, Betty?' vraag ik.

'Tja, mijn bruiloft stelde niet zoveel voor. Malcolm en ik hadden niet veel geld. We werkten allebei bij de vliegtuigfabriek. Voordat we kinderen kregen, was ik secretaresse. We hadden ons kort na de Kerst verloofd en in februari gingen we trouwen. Toevallig op Valentijnsdag. We zijn in de kerk getrouwd, en daarna gingen we naar mijn moeders huis voor een lunchbuffet. En daarna kwamen er de hele middag mensen langs.'

'Dus jullie hebben geen officiële receptie gegeven?'

'Nee, Penny. In die tijd deden niet veel mensen dat. We hebben bij mijn moeder thuis met de lunch lekker uitgepakt. En in de week voor de bruiloft kwamen er veel mensen langs om cadeaus te brengen. Die avond zijn we op de trein naar Portsmouth gestapt en zijn we op huwelijksreis naar het Isle of Wight gegaan.'

Ik hield het niet voor mogelijk dat Betty breder zou lachen dan ze normaal al deed, maar nu ze het over haar bruiloft had zat ze echt te stralen.

'Hij zag er die dag zo mooi uit. Toen ik bij de kerk kwam, stond Malcolm er al in zijn dienstuniform. En echt, Penny, als ik denk aan de blik in zijn ogen toen we elkaar voor het eerst aankeken terwijl ik naar het altaar liep, stokt de adem nog steeds in mijn keel.'

'Wat had je aan?'

'Een prachtige jurk. Het was een lange witte jurk met kanten mouwen. Een beetje als die van de hertogin van Cambridge. Natuurlijk had de mijne geen sleep zoals die van haar. Het was gewoon een witte jurk en mijn moeder had er het kant aan genaaid. Je moet niet vergeten dat de kleding op rantsoen was geweest en we gewend waren met weinig tevreden te zijn en alles te repareren. Niet dat ik daar ooit mee opgehouden ben.'

'Het klinkt geweldig.'

'Dat was het ook, liefje. En dat was nog maar het begin. We zijn nu tweeënzestig jaar getrouwd en we zijn nog net zo gelukkig als toen. Natuurlijk is Malcolm niet meer zo fit als vroeger en is hij vaak verstrooid. Maar ik weet dat we heel blij mogen zijn met ons huwelijk.'

Ik vraag me af of Mark en ik over tweeënzestig jaar nog gelukkig getrouwd zijn. En dan heb ik het nog niet eens over het feit dat ik dan eenennegentig ben en Mark tweeënnegentig. Ik hoop van wel. Ik hoop dat ik mijn verhaal op een dag aan een of andere wijsneus vertel die waarschijnlijk in een ruimteschip trouwt of zoiets futuristisch.

'Dat is mooi, Betty. Je boft echt.'

'Weet ik. Mijn Malcolm en ik vinden dat ook. Vertel eens over je jurk. Heb je er al een uitgekozen?' vraagt Betty.

'Nog niet. Toevallig ga ik straks met mijn moeder jurken kijken.'

'Wat leuk.'

'Wens me maar sterkte, Betty, ik heb geen zin om me gek te laten maken.'

'Maak je maar geen zorgen. Ik heb twee getrouwde dochters. Echt, als je dé jurk aanhebt, dat weet je het meteen.'

Ik zeg maar niet dat ik daar nu juist zo bang voor ben. Ik ben als de dood dat ik mijn droomjurk aantrek waar mijn moeder bij is maar dat ik die, dankzij mijn nieuwe budget nevernooitniet zal kunnen bezitten.

Ik denk dat ik ernstig heb onderschat hoezeer mijn moeder zich erop verheugde dat we jurken gingen kijken.

Ik had van de week gezegd dat het goed was en dat ze vast afspraken kon maken. Maar de militaire operatie die ze voor ons heeft gepland, had ik niet verwacht. We worden in drie bruidsmodezaken verwacht en ze is ervan uitgegaan dat ik in elke winkel drie jurken zal passen, wat ongeveer drie kwartier zal duren, wat ons een kwartier geeft om van de ene winkel naar de andere te gaan.

Ik hoop dat ik iets heb van Jack Bauer in *24* en niet naar de wc hoef of iets anders moet doen dat mijn planning in de war schopt. Ik heb me meerdere malen de woede van mijn moeder op de hals gehaald, en nu ben ik oud en wijs genoeg om dat koste wat het kost te vermijden.

'En heb je al nagedacht over de stijl waar je naar wilt kijken? Of de kleur?' vraagt mijn moeder.

'Daar heb ik nog niet zo over nagedacht,' lieg ik, terwijl ik alle gedachten probeer uit te bannen aan de nieuwste Vera Wang-jurken die ik een paar weken geleden heb gezien tijdens een modeshow in een bruidsmodezaak. Niet dat ik mezelf heb gekweld door op de website van Browns te kijken naar de foto's van die avond of het blog te lezen van een aanstaande bruid die er een afspraak had. 'En ik wil een witte jurk, niet iets heel onconventioneels.'

Ik wil zeker geen rode of zwarte jurk. Dan kunnen we oma Violet meteen uitzwaaien naar het hiernamaals.

'Wit? Ik bedoelde, wil je een echt witte jurk, of een ivoor-kleurige of meer crème?'

Zeg, gaat mijn moeder nu vijftig tinten wit beschrijven?

'Ik denk dat ik het beste kan beginnen met kijken. Eens zien of ik inspiratie krijg.'

'Goed idee, Penny. Er open in staan,' zegt ze.

Hopelijk vindt ze dat straks ook nog als ik haar meeneem naar de hoofdstraat om te zien wat ik echt kan betalen.

Ik begin me af te vragen wat voor winkels ze heeft uitgeko-zen, en als we parkeren voor een ouderwets uitziende bruids-boetiek krijg ik daar antwoord op. Een zaak die ik had uitge-kozen als ik mijn oorspronkelijke budget had gehad. Een winkel die nu te duur voor me is.

Alleen al van het binnenkomen in de winkel krijg ik weke knieën. Ik word nerveus van het soort opwinding die me vroe-ger beving als mijn moeder me een paar cent gaf om in de snoepwinkel uit te geven.

'Hallo,' zegt de keurige verkoopster.

'Hallo, we komen voor mijn dochter kijken. Ik heb een af-spraak gemaakt. De bruid is Penelope Holmes.'

'Ja, natuurlijk. We verwachtten u al. Kijk maar lekker rond, Penelope, en laat het maar weten als je er iets tussen ziet. Als je het lastig vindt, kan ik ook een paar suggesties doen.'

'Dank je,' zegt mijn moeder.

Het voelt verkeerd om losgelaten te worden op al die prach-tige jurken. Ik steek mijn hand uit naar de eerste en die voelt precies zo aan als ik me had voorgesteld. Alsof hij door elfjes is geweven. De diamantjes glinsteren in het licht als ik hem er-tussenuit trek en bekijk.

Ik weersta de neiging om een bingo-app op mijn telefoon te downloaden en te zien of ik kan winnen. Als een van deze jurken voor mij bestemd is, dan zou ik het geluk toch wel aan mijn zijde hebben?

Wie hou ik nou voor de gek? Waarschijnlijk slinkt het bud-get van tweehonderd pond dan tot tien.

'Kijk deze eens, Pen. Deze is prachtig.'

Ik draai me om en hou mijn adem in. Mijn moeder houdt de mooiste jurk die ik ooit heb gezien in haar handen.

Het is een strapless jurk met een recht decolleté, en vanuit de taille waaiert hij uit als de lagen van een laagjestaart. Hij is volmaakt. Een volmaakte prinsessenjurk.

'Pas hem maar. Ik zie dat je hem prachtig vindt,' zegt de verkoopster.

Ik knik, nog steeds te opgetogen om iets te zeggen of om nee te zeggen. Ik wacht met uitkleden en de jurk aantrekken tot zij het pashokje uit gaat, maar ze staat daar maar naar me te kijken. Ze staat niet echt naar mij te kijken, maar ze blijft wel staan.

Ik denk niet dat ze weggaat. Volgens mij moet ik me uitkleden waar zij bij is. Ik begin mijn kleren langzaam uit te trekken en probeer niet de indruk te wekken dat ik een striptease doe. Aan de ene kant ben ik blij dat ik niet mijn gewone ondergoed aanheb, de Simon Cowell-klepper, zoals Mark hem liefkozend noemt, maar ik geneer me net zo hard voor mijn kanten string en strapless beha. Ik voel me in m'n blootje staan. Ik heb ze alleen maar aangetrokken omdat ik niet wilde dat je oude, lubberende onderbroeken door een chique, doorschijnende jurk heen zou zien.

De verkoopster vertrekt geen spier. Ze houdt de jurk voor me open zodat ik erin kan stappen, en voor ik het weet, is ze achter me bezig de korsetkoordjes aan te trekken. Als ik eerlijk moet zijn, zit hij een heel klein beetje strak en kan ik amper ademhalen, maar dat doet er niet toe. Ik weet dat ik hier een fantastisch decolleté in heb want ik voel mijn borsten bijna onder mijn kin langs strijken.

'Ziezo,' zegt de verkoopster, terwijl ze het gordijn opentrekt. 'Ga maar eens op het podium staan,' zegt ze, en ze geeft me een zacht duwtje omdat ik verstard in het kleedhokje blijf staan.

Om niet te struikelen loop ik langzaam op mijn tenen naar het podium, ga erop staan en kijk in de spiegel.

Ik zie er geweldig uit. Ik ben overduidelijk in het verkeerde tijdperk geboren. Ik ben geschapen om enorme jurken te dragen.

'O, Penny, je ziet er oogverblindend uit. Je bent net een prinses,' zegt mijn moeder in tranen. Echte tranen, zoals het hoort.

'Hoe duur is hij?' vraagt ze.

'Deze kost negenhonderdvijftig pond, en dan komen er nog vermaakkosten bij,' zegt de verkoopster.

Dat is best een redelijke prijs voor zo'n prachtige jurk. Kennelijk zat ik op het verkeerde spoor met een budget van drieduizend pond voor een jurk. Deze vind ik geweldig en kost maar een derde daarvan. Had ik het oude budget nog maar, het budget dat ik heb verspeeld.

'Prachtig, maar dit is de eerste jurk die ik aantrek. Ik wil nog wel meer zien.'

'Natuurlijk wil je dat. Ik heb er een die heel goed bij je past.'

Tien minuten later sta ik weer op het podium en kijk ik naar nog zo'n oogstrelend mooie jurk. Deze is volslagen anders. Ik zie er nu niet uit als een bruidstaart, maar als een… nou ja, als een zeemeermin. Dit is een strakke jurk met klokkende rok. Ik dacht dat ik daar vreselijk dikke dijen in zou krijgen, maar wat zie ik? Hij staat me super.

Tegen de tijd dat we bij alle drie de zaken zijn geweest, heb ik de conclusie getrokken dat alle trouwjurken zijn ontworpen om je het gevoel te geven dat je bijzonder en mooi bent. Tot nu toe had ik alle jurken die ik heb gepast wel kunnen kopen. Jurk nummer één is nog steeds favoriet, maar dat zit er niet in.

We nemen even pauze voor een snelle kop koffie – alles binnen het schema natuurlijk. Dit staat gepland als een pauze voor versnaperingen en moed verzamelen, voordat we naar een van de winkels teruggaan als dat nodig is. Ik probeer moed bij elkaar te schrapen om tegen mijn moeder te zeggen dat we misschien eens op de hoofdstraat moeten gaan kijken. Misschien moet ik iets laten vallen over het bespaarforum op internet. Mijn moeder is nogal verzot op bezuinigingsexpert Martin Lewis, wat haar er misschien van kan overtuigen dat dat een goed idee is.

'Welke vond jij het mooist? Heb je dé jurk al gezien?' vraagt mijn moeder.

Ja, die had ik gezien, maar dat wilde ik haar niet vertellen.

'Nog niet. Ik denk dat we nog even verder moeten kijken,' zeg ik.

'O, ik hoopte dat je de eerste zou zeggen. Ik vond je daar stralend in uitzien.'

Ik straalde ook. Ik wist het. Dat had kunnen komen doordat ik zwetend stond te hyperventileren van het besef dat ik die jurk dus nooit zal dragen. Maar toch.

'Nou, ik vind dat ik alle mogelijkheden moet verkennen. Ik dacht dat we misschien ook maar eens in de hoofdstraat moesten kijken. Ik weet dat de warenhuizen ook heel mooie jurken hebben,' zeg ik.

'De hoofdstraat?' Mijn moeder ziet eruit alsof ze uitslag krijgt van het voorstel.

'Ja, op het forum van de bezuinigingsexpert staan allemaal meldingen over dat je daar eens moet gaan kijken.'

Ik kijk mijn moeder aan om te zien of ik mijn troefkaart niet te vroeg heb ingezet.

'De hoofdstraat? Nou, je vader zou wel blij zijn met het geld dat we zouden besparen, maar echt, die eerste jurk…'

Na haar eerste woorden luister ik niet meer. Volgens mij laten mijn oren me in de steek, maar ik had kunnen zweren dat mijn moeder bedoelde dat mijn vader en zij de jurk wilden betalen. Dat moet ik helder zien te krijgen voor we verdergaan.

'Sorry, mam, maar wou jij de jurk betalen?' vraag ik.

'Natuurlijk. We hebben die van je zus betaald en we betalen die van jou.'

Ik kan wel over de tafel heen vallen om mijn moeder om de hals te vliegen. Kan ik tóch prinses zijn. Het wordt misschien geen Vera Wang, maar ik denk dat jurk nummer één het beste alternatief is. Ik zie er verbluffend uit in mijn bruidstaartjurk, en Mark zal zijn ogen niet van me af kunnen houden.

Dan herinner ik me iets: Mark. Ik kan de jurk van mijn dromen niet kopen als ik verder op alle aspecten van ons huwelijk bezuinig. Ik vind de situatie al erg genoeg, maar ik kan niet alles goedkoop doen en dan de kerk binnenzweven in mijn prinsessenjurk.

Ik bereid me erop voor tegen mijn moeder te zeggen dat ze mijn jurk niet kan betalen, maar pas na drie keer flink slikken lukt het me pas iets uit te brengen.

'Jullie kunnen mijn jurk niet betalen, mam. Mark en ik hebben altijd gezegd dat we onze bruiloft zelf zouden betalen.'

'Weet ik wel, en daar hebben we altijd respect voor gehad. Maar met een jurk ligt dat anders. Dat is gewoon ons geschenk aan onze dochter.'

Dit is niet het moment om te gaan hopen dat ze het metaforisch bedoelt en dat ik met Kerst nog cadeautjes van haar krijg. Mijn moeder doet altijd superleuke dingen in onze kerstsok.

'Dat is heel lief van jullie,' zeg ik, hopend dat ik nooit, maar dan ook nooit spijt krijg van wat ik nu ga zeggen, 'maar dat kan ik echt niet aannemen. Dan heb ik liever dat jullie het geld geven als cadeau voor Mark en mij.'

Eigenlijk was een jurk praktisch gezien ook een cadeau voor Mark geweest want ik zie er verhipte sexy en verleidelijk in uit.

'Laten we gewoon eens kijken wat er in de hoofdstraat te vinden is,' piep ik.

'Oké. Als ze het op het bezuinigingsforum zeggen, dat kunnen we wel even gaan kijken.'

Yes! Ik wist dat die troef zou werken.

'Ik vind het geweldig dat ze hier ook van die prachtige jurken hebben,' zegt mijn moeder een kwartier later.

Ik zie dat mijn moeder oprecht verrast is door het assortiment dat ze hier hebben. Het is ook veel relaxter om jurken te kijken zonder dat er een verkoopster over je schouder meekijkt en je aanbiedt te helpen bij het uitkleden.

Deze jurken zijn anders. Om te beginnen passen ze op normale kleerhangers. Ze hebben ook niet de vorm van een schuimtaart, en er is geen ruche te zien. Maar ze zijn allemaal op hun eigen manier mooi.

Uiteindelijk neem ik drie jurken mee naar de paskamer. Allemaal een variant op het thema: strakke jurken met verschillende details bij de buste. Een ervan heeft een v-hals, de andere een opstaande kraag net als die van de beruchte bruidsmeisjesjurk van Pippa Middleton, en de derde is een eenvoudige jurk met ivoorkleurig kant op de bandjes en onder de boezem.

Gelukkig kijkt mijn moeder elke keer dat ik mijn pashokje uit kom net zo opgetogen als in de bruidsboetieks.

Wanneer ik in de derde jurk naar buiten kom, slaat ze haar hand voor haar mond.

'Deze is een absolute concurrent van de bruidstaartjurk,' zegt ze. 'Hij is beeldschoon.'

Je kunt er niet omheen: dit is niet de prinsessenjurk in de traditionele betekenis van het woord. Maar hij is subtiel, chic en boven alles simpel. Hij doet me denken aan Betty's beschrijving van haar eigen jurk. Elegant en toch functioneel. Had ik echt behoefte aan een jurk waarin ik de hele dag amper kon gaan zitten en waarin ik drie mensen nodig had als ik moest plassen?

Ik heb geen podium om op te staan maar maak een pirouette in het pad voor de pashokjes.

'Die jurk is voor jou gemaakt,' zegt een vrouw, terwijl ze achter een gordijn vandaan komt.

Ik kijk beschaamd op. Ik was vergeten dat we niet alleen in de winkel waren zoals in de bruidsboetieks.

'Dank u,' zeg ik blozend.

'Wanneer is de bruiloft?' vraagt de vrouw.

'Achttien mei.'

'Veel geluk, dan. Van deze jurk zal zijn mond echt openvallen.'

De vrouw loopt weg en ik kijk nog één keer in de spiegel. Ik laat mijn vingers over het kant aan de schouderbandjes gaan. Hij is echt mooi.

Met deze jurk kan ik het thema 'eenvoud' ook meenemen in mijn kapsel. Ik kan mijn haar opsteken in een wrong en er een paar losse parels in doen.

'Deze wordt het,' zeg ik tegen mijn moeder.

'Lieve help, dat was makkelijk. Met je zus hebben we er drie maanden over gedaan. En het mooie is dat we hem meteen kunnen meenemen.'

En dat is ook zo. Weer zo'n voordeel van winkelen in de hoofdstraat.

'Mag ik hem bij jullie hangen?' vraag ik.

'Natuurlijk, liefje. Je wilt niet dat Mark hem van tevoren ziet, dat brengt ongeluk.'

Dat weet ik ook wel, en met alle pech die ik de afgelopen tijd heb gehad, heb ik alle hulp nodig die ik kan krijgen.

Als ik mijn spijkerbroek weer aantrek voel ik me ontzettend gewoontjes. Kon ik elke dag maar een trouwjurk aan, dan voelde ik me elke dag bijzonder. Ik neem de jurk mee naar de kassa en op het allerlaatste duwt mijn moeder haar kaart in het pinapparaat.

'Ik wil er niets meer over horen,' zegt ze voordat ik kan tegenstribbelen.

Ik wilde er eigenlijk iets tegen inbrengen, maar dat laat ik uiteindelijk achterwege. Ik neem me heilig voor dat ik voor die tweehonderd pond iets voor Mark koop. Dat verdient hij.

'Dank je wel, mam.'

'Graag gedaan, liefje. Het enige wat we nu nog moeten doen, is kleren voor mij zoeken.'

Ik glimlach. Was dat maar het enige wat ik moest doen. Bijna al het andere moet nog geregeld worden.

Ik heb dan mijn trouwjurk binnen, maar waarschijnlijk is dat een eitje vergeleken bij het uitzoeken van de jurken voor de bruidsmeisjes. Dat doet me eraan denken dat ik met Lou en mijn zus Becky een datum moet afspreken. Ze zijn er allebei een kei in om mijn pogingen een zaterdag met hen te prikken te ontwijken. Je zou denken dat ik ze uitnodig over gloeiende kolen te lopen in plaats van ze te trakteren op een portie winkeltherapie. Maar nu ik mijn jurk heb, zijn er geen smoesjes meer.

De tijd om deze bruiloft te regelen verstrijkt. Ik moet opschieten; ik heb nog maar zes weken.

13

Hoe komt het dat je, juist als je met de zwaarste tassen van de supermarkt thuiskomt, alleen een parkeerplekje kunt vinden dat mijlenver van huis ligt?

Dat is een van de redenen dat ik een hekel heb aan wonen in ons rijtje; er is geen oprit om te parkeren. Niet dat dat een veelvoorkomend probleem is. Negenennegentig procent van de tijd kan ik dicht bij huis een plekje vinden of voor de deur parkeren. Maar vandaag sta ik, juist omdat ik twaalf flessen wijn bij me heb, praktisch bij de supermarkt voor de deur.

Wanneer ik thuiskom, zijn de lichten aan, wat inhoudt dat Mark een keer eerder thuis is dan ik. Of we hebben heel domme insluipers.

'Hallo,' roep ik argwanend. Je weet maar nooit. Snel besluit ik dat, ook al zouden het insluipers zijn, ze mogen blijven omdat wat ze ook in de keuken doen, hemels ruikt.

'Hé,' zeg ik als ik de keuken in loop.

'Hé, hoi.'

Geweldige outfit. Mark heeft zijn nieuwe, donkerblauwe spijkerbroek aan en een T-shirt, maar wat me echt opvalt, is het met ruches afgezette Cath Kidston-schort.

'Je ziet er best bijzonder uit vanavond,' zeg ik.

'Ik doe mijn best.'

Hij komt naar me toe en drukt een kus boven op mijn hoofd, terwijl hij het kastje naast me opentrekt en er de pepermolen uit haalt.

'Zijn dat de gehaktballen?' vraag ik.

'Yep. Ik ben bijna klaar.'

'Heerlijk. Mag ik vast proeven?'

'Nee, je moet nog even wachten.'

'Shit.'

Vanavond komen Lou en Russell wijn proeven. Dat heb ik verzonnen als geslepen plan om erachter te komen welke wijn we voor de bruiloft kunnen kopen. Maar toen ik het wijn proeven ter sprake bracht, doorzagen ze allemaal mijn plan onmiddellijk en beseften ze wat ik van plan was. Maar wat kan het me schelen? Meer weten ze toch niet.

Eigenlijk wilde ik een drankreis naar Frankrijk maken om de bruiloftswijn in te slaan, maar toen ik keek hoe duur het was om er te komen en weer terug, en om benzine, snacks en lunch en zo te kopen, zou het bijna evenveel zijn als het kurkengeld. Ik heb op mijn nu favoriete websiteforum van Budget Brides-R-Us gekeken, en sommige bruiden raadden aan op te letten wanneer websites van supermarkten uitverkoop hebben.

Ik heb een selectie gemaakt van zes rode en zes witte wijnen en bij de supermarkt een fles van elke wijn gekocht die we gaan beoordelen. Ik hoop alleen dat we geen hele fles van alle wijnen hoeven te drinken om tot een beslissing te komen.

Terwijl Mark zijn gehaktballen afmaakt, ga ik aan de slag om papier over de etiketten te plakken en er nummers op te schrijven. Ik heb scorekaarten gemaakt, zodat we elke wijn een cijfer van één tot tien kunnen geven. Ik heb me een beetje laten meeslepen toen ik ze op mijn werk aan het maken was en had bijna geplastificeerde bordjes gemaakt die we na elk glas theatraal omhoog zouden kunnen houden zoals in *Come Dine With Me*. Meestal heb ik voor dat soort grapjes geen tijd.

Ik heb er ook voor gezorgd dat we een paar tapas hebben in dezelfde categorie als op het menu staat, zodat we kunnen bepalen of de wijn daarbij past. Slim, hè?

'Hoeveel flessen wijn hebben we? We zijn maar met z'n vieren, toch?' vraagt Mark.

'Ja, maar we hoeven ze niet helemaal leeg te drinken. Ik bedoel, op de meeste zit een schroefdop, dus kunnen we de rest bewaren voor het weekend,' zeg ik.

'Juist, want meestal drinken we samen twaalf flessen wijn leeg?'

'Oké, als we wijn proeven die we echt goed vinden, dan beloof ik dat ik zal stoppen. Maar kom op, zeg. Dit wordt hartstikke leuk!'

Ik heb tegen Lou gezegd dat we om halfacht eten, dus om kwart voor acht besluit ik dat het tijd wordt om me wat feestelijker te kleden en mijn make-up in avond make-up te veranderen. Dat houdt zo'n beetje in dat ik donkerdere oogschaduw, wat eyeliner en een beetje extra rouge opdoe.

Om exact acht uur bellen Russell en Lou, een halfuur te laat, aan.

'Hé hoi. Sorry dat we zo laat zijn. Wat is er met de parkeerplaatsen aan de hand?' vraagt Lou, die zich naar me toe buigt om me te zoenen.

'Hou op. Er zal wel ergens een feest zijn. Ha, Russell.'

'Penny. We wisten niet goed wat we moesten meenemen omdat je tegen Lou had gezegd: geen wijn. Dus hebben we kaas en chocolade meegenomen.'

'Mjammie, mijn twee favoriete soorten eten. Kom maar mee naar de zitkamer. Ik zou zeggen dat ik hoop dat jullie honger hebben, maar vanavond draait het allemaal om de wijn. Dus ik hoop dat je dorst hebt.'

Terwijl we de zitkamer in lopen, zie ik Russell en Lou gezichten naar elkaar trekken. O, nee, hè? Ik zie wat er aan de hand is. Ze hebben ruzie gehad. Leuk. We hebben Phil en Jane niet uitgenodigd omdat de sfeer de vorige keer om te snijden was, en nu zijn deze twee hier bezig.

Wat is dat toch met getrouwde mensen? Waarom maken ze altijd ruzie? Als Mark en ik stadium vijf hebben bereikt, en ik mevrouw Robinson ben, doen we niet zo. Hé, ik hoorde geen Lemonheads in mijn hoofd zingen – misschien gaat de leut er een beetje af. O, nee, daar heb je het al.

'Wat zal ik het eerst openmaken? Rood of wit?' vraag ik om de sfeer te verbeteren. 'Ik heb voor alle wijnen die we drinken scorekaarten gemaakt. Het wordt een beetje zoals in *Come Dine With Me*.'

'Eh, eigenlijk wil ik vanavond niet drinken. Ik rij,' zegt Lou.

Ik kijk Lou aan en vraag me af of ik mijn oren moet laten uitspuiten. Lou is nooit de bob. Tenminste niet als we samen zijn.

'Lou, het is een wijnproeverij. Je moet drinken.'

'Ik kan het echt niet.'

Ik zie haar op de bank zitten en vraag me af wie deze bedriegster is, want de Lou die ik ken is het zeker niet.

'Hoezo niet?' vraag ik.

'Russell en ik zijn gisteravond vreselijk dronken geweest en nu kan ik geen slok door mijn keel krijgen.'

'Wát heb je gisteravond gedaan?' Ik schreeuw het bijna tegen haar. Ze weet al weken dat we vanavond wijn gaan proeven. Ze had haar lever en verhemelte rust moeten gunnen.

'Niets, we zijn gewoon thuisgebleven,' zegt Russell. Hij kijkt schuldbewust en berouwvol. Hij zit met zijn armen over elkaar geslagen naar de grond te kijken.

'We hadden niet dronken willen worden. We hebben gewoon een fles opengetrokken, en toen nog een...'

Ik kijk van Lou naar Russell die me geen van beiden willen aankijken. Lou moet wel een kater hebben: ze heeft wallen onder haar ogen alsof het de deltawerken zijn en ze ziet er hondsmoe uit.

'Met z'n tweeën?' vraag ik fluisterend. Lou heeft het de laatste tijd vreselijk druk gehad. Stel dat ze ons bedriegt met nieuwe vrienden? Ik haal diep adem. Dat zou ze nooit durven. Ik ken Lou langer dan vandaag. Ja, toch?

'Met z'n tweeën,' zegt Russell. Hij kijkt Lou aan met een blik die ik samenzweerderig vind. Ik wist het. Ze hebben echt nieuwe vrienden.

'Juist. Nou, Russell, jij drinkt toch wel?' vraag ik.

'Ja,' zegt hij kreunend.

'Mooi. Dan moet jij ook alle wijn van je vrouw opdrinken,' zeg ik.

Ha! Zie dat maar als straf. Lou drinkt als een tempelier. Als hij denkt dat hij een kater heeft, dan moet hij maar eens afwachten tot ik klaar met hem ben.

Ik storm de kamer uit, de keuken in. Mark staat schalen te garneren. Sinds wanneer garneert hij? Ik moet hem afleren naar *Saturday Kitchen* te kijken.

'Lou drinkt niet. Ze heeft een kater,' zeg ik.

'Geeft niet, dan maken we er evengoed een leuke avond van. Wij drinken gewoon haar portie op.'

Mark snapt het niet. Het gaat niet zozeer om de wijn. Het gaat om het feit dat ze deze afspraak had en toch gisteravond dronken is geworden. Het lijkt wel alsof ze niets om mijn bruiloft geeft.

'Ik denk dat ze andere vrienden op bezoek hebben gehad en dat ze dat niet willen zeggen. Ze doen heel raar.'

'Net als jij. Doe eens rustig aan en maak de wijn open. Neem maar mee, dan ben ik zo bij jullie,' zegt Mark.

Mannen. Ze hebben niets in de gaten, ook al gebeurt het vlak voor hun neus.

Ik pak fles nummer twee van de witte wijn en de scorekaarten en doe wat Mark zegt. Ik ga de zitkamer weer in.

'Alsjeblieft,' zeg ik terwijl ik de scorekaarten uitdeel.

'Wat heb jij er een moeite voor gedaan,' zegt Lou.

Dat weet ik! Ik kan het wel uitgillen. Maar dat doe ik niet. Ik ga in een fauteuil zitten en trek de kurk uit de fles. In mijn ooghoek zie ik Lou. Dat zal haar leren met andere mensen te gaan drinken. Ze zal zich nu wel schuldig voelen.

Ik schenk drie glazen in en hou de fles boven Lou haar lege glas.

'Wil je iets zonder alcohol?' vraag ik met tegenzin.

'Je kunt toch ook aan de wijn nippen, Lou, en dan doen wat je met een echte wijnproeverij altijd doet: het weer uitspugen?' zegt Russell.

'Wat een uitstekend idee,' zeg ik. Tien punten voor Russell. Dat is een goed voorstel. Ik heb nog zo'n stalen emmertje dat daar perfect voor is. Het is eigenlijk een ijsemmer voor kleinere flessen wijn, maar hij ziet er toch hetzelfde uit?

Als ik de kamer uit loop om de spuugemmer voor Lou te halen, kijken Lou en Russell elkaar weer met zo'n heel rare blik aan. Ik hoop echt dat alles goed gaat met hen, ondanks het feit dat ze ons bedriegen. Ze zijn mijn favoriete vriendenstel.

'Alsjeblieft, Lou,' zeg ik en ik geef haar de emmer. Ze ziet bleek, maar neemt de emmer aan. Ze moet zich wel heel schuldig voelen dat ze bereid is dit te doen.

'Op mijn vrijgezellenavond zul je het toch beter moeten doen. Ik weet zeker dat we dan twee avonden achter elkaar drinken,' zeg ik.

'O, ja, de vrijgezellenavond,' zegt Lou.

'Ja, dan kun je niet met een kater aankomen. Ik kan me jouw vrijgezellenavond nog herinneren en die smoes was zeker niet geaccepteerd. Zijn Becky en jij al begonnen met organiseren?'

'Wat?'

'Mijn vrijgezellenavond. Je weet dat jullie als bruidsmeisjes de taak hebben om hem te regelen.'

Gelukkig is dat een taak voor de trouwerij waar ik niets mee te maken heb, en ben ik degene die er niets over mag weten.

'Help me herinneren dat ik morgen Becky bel,' zegt Lou tegen Russell. Dat klinkt niet echt als een veelbelovende start voor de organisatie van een vrijgezellenavond. Misschien had ik van tevoren moeten zeggen dat zij het moesten organiseren. Ik dacht gewoon dat dat wel bekend was.

'Hallo, jongens, sorry, hoor,' zegt Mark als hij binnenwaait vanuit de keuken, zonder schort. Jammer. Ik vond zijn ogen heel goed uitkomen bij die schort.

Ik wacht tot iedereen klaar is met elkaar begroeten, kussen en omhelzen en steek dan van wal met de regels van het wijnproeven.

'Nou, dit is wijn nummer één. We moeten proeven wat we ervan vinden en hem dan beoordelingen van één tot tien geven. Er komen nogal wat wijnen vanavond, dus je kunt misschien beter aantekeningen maken, zoals een vleug framboos of een mooie neus.'

'Hoe proef je een mooie neus?' vraagt Mark, die aan de wijn ruikt voordat ik het officiële startsein heb gegeven.

'Dat weet ik niet. Ik heb het op van die beschaafde tv-programma's gehoord,' zeg ik.

'O, nou, proost, jongens!' zegt Russell.

We nemen allemaal een slokje en ik voel me nu wel heel volwassen. Wat een beschaafde avond hebben we hier.

Wat hoor ik nou? Ik kijk op van mijn scorekaart, waarop ik 'heel sterke smaak' schrijf en zie dat het Lou is die haar wijn in de emmer spuugt. Ik weet zeker dat, als ik mensen op tv zag spugen, ze dat iets discreter doen.

'Ik denk dat ik moet overgeven,' zegt ze, en ze rent naar de wc.

'Geef die emmer eens,' zegt Mark. 'Dat is ranzig.'

'Wat? De wijn of Lou die bijna in onze zitkamer overgeeft?' snauw ik.

'De wijn,' zegt Mark.

'Ja, ik moet toegeven dat het een heel sterke smaak is om bij het eten te drinken. Heeft iedereen zijn notities gemaakt?'

Mark en Russell kijken elkaar aan en knikken. Tijd voor de grote onthulling.

'Dat was een Zuid-Afrikaanse chenin blanc,' zeg ik als ik het witte papier van het etiket heb getrokken.

'Lekker. Zijn ze allemaal zo vies?' vraagt Mark.

'Hopelijk niet.'

O, god! Stel dat ze dat wel zijn? Stel dat ik gewoon geen wijn kan kiezen? Meestal ga ik af op het mooiste etiket: klaar is Kees. Deze keer heb ik wel de achterkant van de fles gelezen om te zien waar ze bij gedronken kunnen worden.

'Dat is beter,' zegt Lou als ze weer binnenkomt.

Ze ziet er niet beter uit. Ze ziet zo bleek als Casper het vriendelijke spookje.

'Zullen we naar de eetkamer gaan en iets eten?' vraagt Mark, omdat hij voelt dat de ongemakkelijke sfeer terugkomt.

Mark en ik hebben onszelf echt overtroffen in het klaarmaken van tapas. In elk geval Mark – ik heb alle recepten van internet gehaald en voor hem afgedrukt. Alles smaakt heerlijk. Jammer dat we geen idee hebben hoe we dat voor tachtig mensen moeten doen, anders zouden we hier ons bruiloftsmaal van maken, zo lekker is het. En denk eens aan hoe goedkoop dat zou zijn!

'Deze wijn vind ik echt de lekkerste,' zegt Russell.

Niet dat ik dat niet zou hebben gemerkt. Hij heeft bijna de hele fles op. We zijn ermee opgehouden de flessen systematisch af te werken en hebben Russell als de wittewijndrinker aangesteld en Mark en ik proberen de rode wijn.

'Mag ik een slokje?' vraag ik. Ik kan het maar beter nu vragen, voordat de fles leeg is. Ik steek mijn hand uit en grijp Russells glas. 'Je hebt gelijk. Heerlijk. Oké, we hebben onze witte winnaar.'

Ik peuter mijn witte plakker van het etiket af en zie dat het de Franse chablis is. Zorgvuldig omcirkel ik hem op de wijnlijst en maak een aantekening: deze wordt het. Voor het geval ik hierna te veel wijn drink en het morgenochtend niet meer weet.

Zo'n ongemakkelijke avond als deze wil ik niet nog eens doormaken. Dit is het ergste etentje dat ik ooit heb meegemaakt, maar dan met het lekkerste eten. Lou en Russell praten nauwelijks tegen elkaar en Mark en ik moeten het gesprek gaande houden.

'En Lou, jij bent de enige die de locatie van de receptie kent. Vind ik het leuk, denk je?' vraagt Mark.

'Je zult het prachtig vinden,' zegt Lou met een glimlach. Dus ze kan nog wel glimlachen. Kennelijk heeft ze iets pinnigs gezegd en gooit ze nu het roer om.

'Het wordt een geweldige bruiloft,' voegt ze eraan toe.

'Ah, dank je wel, Lou. Ik weet zeker dat je een prachtig bruidsmeisje zult zijn. Maar niet té mooi, want je mag niet meer aandacht trekken dan ik.'

'Geen schijn van kans,' zegt ze.

Vonden nog meer mensen dat sarcastisch klinken? Of heb ik te veel wijn gehad?

Ik besluit het te negeren. 'Nu ik mijn jurk heb, moeten we jouw jurk eens gaan uitzoeken. Volgende week misschien?'

'Kan ik niet. Ik heb het druk,' zegt ze.

'Oké. Wat dacht je van het weekend daarna?'

'Nee,' zegt ze, en ze trekt haar neus op. 'Ik denk dat ik het dan ook te druk heb. Weet je wat, zodra ik thuiskom pak ik mijn agenda, en dan zeg ik wanneer ik kan.'

WTF? Is dit mijn beste vriendin, met wie ik maandenlang alle jurkenwinkels in de stad ben afgelopen op zoek naar een bruidsmeisjesjurk die precíes de juiste kleur roze had? En nu wil ze niet eens een datum prikken om jurken te gaan kijken.

Ik ben te verbouwereerd om te reageren. Lou is de enige die ik iets heb verteld over de geheime planning van deze bruiloft, maar ze blijft het op een lopen zetten als ik probeer haar erbij te betrekken. Probeert ze bewust afstand te nemen?

Ze heeft echt geheime andere vrienden. Dat is mijn enige verklaring.

'Zullen we het toetje eten?' vraagt Mark.

'Ik haal het wel,' zeg ik terwijl ik opsta. Ik weet de vuile borden nog op te stapelen en de keuken in te lopen voordat er een traan over mijn gezicht rolt. Ik wil er geen Bridezilla van maken, maar ik vind echt dat juist Lou waarde zou moeten hechten aan deze bruiloft.

Praktisch op de automatische piloot haal ik de chocoladetaart uit de koelkast. Misschien is het 'Verras de bruidegom' toch zwaarder voor me dan ik besef. Misschien reken ik het Lou te zwaar aan. Misschien ben ik gewoon teleurgesteld dat Mark niet mee kan genieten van de details van de bruiloft en dacht ik dat Lou dat een beetje zou goedmaken. Misschien is dat de echte reden dat ik zo van streek ben.

Ik geef Lou een extra grote portie van de chocoladetaart. Misschien is het mijn zoenoffer voor haar. Ik doe er zelfs een extra lepel vanille-ijs bij omdat ik weet dat ze dat heerlijk vindt.

'Alsjeblieft,' zeg ik, als ik de kamer weer in kom.

'Eigenlijk denk ik dat we het toetje maar overslaan,' zegt Lou. 'Ik ben echt moe en ik voel me nog steeds erg misselijk.'

Wie is deze bedriegster en waar is Lou? Dit is haar lievelingstoetje. Ik heb meegemaakt dat ze dit at na een loodzwaar ontbijt bij de Little Chef. Niets kan tussen Lou en een chocoladefudgetaart komen.

'Dank je wel, Mark en Pen, voor de gezellige avond,' zegt Lou terwijl ze opstaat.

Gezellige avond? Hebben we wel de hele avond aan dezelfde tafel gezeten?

'We moeten jullie eens snel bij ons uitnodigen,' zegt Russell.

Lou werpt Russell een intens vuile blik toe bij het idee alleen al dat wij bij hen zouden langskomen. Nu ik erbij stilsta, zijn we al weken niet meer bij hen geweest, al maanden niet zelfs. Zijn ze ons aan het afbouwen en zijn wij gewoon niet helder genoeg om het in de gaten te hebben?

Voordat het tot me doordringt dat ze weggaan, staat Lou al buiten. Ik krijg niet eens een zoen, ze wuift even terwijl ze naar haar Ford Focus loopt.

'We hebben de kaas niet aangebroken,' roep ik.

'Genieten jullie er maar van,' zegt Russell.

Ik doe de deur dicht en blijf er even tegenaan leunen. Ik probeer te verwerken wat er net heeft plaatsgevonden. Dat duurt maar even als ik me herinner dat ik chocoladetaart en ijs in de kamer heb laten staan.

'Vond je dat niet raar?' vraag ik aan Mark.

Hij zit de laatste restjes uit zijn kommetje te eten en ziet er absoluut niet ontdaan uit na de rampzalige avond die we net hebben meegemaakt.

'Wat?' vraagt Mark.

Ik zie hem vooroverbuigen en de reuzenportie van Lou pakken. Nou ja, die was anders toch maar bedorven.

'Dat gedrag van Lou. Vond jij het niet raar? Dat hele gedoe met de kater en het niet drinken. Dat ze vóór het toetje weggingen. Lou d'r lievelingstoetje. Haar onverschillige reactie op het winkelen voor de jurk voor de bruidsmeisjes. Volgens mij is er maar één verklaring mogelijk: ze hebben nieuwe beste vrienden.'

Mark kijkt op van zijn half opgegeten fudgetaart en staart me aan. Ik begrijp niet wat hij niet snapt. Als je alle beetjes informatie bij elkaar optelt, is het simpel.

'Meen je dat? Na alles wat er vanavond is gebeurd, is dat je beste verklaring ervoor?'

Ik pijnig mijn hersens om te ontdekken wat me is ontgaan, maar dat is niet zo eenvoudig als je bijna twee flessen wijn tot je hebt genomen.

'Of misschien gaan Russell en Lou wel scheiden. Misschien wonen ze wel apart en zijn we daarom al eeuwen niet bij hen langs geweest. Misschien moet Lou daarom nuchter blijven zodat ze Russell kan afzetten en naar haar nieuwe huis rijden,' zeg ik.

Nu ben ik beledigd dat Lou me haar nieuwe huis niet heeft laten zien.

'Ik denk niet dat dat het is,' zegt Mark, en hij glimlacht naar me.

Hij kijkt zo verhipte zelfingenomen. Nou, hij hoeft me niet te vertellen wat hij denkt. Ik zal het wel raden. Ook al heb ik het idee dat ik meedoe aan de quiz *Family Fortunes* en wanhopige pogingen doe het bovenste antwoord te raden.

'Kijk nou eens naar de feiten,' zegt Mark.

Hij klinkt echt zelfingenomen. Dat zal door de wijn komen; als hij wijn drinkt denkt hij altijd dat hij gelijk heeft.

'Ze dronk niet, ze at niet van haar lievelingstoetje en ze ging naar huis omdat ze moe was,' zegt Mark.

Ik doe mijn best het hele plaatje voor me te zien.

'En ze heeft geen garnalen gegeten,' voegt Mark eraan toe.

Ik heb nog steeds geen idee. Ik moet eraan denken op de bruiloft niet te veel wijn te drinken, anders hebben mijn gasten niet zulke hartverheffende gesprekken met me.

'Ze is zwanger,' zegt Mark met een diepe zucht.

Opeens is alles glashelder. Alle tekenen lichten op in fel neonlicht. Ze had zelfs een slobbershirt op haar skinny jeans aan.

'Maar dat kan niet. Dat zou ze me verteld hebben. Ze heeft niet eens verteld dat ze probeerden zwanger te raken.'

Mark begint weer van de chocoladefudgetaart te eten.

'Ze kan niet zwanger zijn,' zeg ik. Maar het is een veel logischer verklaring dan wat ik heb kunnen bedenken.

Het gaat van kwaad tot erger met deze bruiloft. Ik heb niet alleen maar een derde van het trouwbudget over, nu wordt mijn beste vriendin niet eens mijn bruidsmeisje en getuige. Ze loopt dan afwezig te stralen door het kleine engeltje dat ze verwacht. Ik mag echt geen wijn meer drinken. Ik ga er de ergste dingen door denken. Maar ik kan me gewoon geen bruiloft zonder Lou voorstellen.

14

Nu zit ik echt op het allerlaagste dieptepunt. Ik zit in een koffietent en kijk naar mijn handen die zichtbaar trillen.

'Gaat het wel met jou?' vraagt Josh.

Hij gaat tegenover me zitten met zijn koffie, en heel even heb ik de neiging om me naar hem toe te buigen en mijn armen om hem heen te slaan. Dat zal wel door het leren jack komen dat hij altijd draagt. Dat geeft me het gevoel dat hij zijn armen om me heen zou kunnen slaan en me dan tegen alles zou beschermen.

Hij zei net toch iets? Ik zou echt niet meer weten wat het was, omdat ik helemaal in beslag word genomen door zijn schouders als hij zijn jack uittrekt. Concentreer je, Penny. Hij vroeg net of het wel met me ging.

'Het is wel eens beter gegaan.'

'In je sms zei je dat je weer gokte,' zegt Josh.

Ik krimp ineen. Dat G-woord klinkt zo erg als je het hardop uitspreekt. Het geeft me het gevoel dat ik iets in- en inslechts heb gedaan.

'Ik heb gisteren vijf krasloten gekocht. Ik was het niet van plan geweest. Ik wilde melk kopen bij de winkel op de hoek en dacht dat ik wel een opkikkertje kon gebruiken. Ik had eigenlijk een staatslot willen kopen, maar het was al halfacht geweest.'

Josh knikt alsof hij het begrijpt. Kijk, daarom heb ik hem nou ge-sms't.

'Ik voelde me zo smerig. Ik bedoel, ik heb een kraslot gekocht. Het was net alsof ik uit mijn lichaam was getreden en mezelf over de keukentafel gebogen zag zitten waar ik wanhopig die grijze vakjes kaal zat te krassen. En ik werd echt paranoïde bij de gedachte dat Mark een grijs kruimeltje zou zien liggen en erachter zou komen. Uiteindelijk heb ik de hele keuken gestofzuigd om alle sporen uit te wissen.'

'Heb je gewonnen?' vraagt Josh.

'Wat?'

Wat heeft winnen er nou mee te maken? We moeten ons hier toch concentreren op het feit dat ik heb gegokt?

'Heb je gewonnen of verloren?'

'Weet ik niet,' zeg ik.

'Wat, heb je ze weggegooid zonder te kijken?'

'Nee, ik kon er niet achter komen of ik iets had gewonnen.'

Ik steek mijn hand in mijn zak, diep er vijf enigszins gekreukte krasloten uit op en geef die aan Josh.

'Je moet ervoor gestudeerd hebben om te zien of je hebt gewonnen of niet,' zeg ik, om me maar beter te voelen. Ik weet niet meer of het door de krasloten kwam of doordat ik zenuwachtig was dat Mark zou thuiskomen en me zou betrappen, maar ik kon er echt niet achter komen of ik had gewonnen.

'Je hebt niet gewonnen,' zegt Josh.

'Echt niet? Nog geen pond? En die met de diamanten dan?'

'Nee, je hebt niet dezelfde.'

Ik weet niet waarom het me verrast dat ik weer heb verloren. Zoveel geluk heb ik nou ook weer niet gehad met gokken.

'Nou, dat is weer vijf pond naar de maan. Het voelt nog veel erger dan bingo,' zeg ik.

'Hoezo?'

'Omdat ik de rotzooi zag die ik had gemaakt. Ik zat te krassen als een vos die een prooi zit te verslinden. Ik kon me niet beheersen.'

'Goed beschouwd zijn een paar krasloten niet erger dan dat je internetbingo speelt. Je beseft toch wel dat je daarmee tienduizend pond hebt vergokt? Ik vind niet dat je de ene vorm van gokken beter of slechter kunt noemen dan de andere. Het is allemaal gokken.'

Soms weet ik niet waarom ik de moeite neem om met Josh te praten. Hij maakt me zo boos. Hij geeft me op mijn kop, zodat ik me nog slechter voel dan voordat ik met hem praatte. Dit was niet wat ik wilde horen toen ik hem sms'te. Ik wilde een peptalk horen. Straks noemt hij me weer een dief.

'Waarom heb je het gedaan?' vraagt hij.

'Ik wilde melk kopen en zag ze liggen.'

'Nee, ik bedoel, waarom heb je het gedaan? Had je een zware dag gehad? Waarom wilde je een lot kopen?'

'Ik wilde winnen,' zei ik zacht.

'Waarom?'

Ik haalde diep adem. Ik weet dat Josh het niet zal begrijpen.

'Dit weekend hoorde ik dat Lou, mijn beste vriendin, een kind krijgt. Dus ik heb een bruidsmeisje minder. En ik heb vanavond bloemschikles, waar ik vreselijk slecht in ben. Ik zal nooit zelf de bloemen voor de bruiloft kunnen doen. Daarom heb ik die loten gekocht, in de hoop dat ik genoeg zou winnen om een bloemist te betalen.'

'Meer niet? Had je daarom een zware dag?'

'Het spijt me als het niet zwaar genoeg klinkt. Voor mij, in mijn situatie, was het best zwaar,' zeg ik nukkig.

'Hoeveel lessen bloemschikken heb je al gehad?'

'Vanavond wordt mijn zevende.'

'Van de...?'

'Acht.'

'Nou, dan heb je een vierde van de lessen over. Misschien word je er wel beter in.'

'Nee, volgens mij is het iets waar je aanleg voor moet hebben. Dat heb je of je hebt het niet.'

'Dan doe je de bloemen niet zelf,' zegt Josh, en hij haalt zijn schouders op alsof het de makkelijkste beslissing ter wereld is.

'Maar de bloemen die ik wil kan ik niet betalen, tenzij ik ze per bos koop en ze zelf schik.'

'Dan neem je minder bloemen.'

Ik rol met mijn ogen. Het is een echte vent.

'Ik wil niet minder bloemen.'

'Waarom niet? Gaan de bloemen voor in de mis? Spreken de bloemen je huwelijksbeloften uit? Nee, bloemen zijn misschien mooi, maar geen essentieel onderdeel van waar een bruiloft om draait.'

Dat heb ik vaker gehoord. Ik begin mijn beker leeg te drinken en vraag me af hoe ik snel weg kan komen.

'Luister, ik wil niet vervelend zijn. Ik probeer je alleen te laten inzien dat je je druk maakt over kleine dingen die er in essentie niet toe doen,' zegt Josh. 'Laten we het even in perspectief zien. Jij gokte omdat je een jurk wilde hebben, ja toch?'

'Ja, aanvankelijk wel.'

'Juist. En heb je nu een jurk?'

'Ja.'

'En was die net zo duur als je droomjurk?'

'Nee, hij kostte tweehonderdvijfenvijftig pond.'

'Oké. Is hij minder mooi?'

'Hij is anders.'

'Maar vind je hem mooi?'

'Ik vind hem prachtig,' zeg ik eerlijk, en mijn hart slaat een slag over als ik aan de kanten details denk.

'Zie je nou? Er zijn altijd opties. Je hoeft geen manier te zoeken om makkelijk aan geld te komen om te krijgen wat je wilt hebben. Er zijn in het leven geen makkelijke manieren om aan geld te komen. Je moet ergens je best voor doen of je verlanglijstje bijstellen. Gokken om te krijgen wat je hebben wilt, is nooit verstandig.'

Ik ga niet huilen, ik ga niet huilen. Dat hou ik mezelf wanhopig voor. Ik voel de tranen in mijn ogen schieten, en mijn blik wordt al troebel. Ik weet dat hij me niet op mijn kop wil geven en dat hij me probeert te helpen, maar ik kan er niets aan doen. Ik heb zin om een potje te janken.

'Hé, hé, Penny.'

Hij heeft mijn hand gepakt en streelt die. Ik kan wel gillen dat hij niet zo aardig moet doen. Ik lach en hoest tegelijk en er druppelen een paar tranen uit mijn ogen.

'Niet huilen, Penny. Luister. Die details waar jij je druk om maakt, zijn geen van alle belangrijk. Snap je dat niet?'

Ik knik. Dat snapte ik wel. Ik was alleen constant op zoek naar dingen voor mijn bruiloft waar iedereen nog jaren over zou praten.

'Kijk, daarom doe ik niet aan bruiloften Als je van iemand houdt, dan hou je van iemand en uiteindelijk kan liefde gewoon genoeg zijn. Als ik ooit zou trouwen, en dat doe ik niet, dan zou het de meest eenvoudige bruiloft zijn die je maar kunt bedenken.'

'Zou je nooit met Mel trouwen?' vraag ik.

'Nee, dat zal nooit gebeuren.'

Ik ben toch wel nieuwsgierig naar die Mel. Ik weet dat niet iedere vrouw wil trouwen, maar het intrigeert me toch. Met een vriend als Josh schat ik in dat ze eruit zal zien als een fotomodel.

'Luister, Penny, het spijt me maar ik moet er weer vandoor. Ik moet op tijd op mijn werk zijn.'

Ik werp een blik op mijn horloge. Jasses, ik ook.

'Bedankt dat je wilde komen, Josh. Het is alleen zo zwaar dat ik er met niemand anders over kan praten.'

'Ik denk nog steeds dat je moet overwegen om het Mark te vertellen. Hij lijkt me best een redelijke vent. Hij begrijpt het vast wel.'

'Nee, hij zou het echt niet begrijpen. Maar goed, ik voel me nu wel een stuk beter. En ik beloof het, geen krasloten meer.'

'En geen andere snelrijkgokpogingen meer. Niet naar de paardenrennen of iets dergelijks.'

'Nee,' zeg ik lachend. 'Dat beloof ik.'

We lopen terug naar de parkeerplaats en mijn schouders voelen nu al kilo's lichter aan. Het is zo'n enorme opluchting om te kunnen praten over wat me dwarszat.

'Bedankt, Josh.'

Voor ik het weet, liggen zijn armen om me heen. Dat is precies wat ik nodig had.

'Tot dinsdag,' zeg ik, en ik zwaai terwijl ik in mijn auto stap.

Nu hoef ik alleen nog maar een middag op mijn werk door te komen en hopen dat ik om zes uur, als mijn bloemschikcursus begint, als door een wonder groene vingers heb gekregen.

Tegen zeven uur besef ik dat ik geen groene vingers heb gekregen.

Deze week moeten we corsages maken. De mijne lijkt op iets wat een clown zou dragen. Alleen zou er dan geen water uit komen; hij zou uit elkaar vallen als erop gedrukt zou worden.

Ik kijk naar Amy, mijn buurvrouw. Haar corsage lijkt op iets wat je bij de bloemist in de zaak zou zien liggen. Wanhopig staar ik naar haar vingers, die fijn en handig zijn. Had ik maar van die vingers.

'Wat is er?' vraagt Amy als ze opkijkt en mijn blik ziet. Misschien vond ze mijn gestaar eng.

'Ik wou dat mijn corsage zo mooi was als de jouwe. Ik heb van die dikke duimen.'

Dat is het enige excuus dat ik kan bedenken. Misschien zijn ze niet zo groot als de buitenaards sterke duimen van Mark, maar volgens mij zijn ze zo dik dat ze me in de weg zitten bij het bloemschikken.

'Je moet er gewoon iets meer tijd voor nemen,' zei Amy.

'Geduld is nooit mijn sterkste kant geweest,' zeg ik eerlijk.

'Maar je hebt gevoel voor kleur. Je kleuren staan mooi bij elkaar.'

Ze heeft vast kinderen. Dat is echt iets voor moeders om te zeggen; iets positiefs zien in iets vreselijks.

'Dat is lief, maar echt, ik weet dat dit vreselijk is.'

'Maar dat van de kleuren meende ik echt,' zei ze.

'Heb je dit vaker gedaan?'

'Nee, maar ik ben docente beeldende vorming dus ik ben eraan gewend met materialen te werken en veel principes zijn hetzelfde.'

'Wauw, dan ben je echt goed.'

'Dank je. Hoe staat het met je plannen voor de bruiloft?'

'Nou, ik denk dat ik nu mijn corsages geregeld heb, denk je niet?' zeg ik lachend. Wie hou ik nou voor de gek? De vijfenvertig pond die deze cursus kostte zijn pure geldverspilling geweest.

'Hoe staat het met de rest van je plannen, afgezien van je corsages?'

'Ik heb de meeste grote dingen nu geregeld. Locatie, kerk en de jurk. Ik heb een jurk! Ik moet de fotograaf, dj, het vervoer, de bloemen en de kleine details zoals afscheidscadeautjes en decoratie nog doen.'

'Heb je al over de afscheidscadeaus nagedacht? Die vind ik altijd leuk. Op de laatste bruiloft waar ik ben geweest kreeg ik een staatslot,' zegt Amy.

Beschaamd denk ik eraan terug dat ik een paar weken geleden in de verleiding was gekomen de loten te stelen voor andermans bruiloft. Om een of andere reden betwijfel ik of het een goed idee was om dat voor onze bruiloft te kiezen. Bovendien, als een van mijn vrienden een grote prijs zou winnen, zou ik eeuwig de pest in hebben dat die ene keer dat ik een lot koop, iemand anders de prijs krijgt.

Ik zeg niet dat ik niet blij zou zijn voor een vriend of vriendin als hij of zij de loterij won. Ik zeg alleen dat ik niet blij zou zijn als ik dat lot voor hen gekocht zou hebben. Dat is wel een verschil.

'Ja, ik dacht erover om iets te maken,' zeg ik. Vrij vertaald wil ik dus iets goedkoops.

'O, ja. Dat ken ik. Ik ben naar een andere bruiloft geweest waar ze van die hartensnoepjes – je weet wel, met een tekst erop – met de naam van de bruid op het ene en die van de bruidegom op het andere snoepje in een organza zakje hadden gedaan.'

Dat was een schattig idee, maar ik kan me niet voorstellen dat je daar maar dertig pond voor kwijt bent, en dat is mijn huidige budget. Wat ik nu het meest aantrekkelijk vind, is een IOU-koffiebon waarmee de gasten dan later – als ik wat beter bij kas zat – op mijn kosten een kop koffie konden drinken.

'Oké, tijd om je damescorsage te maken,' zegt de docente voor de klas, en ze klapt in haar handen om onze aandacht te vragen.

We staan op en gaan bloemen uitzoeken. Hier zat ik nou echt op te wachten: nog dieper wegzakken in het gat dat in mijn zelfvertrouwen is geslagen.

'En als je nu eens iets maakt wat je kunt eten?' stelt Amy voor.

'Moet ik dat niet vlak voor de bruiloft maken?' vraag ik.

'Ja, maar je kunt iets heel eenvoudigs maken.'

Dat is nog niet zo'n slecht idee. Ik kan dan misschien geen taarten bakken, maar er zal toch wel een recept bestaan dat ik kan gebruiken. Ik bedoel, als ik het recept ook werkelijk opvolg en er niet halverwege een creatieve draai aan geef om mijn innerlijke Nigella de ruimte te geven.

Het idee van iets eetbaars staat me wel aan. Wie houdt er niet van een smakelijk hapje na een avond drinken?

Mijn damescorsage ziet er al niet beter uit dan die voor de heren. Erger nog, eigenlijk. Zelfs een clown wil zich hier niet mee vertonen.

Ik hou de mijne omhoog om te zien of hij er vanuit een andere hoek beter uitziet, maar nee.

'De bloemen worden een ramp op mijn bruiloft,' zeg ik treurig. Ik geef me gewonnen. Ik schaam me voor de gedachte dat ik het wel even zelf zou doen.

'Luister, als je denkt dat jouw bloemschikkunst niet goed genoeg is, waarom laat je het mij dan niet doen? Ik bedoel, van mij mag je natuurlijk een bloemist inschakelen. Ik zou niet beledigd zijn als je nee zei,' zegt Amy.

'Ik zou het super vinden als jij mijn bloemen kon doen. Dat is heel lief van je. Maar ik ben eigenlijk aan deze cursus begonnen omdat ik geen bloemist kan betalen. Ik zou het niet kunnen betalen om het jou te laten doen.'

'Jawel, ik zou het gratis doen. Of voor een paar flessen wijn, misschien. Luister, als jij zorgt dat ik een dag voor de bruiloft de bloemen heb, dan zal ik ze schikken.'

'Meen je dat?' Ik kan haar wel om de hals vliegen, maar ik ken haar net een paar minuten en dat zou een beetje raar zijn.

'Voor ik me vastleg, je hebt toch niet álles vol met bloemen, hè?'

'Nee, hoor. Gewoon drie boeketten en natuurlijk de corsages.'

'En geen tafelstukken?'

'Nee, ik hoef geen tafelstukken.'

Zo, ik heb het gezegd. En weet je, het is heel verlossend. Ik hoef geen tafelstukken. Wat gebeurt er trouwens met tafelstukken als de bruiloft voorbij is?

'Mooi, dan is het makkelijk zat. Mag ik er foto's van maken voor een website? Ik ben van plan dit soort dingen ernaast te gaan doen. Misschien kan ik er in de zomervakanties wat mee bijverdienen,' zegt Amy.

'Natuurlijk mag dat. Wat een goed idee. Je hebt er duidelijk aanleg voor.'

Tegen de tijd dat ik weer thuis ben, voel ik me geweldig. Ik heb telefoonnummers met Amy uitgewisseld en heb volgende week mijn laatste bloemschikles. Nu ik de bloemen voor de bruiloft niet zelf doe, vind ik het ook niet meer vervelend om te gaan.

Eigenlijk voel ik me zo goed dat niets me kan deren. Ik heb weer een mijlpaal op mijn lijst afgevinkt.

Zie je wel, de organisatie van een bruiloft stelt eigenlijk niets voor. Josh had gelijk.

'Hallo?' roep ik als ik thuiskom.

'In de zitkamer,' klinkt het antwoord van Mark.

'Hoi, hoe is het?' vraag ik, als ik me naast hem op de bank laat vallen en hem een kus op zijn wang geef. Hij lijkt verzonken in het zappen op tv. Dat is een tijdverdrijf dat hij heel serieus neemt, en daardoor is het een nachtmerrie om met hem ergens naar te kijken. Tijdens de reclameblokken verandert hij van zender. Je kijkt dan tien minuten lang naar iets, en daarna is het weer iets anders.

'Goed, hoor. Hoe ging het sporten?' vraagt hij.

'O, als altijd,' wuif ik zijn vraag weg. 'Hoe ging het vandaag?'

'Ging wel. Ik heb net een heel raar telefoongesprek met oma gehad.'

'O, wat zei ze dan?'

'Niet zoveel. Het was alleen de manier waarop ze het zei.'

'Nou, ze deed laatst ook al zo vreemd tegen mij. Weet je nog dat ik zei dat ze me zo gek aankeek en dat jij zei dat ik het me maar verbeeldde?'

'Wou je zeggen dat er iets mis is met haar? Dat ze een beetje gaat malen?' vraagt Mark.

Ik streel Marks arm om hem gerust te stellen. Niets is zo erg als zien dat je geliefden oud worden en aftakelen. Vorig jaar is mijn oma gestorven, en het was verschrikkelijk om haar steeds verder kopje-onder in een draaikolk van dementie te zien gaan.

'Niet zoals mijn oma, als je je daar zorgen om maakt. Volgens mij heeft jouw oma ze aardig op een rijtje. Ik heb alleen het idee dat ik iets niet goed doe in haar ogen.'

'Hm.'

Dat hm klonk niet goed. Dat klonk als het soort hm dat hij er meer over te zeggen heeft.

'Ze mag me toch wel? Ik bedoel, ik heb altijd gedacht dat oma Violet en ik het wel konden vinden samen,' zeg ik.

'Dat is ook zo.'

'Wat heeft ze dan gezegd?'

Ik wist dat ze het op mij gemunt had, dat zag ik aan de schittering in haar ogen. Ik had gedacht dat het gewoon een glinstering was die werd veroorzaakt doordat ik haar aankeek door haar multifocale bril, maar het is nu duidelijk dat Mark iets weet.

'Vertel op,' zeg ik, en ik geef hem een por in zijn zij.

'Oké. Ze vroeg me het hemd van mijn lijf. Ze vroeg of we gelukkig waren en of ik er wel goed aan deed om met jou te trouwen.'

'Wát heeft ze gevraagd?' Ik sta op en begin als een gekooide leeuw door de zitkamer te ijsberen. 'Ik ben altijd supervriendelijk tegen je oma geweest. Waar komt dat ineens vandaan?'

'Ik weet het niet. Echt niet. Ik denk dat het heeft te maken met het feit dat ik haar laatste kleinkind ben dat trouwt, en misschien voelt ze een sterkere beschermdrang naar mij toe.'

'Maar we wonen al jaren samen en ze heeft nog nooit negatieve geluiden laten horen, toch?'

Mark schudt zijn hoofd en ik krab me gefrustreerd achter het oor. Waarom zou ze het ineens op me gemunt hebben? Ik pijnig mijn hersenen om te bedenken of ik de laatste paar keer dat ik haar heb gezien iets ergs heb gedaan of dat ik per ongeluk een krachtterm heb laten vallen waar zij bij was. Maar ik kan niets verzinnen.

'Het zal wel niets zijn,' zegt Mark. Zijn stem klinkt niet erg geruststellend.

'En wat heb je tegen haar gezegd?'

'Ik zei dat er niets was om je zorgen over te maken en dat ik niet met je zou trouwen als ik niet zeker wist dat jij de vrouw was met wie ik de rest van mijn leven samen wilde zijn.'

'Ah, heb je dat gezegd?' Ik vind het heerlijk als Mark van die zwijmeldingen zegt. Meestal is hij heel serieus en mannelijk, maar heel af en toe laat hij zijn knuffelbeerkant zien.

'Kom eens hier,' zegt hij. Hij slaat zijn armen om me heen. Het is het tweede stel armen dat ik vandaag om me heen heb. Ik besef dat, hoe sterk en sexy Josh' armen ook waren, dit de plek is waar ik me het veiligst voel, hier in Marks armen.

'Waarschijnlijk zit dat gedoe met "Verras de bruidegom" haar dwars,' zegt Mark. 'Ga jij binnenkort maar eens bij oma Violet langs en vertel haar alles over de bruiloft. Dat zal ze wel waarderen.'

Ik kruip op dit moment liever in een slangenkuil dan dat ik met Marks lieve oma ga praten. Er klopt hier iets niet. Ik begraaf me dieper in Marks armen en wens dat ik daar altijd kon blijven.

15

De kerk in gaan heeft iets engs. Ik heb het idee dat ik zal smelten, zoals de heks in *The Wizard of Oz*, of dat iedereen naar me zal wijzen en zeggen dat ik naar de hel ga. Zo voelde ik me de eerste keer dat ik met de dominee kwam praten niet, maar ik denk dat ik de zenuwen krijg van de geheime factor, en dat is mijn gokverslaving.

Terwijl we over de drempel stappen, grijp ik Marks hand, voor het geval dat.

'Niet zenuwachtig zijn,' zegt Mark lachend. 'Het wordt vast heel ontspannen.'

Ik glimlach zonnig. Was ik maar zenuwachtig vanwege het feit dat we naar onze huwelijkscursus gaan. Ik maak me meer zorgen dat oma Violet de dominee kan hebben verteld dat Mark en ik niet goed bij elkaar passen.

Het is een week geleden dat Mark de v-bom, de melding dat Violet haar twijfels uitsprak of hij wel met mij zou moeten trouwen, heeft laten vallen. Ik ben nog niet bij haar langs geweest. Wat ze te zeggen zou hebben, kan ik niet aan. Stel dat ze gelijk heeft. Stel dat Mark zonder mij beter af was.

'Welkom, welkom,' zegt de dominee als hij ons ziet aankomen.

'Hallo, dominee Phillips,' zegt Mark.

Ik ben ongelooflijk nerveus; ik kan geen woord uitbrengen. Ik weet alleen een glimlach te produceren die veel te veel tand laat zien.

'Ha, Mark en Penelope,' zegt dominee Phillips.

Ligt het nu aan mij of klinkt er een afkeurende ondertoon in zijn stem door?

'En hoe gaat het met jullie twee? Vertel je Mark nog steeds niets?'

Hij weet het. Dat moet wel. Dat was zo'n suggestieve vraag.

'Nee, ik weet nog steeds nergens van. Afgezien hiervan, dan. En dat vind ik een opluchting. Nu weet ik tenminste dat ik echt ga trouwen en me geen zorgen hoef te maken dat Penny een of ander heidens ritueel organiseert.'

Ik lach mee maar ben wel een beetje beledigd. Een heidens ritueel zou een mooi thema zijn geweest. Ik heb al eens gezegd dat mijn haar daar heel geschikt voor is.

'Mooi. Nou, ga zitten. Er moet nog één stel komen, en dan beginnen we.'

Mark trekt zijn wenkbrauwen naar me op en we gaan zitten.

Er zitten drie andere stellen tegen elkaar te fluisteren. Het ziet ernaar uit dat iedereen zenuwachtig is.

Het laatste stel komt en gaat zitten alsof ze te laat zijn, maar eigenlijk is iedereen vijf minuten te vroeg. De vrouw ziet er gejaagd uit en ze trekt met veel omhaal haar vest uit, om zich dan te realiseren dat het best koud is in de kerk en het vest weer aan te trekken.

'Oké. Fijn dat jullie er allemaal zijn,' zegt dominee Phillips. 'Jullie hoeven niet zenuwachtig te zijn voor vandaag. Het is geen test en niemand houdt een stand bij. We willen jullie alleen de middelen geven om als stel een goed huwelijk tegemoet te gaan. Ik zie het huwelijk ook wel als twee vellen papier die op elkaar worden geplakt. Als ze eenmaal vastzitten, zijn de vellen stevig en sterk. Alleen als je ze dan van elkaar probeert te trekken, zijn de vellen nooit meer hetzelfde. Ze zijn beschadigd. En daarom houdt een huwelijk het beste stand als je net zo bent als die twee vellen papier. Het is niet makkelijk, en soms bladdert er een stukje papier af, maar als je hard je best doet en vooral veel van elkaar houdt, kunnen die twee vellen samen blijven en kan het huwelijk groeien en bloeien.'

Ik ben hem een beetje kwijt aan het raken. Hij is net aan het praten, maar ik dwaal nu al af met gedachten aan het op elkaar plakken van twee vellen papier met een prittstift, en dat je daar altijd klontjes bij krijgt die er dan aan de zijkant tussenuit komen. Ineens krijg ik een hevig verlangen naar kantoorartikelen.

'Penny?'

Ik kijk op en zie dat Mark me aanstaart. Vluchtig kijk ik om me heen. Dominee Phillips is opgehouden met praten en de stellen om me heen zitten tegen elkaar te fluisteren.

'Wat gebeurt er?' fluister ik.

'We moeten de vijf dingen opschrijven die we het leukst aan elkaar vinden. Zat je niet te luisteren?'

'Ik verdwaalde in de papieranalogie.'

'Oké. Nou, je moet vijf dingen opschrijven die je leuk aan me vindt en dan moet je het me vertellen.'

'Oké,' zeg ik.

Ha, dit is tenminste goed te doen. Als het op school helemaal over Mark was gegaan, dan had ik overal in uitgeblonken.

Goed. Waar zal ik mee beginnen? Ik schrijf op mijn vel papier DINGEN DIE IK LEUK VIND AAN MARK en onderstreep het.

Hm. Ik ben dol op z'n haar en hoe hij ruikt. O, ik ben dol op de lome blik waarmee hij me aankijkt als we hebben gevreeën, en hij kan na de seks heerlijk knuffelen.

Dat kan ik niet opschrijven want dan kom ik oppervlakkig over, alsof ik alleen met Mark ga omdat hij een tijger tussen de lakens is. Dat zijn natuurlijk goede redenen om met Mark te gaan, maar niet de enige.

Mark ziet eruit alsof hij een essay schrijft. Kan het hem niet kwalijk nemen. Er zullen wel duizenden dingen aan mij zijn die hij leuk vindt.

Concentreer je, Penny. Vijf kleine dingetjes maar.

Ik hou van de manier waarop hij lacht. Ja, dat is een goeie. Ik vind het heerlijk dat hij, als ik domme dingen doe, een diepe buiklach laat horen. En als ik eens een keer iets doe wat echt stom is, dan biggelen de tranen hem over de wangen. Dat gebeurt niet vaak, maar als het gebeurt, is het heerlijk om te zien.

Ik vind het leuk dat hij intelligent is. Dat hij goede gesprekken over politiek kan voeren en dan het kruiswoordraadsel van de *Times* hem lukt zonder vals te spelen. En het heeft niets te maken met het feit dat hij er sexy uitziet als hij het kruiswoordraadsel doet met zijn bril met bruin montuur en zijn gefronste voorhoofd. Wordt het hier nu warm of ligt dat aan mij?

'Nog een paar minuutjes en dan wil ik het graag horen,' zegt dominee Phillips.

Jeetje, dan hebben we niet veel tijd meer.

Ik vind het heerlijk dat hij attent en zorgzaam is. Zoals toen hij een Valentijnskaart in het handschoenenvakje had gestopt, want hij weet dat ik daar mijn bril voor het autorijden heb liggen.

Ik vind het fijn dat hij veel om zijn familie geeft. Dat hij met Bouncer gaat wandelen of op zijn neefje en nichtje past om zijn broer en schoonzus een avondje samen te geven. En hij gaat altijd bij zijn oma langs, ondanks het feit dat het een feeks is.

Maak je geen zorgen, dat heb ik niet opgeschreven.

En ten slotte hou ik van hem. Van alles aan hem. Ook al word ik er gek van dat hij ketchup op mijn zelfgemaakte lasagne doet, ook als het niet nodig is, of dat hij altijd, zonder mankeren, mijn geheime voorraadje chocola plundert, waar ik het ook verstop.

'Ga het elkaar maar vertellen,' zegt dominee Phillips.

Ik grijns naar Mark. Ik ben benieuwd naar de verbluffende dingen die hij over mij te zeggen heeft.

'Jij eerst,' zeg ik giechelend.

'Oké.'

Hij is zenuwachtig, de schat. Zijn stem trilt en zo.

'Ik hou van het gevoel dat je me geeft,' zegt hij.

Ik begin de song van Michael Jackson te neuriën waarin dat voorkomt. Ik kan er niets aan doen. Ik heb muziek in mijn hoofd. Véél muziek.

'Hou op, joh,' zegt hij lachend. 'Je weet dat je me het gevoel geeft bijzonder te zijn. Ik vind het heerlijk dat je zoveel lacht en dat je bijna altijd opgewekt bent.'

'Dat heb ik ook. Behalve dat ik hou van de manier waarop je lacht,' zeg ik opgetogen.

Zien jullie wel? We horen bij elkaar. Horen. Bij. Elkaar.

'Ik vind het fijn dat je altijd het positieve in mensen ziet.'

Doe ik dat? Het is maar goed dat Mark mijn monologue intérieur niet kan horen en dus niet weet dat ik ook een vals, bekrompen kreng kan zijn.

'Ik vind het leuk dat je attent bent.'

'Dat heb ik ook,' zeg ik, en ik gun hem een glimp van mijn lijst zodat hij weet dat ik hem niet voor de gek hou.

'Ik bedoel dit hele gedoe met de bruiloft. Het feit dat je het als een verrassing voor me organiseert, dat vind ik heel attent.'

O, nee. Daar komt het schuldgevoel. Ik voel mijn ogen al heet worden, zoals ze altijd doen als ik moet huilen.

'En ten slotte vind ik het fijn dat je zo eerlijk bent. Ik weet dat ik grapjes maak over hoeveel je praat, maar ik vind het geweldig dat ik altijd weet wat er in jouw wereld gebeurt.'

Ik staar Mark aan en kan geen woord uitbrengen. Als hij ook maar de helft ervan wist. Ik word plotseling overvallen door droefenis. Ongelooflijk dat hij van alle redenen die je kunt bedenken, hij van me houdt om de twee redenen die de laatste tijd niet opgaan.

'En ik? Kom op, Penny.'

Mark grijnst naar me als de kat in *Alice in Wonderland*. Hij is duidelijk opgelucht dat hij zijn beurt achter de rug heeft.

'Oké,' zeg ik met verstikte stem.

Ik lees hem een ingekorte versie van mijn lijst voor, en ik voel de tranen in mijn ogen prikken.

'Dat was heel lief,' zegt hij. Hij drukt een kus boven op mijn hoofd en knijpt in mijn hand.

Ik veeg een losgebroken traan weg voordat hij uit mijn oog over mijn wang rolt.

Wat ben ik een bedrieger. Hoe kom ik in godsnaam deze dag door zonder te huilen of, nog erger, de waarheid op te biechten? En dat zou niet alleen het einde van de huwelijkscursus betekenen, maar ook van de huwelijksplannen zelf.

'Mooi. Goed gedaan. Iedereen heeft het volgens mij heel serieus genomen,' zegt dominee Phillips. 'Of je iets aan deze dag zult hebben, hebben jullie helemaal zelf in de hand. Deze oefening gebruik ik graag om erin te komen, zodat je je goed kunt concentreren op de vraag waarom je van je partner houdt en waarom je deze ervaring met hem of haar aangaat. We behandelen vandaag drie onderwerpen. Voor elk onderwerp bekijken we een filmpje en daarna praten we erover. Ons eerste onderwerp is communicatie.'

Natuurlijk. Dat wordt een eitje.

'We gaan nu een filmpje bekijken waarin van alles wordt verteld over effectieve communicatie met onze partner. Daarna doen we een oefening over iets waarmee we zitten.'

Het wordt hier nu echt warm. Ik voel dat het zweet me uitbreekt. En ik vond het al moeilijk om naar de praatgroep voor gokkers te gaan. Dit wordt nog tien keer zo erg. De hele duur van de video probeer ik paniekerig te bedenken wat ik tegen Mark ga zeggen, waar ik mee zit.

Tegen de tijd dat we het over onze zorgen hebben, voel ik me lichamelijk ziek.

Ik zorg ervoor dat Mark eerst aan de beurt is. Hij is tenslotte de man – hij moet de leiding nemen.

'Ik maak me zorgen over oma Violet.'

Pff! Wat een opluchting dat hij zich niet bezorgd maakt over het feit dat zijn verloofde een duister geheim heeft waar hij maar niet achter kan komen.

'Wat is er met je oma?' vraag ik.

'Ik maak me zorgen dat er is mis is met haar, iets wat ze me niet vertelt.'

'Ik weet zeker dat er niets met haar zelf is. Heb je reden om iets te vermoeden, of is het meer door wat je vorige week zei?'

'Ze gedraagt zich de laatste tijd anders. Ze doet vaag en het lijkt alsof ze een beetje verdrietig is, alsof ze ergens anders zit met haar gedachten. En ze noemde me Geoffrey.'

'Wie is Geoffrey?' vraag ik.

Ik ken alleen Geoffrey de giraf bij Toys "R" Us, maar ik kan me niet voorstellen dat oma Violet hem met Mark zou verwarren, want ze lijken niet bepaald op elkaar.

'Ik weet het niet.'

'Nou, dat wil niet zeggen dat er iets met haar is. Misschien voelt ze zich een beetje eenzaam. Misschien moeten we vaker langsgaan.'

En dat zeg ik, die oma Violet al een week lang ontloopt, of het onderwerp Violet alleen al vermijdt. Ik had geen idee dat dit Mark zo dwarszat.

'Ja, ik denk het. Ik weet dat ze oud is, en ik weet dat ze er niet altijd zal zijn. Maar ik wil gewoon graag dat ze onze kinderen te zien krijgt en dat die haar kennen.'

'Ze zullen haar ook kennen.'

Zolang we maar goede vorderingen maken in de richting van stadium zes, dan kan dat nog steeds gebeuren. Ik kan me mijn zwangerschapsverlof al bijna voorstellen, en de geweldige spijkerbroek met elastieken inzet bij de afdeling zwangerschapsmode waar ik al jaren mijn zinnen op heb gezet.

Dat zal wel een heel nieuwe dinerervaring worden aan de kerstdis.

'Bedenk, terwijl jullie praten, eens hoe fijn het is om dit soort dingen te zeggen en naar elkaar te luisteren. Bedenk eens dat je hier een dagelijkse gewoonte van kunt maken,' zegt dominee Phillips.

Ik kan me er van alles bij voorstellen. Hallo, schat, ik maak me een beetje zorgen omdat je een pak moet kopen en ik maar vijftig pond voor je heb uitgetrokken omdat ik de rest van het geld vergokt heb. Dat zou echt heel goed vallen, denk ik.

Dominee Phillips kijkt me met een vreemde blik in zijn ogen aan, en ik vraag me ineens af of hij helderziend is, of dat hij van hogerhand misschien te horen heeft gekregen wat ik denk. Ik draai me om en kijk Mark aan. Ik knik meelevend in een poging hem aan te moedigen verder te praten over zijn oma.

'Nu jij,' zegt hij.

'Wat, echt? Wil je het niet nog even over je oma hebben? Daar hebben we het maar heel even over gehad.'

Ik hoopte min of meer dat we ons konden concentreren op Marks problemen en dat we voor de mijne geen tijd meer zouden overhouden.

'Nee, ik vind dat je gelijk hebt. Ik zou vaker bij haar langs moeten gaan.'

'Mooi.'

Kijk, kennelijk ben ik een prima probleemoplosser voor iedereen, op mezelf na.

'Mijn zorg is…' Ik slik een miljoen zorgen in waar ik hem niet over kan vertellen. 'Ik maak me zorgen dat we net zo worden als Jane en Phil – je weet wel, dat we elkaar voortdurend in de haren zitten als we zijn getrouwd.'

Het is waar; ik maak me daar echt zorgen over. Ik maak me zorgen dat er iets zal veranderen en dat het niet meer is zoals het nu is.

'Echt? Jane en Phil zijn toch anders. Ik denk niet dat ze niet gelukkig zijn. Ik denk dat Jane wat al te fanatiek is geweest met de bruiloft. Volgens mij had ze geen hobby's of zo. Niet zoals jij. Jij zit altijd in de sportschool en zo. Jij bent niet obsessief met de bruiloft bezig.'

'Nee, natuurlijk niet.'

O, lieve hemel. Ik heb een heel internetverleden met tientallen, honderden posts op Trouwen en Confetti, zelfs nog van vóórdat we verloofd waren, om het tegendeel te bewijzen. Daarmee ben ik nog erger dan Jane, omdat ik al met plannen begon voordat we bij stadium vier waren aangekomen. Ik had gewoon van stadium drie moeten genieten. Stadium drie, het stadium van onzekerheid waarin ik begon te gokken terwijl Mark voor zijn accountantsexamens studeerde. Ik had niet verwacht die tijd te zullen missen, maar ik verlang er nu hevig naar terug. Nou ja, niet naar alles. Niet naar het bingospelen. Ik wilde alleen maar dat ik niet zo'n haast had gehad dat achter me te laten.

'Maak je geen zorgen, Pen. Als het ernaar uitziet dat je een soort Bridezilla wordt, of als je tegen mij gaat praten zoals Jane tegen Phil praat, dan zal ik het je laten weten.'

'Dank je wel, schat.'

'Oké, nu zullen we het hebben over de manier waarop we met elkaar praten en de dingen die we niet zeggen,' zegt dominee Phillips.

Perfect. Dat klinkt alsof het echt iets voor mij is. Haha.

Tegen de tijd dat we het einde van de dag hebben bereikt, heb ik ontstellend veel geleerd over Mark en over ons als stel. Over het geheel genomen lijkt het erop dat we behoorlijk goed bij elkaar passen. Dat is mooi, gezien het feit dat we gaan trouwen en zo. Het enige teleurstellende zijn die geheimen van mij.

Ik denk niet dat Mark en ik ooit zo openhartig met elkaar hebben gepraat of zo eerlijk hebben gezegd wat we zien als elkaars grootste fouten en hoe we denken dat onze toekomst eruit zal zien. Ik vind het pijnlijk dat ik niet zo eerlijk tegen Mark kan zijn als zou moeten. Ik kom zwaar in de verleiding om hem mee naar huis te nemen en hem alles uit te leggen, maar ik heb het idee dat ik er nu zo dichtbij ben om alles goed te laten verlopen dat ik niet wil riskeren hem voorgoed kwijt te raken.

We nemen afscheid van de dominee en zijn vrouw en van de andere stellen. Niet dat we de andere stellen hebben gesproken, maar ik heb het gevoel dat ik het stel naast ons een beetje beter heb leren kennen omdat ik heb zitten meeluisteren toen Mark naar de wc was. Toevallig weet ik dat de vrouw van het stel kennelijk denkt dat de man aan het kibbelen slaat om maar ruzie te krijgen zodat het daarna tot goedmaakseks komt. Ik probeerde Mark veel thee te laten drinken zodat hij tijdens de slaapkamergesprekken vaak naar de wc zou moeten en ik zou kunnen afluisteren wat de andere stellen deden om de romantiek erin te houden. Maar Mark met de kamelenblaas ging nergens heen. Wie weet had ik wel heel goede tips kunnen opdoen.

Het fris houden van de romantiek was het meest gênante onderdeel. Over seks praten waar de dominee van achter in de vijftig bij is, dat heeft iets vreemds. Ik zag hem onder het praten over dit onderwerp veelbetekenend zijn wenkbrauwen optrekken naar zijn vrouw, die in de hoek zat. Zij heeft er de rest van de middag hevig blozend bij gezeten. Dat was een beeld waar ik geen behoefte aan had.

'Nou, dat was een eyeopener,' zegt Mark. 'Nu ik weet hoe hij de romantiek erin houdt, denk ik niet dat ik dominee Phillips recht in de ogen kan kijken wanneer hij ons trouwt. Zag je die opgetrokken wenkbrauwen?'

'Ja, die heb ik gezien.'

Terwijl we naar de auto teruglopen steek ik mijn arm door die van Mark.

'Maar ik vond het een goede dag. Echt heel leerzaam,' zeg ik.

'Dat was het zeker. Het meeste was ook nog heel zinnig. Ik vind dat we dit vaker moeten doen.'

'Wat? In een kamer vol vreemden zitten en over onze communicatiestijl praten?'

'Nee, dingen met z'n tweeën doen. Qualitytime.'

'Zoals een date?' vraag ik.

'Ja, ik vind dat we een dateavond moeten hebben.'

Een dateavond? Ik dacht altijd dat we geen dateavond nodig hadden omdat we er elke avond eentje hadden. Maar Mark heeft gelijk. Misschien moeten we wat tijd speciaal voor ons tweeën reserveren.

'Oké, zullen we dan elke donderdagavond voor een date reserveren?' stel ik voor.

'Heb jij dan niet je bodyblitz of bodypump of wat je ook op de sportschool doet?'

Bloemschikken, voeg ik er in gedachten aan toe.

'Ja, maar ik vind dat het wel een beetje minder kan op de sportschool. Bij jou zijn zou ik veel leuker vinden.'

'Dat klinkt goed. Maar je mag niet verblubberen, hoor. Ik wil geen dikke vrouw.'

'Hé, dat mag je niet zeggen!' Ik geef hem een stevige por in zijn zij.

Mark drukt op de knop om de autosloten open te maken en we stappen allebei in.

'Ik maak maar een grapje. Je weet toch dat ik van je hou, hoe je er ook uitziet.'

Ik knik. Dat weet ik. Volgens mij moet Mark vaker zijn bril opzetten dan hij nu doet, want hij lijkt er niet om te geven hoe ik eruitzie. Zelfs als ik geen make-up op heb vindt hij me nog mooi. Ik zou de afmetingen van een bouwkeet kunnen hebben, en hij zou het nog niet zien of erg vinden.

Ik begin de zenuwen te krijgen omdat Mark de auto nog niet heeft gestart en hij zijn hoofd schuin houdt en me vragend aankijkt.

'Pen, als er iets anders was dat ik hoorde te weten, dan zou je het me vertellen, toch?'

Mijn keel wordt dichtgeschroefd en ik krijg het gevoel alsof ik zuurstofgebrek heb. Mijn hart begint zo hard te bonken dat ik zeker weet dat Mark het merkt. Hij kijkt me aan.

Als er ooit een perfecte opening was om hem te vertellen wat er aan de hand was, dan nu wel. Ik doe mijn mond open, maar voordat ik iets kan uitbrengen, wordt er op het raampje geklopt. Mark en ik schrikken en kijken op. Naast de auto staat oma Violet. Mark zet de motor aan en het elektrische raampje schuift omlaag.

'Ha, oma,' zegt hij.

'Hallo, lieverd. Ik dacht al dat het jouw auto was. Hallo, Penelope.'

Penelope? Ik dacht dat we dat stadium jaren geleden al achter ons hadden gelaten.

Ik zeg hallo en glimlach, maar wel met de tanden op elkaar, want ik ben nog steeds kwaad om wat ze vorige week tegen Mark had gezegd. Dan schiet me weer te binnen hoe bezorgd Mark om haar was en ik probeer een glimlach tevoorschijn te toveren.

'We zijn net naar onze huwelijkscursus geweest,' zegt Mark.

'O, die was ik vergeten. Dominee Phillips en zijn vrouw zullen daar heel goed in zijn. Na zo'n cursus zie je echt wie willen trouwen en wie niet. Ik heb wel van verlovingen gehoord die dankzij die cursus zijn verbroken.'

Verbeeld ik me het nou, of kijkt ze me strak aan?

'Nou, ik vond het erg nuttig. Het maakte maar weer eens duidelijk hoe goed we bij elkaar passen,' zeg ik.

Mark werpt me een blik toe en ik haal mijn schouders op. Tja, als zij dat spelletje speelt, dan doe ik mee.

'Waar ga jij heen, oma?' vraagt Mark, niet zo subtiel van onderwerp veranderend.

'Ik breng even wat cake voor een uitvaartdienst op maandag. Ik kan dan niet komen omdat ik een afspraak bij de dokter heb.'

'De dokter? Is alles goed met jou?' vraagt Mark.

'O, ja, hoor. Prima. Gewoon routine. Op mijn leeftijd heb je dat wel vaker, lieverd.'

'Wil je dat we op je wachten en je naar huis brengen?'

'O, nee, dat hoeft niet. Ik wil de dominee even ergens over spreken. Bovendien is een wandeling supergezond voor me.'

Mark ziet eruit alsof hij in tweestrijd verkeert, alsof hij zich afvraagt of hij ertegenin moet gaan en op haar moet wachten of naar huis moet gaan.

'Ik zie jullie morgen wel, als jullie op de thee komen,' zegt oma Violet.

'Leuk, tot dan,' zeg ik.

'Oké, tot morgen, dan,' zegt Mark.

We kijken haar allebei na, zoals ze over de parkeerplaats loopt. Ze loopt in elk geval als een kievit.

'Wat denk je dat ze met de dominee te bespreken heeft?' vraagt Mark.

'Geen flauw idee. Ze zit toch in een paar commissies van de kerk? Het zal wel om kerkzaken gaan.'

Mark lijkt niet overtuigd. Dat ben ik ook niet. Onwillekeurig denk ik dat ze wist dat wij hier voor onze huwelijkscursus waren en gaat ze dominee Phillips door de mangel halen om details te weten te komen. Maar dat ben ik, met mijn achterdochtige inborst.

'Mark, ik weet zeker dat het goed met haar gaat, en als dat niet zo zou zijn, dan zou ze het toch zeggen?'

'Weet ik. Ik wil naar huis, dan kun jij lekker thee voor me klaarmaken, zoals het een goede echtgenote betaamt.'

Ik rol met mijn ogen omdat ik hem geen por kan geven terwijl hij achteruitrijdt. Dat we tijdens de huwelijkscursus hebben afgesproken dat we onze taken thuis eerlijker moeten verdelen en dat ik meer moet helpen met koken, wil nog niet zeggen dat we daar meteen mee moeten beginnen.

Misschien moet ik morgen iets eerder naar oma Violet gaan om eens met haar te praten en erachter te komen wat er speelt.

Misschien ben ik helemaal niet achterdochtig; misschien zit Mark ernaast en is er niets mis met haar en heeft ze gewoon een pesthekel aan me. En ik moet er gewoon achter zien te komen waarom.

16

Ik weet dat ik heb gezegd dat ik erachter zou komen wat er met oma Violet aan de hand was maar op het laatste moment laat ik het vreselijk afweten. En ook al had Mark gezegd dat we zondag op de thee zouden komen, ik kon het niet. Zijn broer en zijn gezin zouden later langskomen en ik heb een te slecht geweten om daar lekker aan mee te doen. Ik moet haar onder vier ogen spreken, maar daar schraap ik uiteindelijk wel de moed voor bij elkaar. Echt.

Ik heb gelogen en tegen Mark gezegd dat hij wat qualityti-me alleen met Violet moet doorbrengen, en dat ik het een en ander met Lou moet uitpraten. Dat is geen leugen. Ik heb haar sinds de wijnproefavond van twee weken geleden nauwelijks gesproken. Ik dacht dat ik haar maar een week met rust moest laten en haar naar mij toe moest laten komen om te zeggen dat ze een broodje in de oven heeft. Maar dat heeft ze niet gedaan.

Met nog geen maand te gaan moet ik de voorbereidingen van de bruiloft weer vlot zien te trekken, en op dit moment is het een rommeltje in mijn bruidsgevolg en is mijn getuige *missing in action.*

Mark was blij dat ik naar haar toe ging. Hij had me de les

gelezen over het feit dat ik nog niet bij haar langs was geweest. Hij heeft me voorgehouden dat ze zwanger is en geen besmettelijke ziekte heeft en dat ze waarschijnlijk best bruidsmeisje kan zijn, ook al is ze zwanger. Hij gaf wel toe dat hij dat niet zeker wist omdat hij geen deskundige op het gebied van zwangerschap was.

Ik had Lou misschien kunnen bellen om haar te laten weten dat ik naar haar toe kwam, maar dat heb ik niet gedaan. Blijkbaar denk ik nog steeds dat ze misschien geheime vrienden heeft en dat ik haar op deze manier zou kunnen betrappen.

Er is maar één manier om daarachter te komen en ik begin vlinders in mijn buik te voelen. Ik weet niet waarom ik ineens zo zenuwachtig ben. Ik heb hier honderden keren, zo niet duizenden keren, voor de deur gestaan.

'Penny!' zegt Lou, als ze de deur opendoet. 'Wat doe jij nou hier? Hadden we iets afgesproken? Ben ik wat vergeten?'

'Nee, nee. Ik was in de buurt en bedacht dat ik wel even langs kon gaan. Komt het niet gelegen?'

Ik tuur de gang in en spits mijn oren om eventueel gebabbel van haar interessante nieuwe vrienden op te vangen, maar helaas is het doodstil aan het vriendenfront.

'Nee, het kan wel. Russell is boodschappen aan het doen.'

Toch sta ik nog steeds buiten. Ik kan niet zomaar langs haar heen naar binnen banjeren, dus ik glimlach met opgetrokken wenkbrauwen.

'Sorry, kom binnen. Wil je een kopje thee?' vraagt ze.

'Lekker, dank je.'

Ik loop achter Lou de keuken in en ik kijk stiekem om me heen op zoek naar eventuele aanwijzingen dat Russell hier niet meer woont. Per slot van rekening weet ik nog steeds niet zéker dat ze echt zwanger is; tot ze het me vertelt, kunnen al mijn samenzweringstheorieën waar zijn.

'Hoe gaat het met je?' vraag ik.

'Goed, hoor. Druk.'

'O, ja?' zeg ik in een poging om nog een beetje dieper te

peuren. Lou staat met haar rug naar me toe en is bezig met de kopjes en theezakjes, en intussen staat de waterkoker te pruttelen.

'Ja, met werk en zo. Hoe gaat het met de trouwplanning?'

'Goed.' Hoeveel tijd heeft ze nodig om me het nieuws te vertellen? Misschien moet ik haar een duwtje in de rug geven. 'Ik overweeg om vooraf garnalen en brie te nemen.'

'Klinkt heerlijk,' zegt ze.

Hm. Probeert ze zich eruit te bluffen? Ik gluur naar haar buik, maar ze heeft een capuchonsweater aan uit haar studententijd die ze jaren geleden al weg had moeten gooien. Toen was hij prima om er cool uit te zien en ons babyvet te verdoezelen, en nu is hij ook prima omdat hij te groot is zodat ik niet kan zien wat sweater is en wat buik.

Het ziet ernaar uit dat ik een beetje gas moet geven. Ze zet de kop thee voor me neer en gaat aan tafel zitten. Nu moet ze me wel aankijken.

'Ik zou het heel leuk vinden als we op zoek gingen naar jurken voor de bruidsmeisjes.'

Ze slaakt een zucht en blijft in haar thee roeren. 'Weet je, Pen, ik heb het best druk.'

'Ja, dat zeg je de hele tijd. Luister, als je geen bruidsmeisje wilt zijn, mag je het gewoon zeggen. Ik kan altijd nog iemand anders vragen,' zeg ik op een toon die niet nonchalant klinkt, zoals de bedoeling was. Het klinkt meer alsof ik een nukkige kleuter ben. Ik wil helemaal niemand anders, en dat weet ze.

'Natuurlijk wil ik je bruidsmeisje zijn.'

'Waarom wil je dan niet mee winkelen?'

Lou kijkt heel nadrukkelijk naar haar thee en roert er ijverig in.

Ik kijk naar mijn thee en zie dat die een heel vreemde kleur heeft. 'Waarom ziet mijn thee er zo bizar uit?'

'Het is rooibos.'

'Rooibos? Jemig, Lou, zeg nou maar gewoon dat je zwanger bent.'

Eindelijk, voor het eerst sinds ik binnen ben, kijkt ze me aan. 'Ik ben zwanger.'

'Ik wist het!' zei ik. Ik verzwijg het feit dat ik nog wat andere theorieën had.

'Ik dacht al dat je het op de wijnproefavond zou vermoeden. Kwam het door de wijn of door de chocoladetaart?'

'Geen van beide. Ik heb die optelsom niet gemaakt. Mark heeft het geraden.'

'Mark? Ik wist niet dat hij zo alert was.'

'Ja, kun je nagaan. Maar waarom hebben jullie niets gezegd?'

'Dat wilden we wel. We hadden net de echo gehad en we wilden er met jullie op drinken, maar toen hadden jullie je verloofd en werd het een toost op jullie verloving.'

O, jee. Wij hadden de avond van Lous grote nieuws geclaimd.

'Je had het best mogen zeggen, dan hadden we dubbel feest gehad.'

'Russell en ik wisten allebei dat je in de wolken was dat Mark eindelijk een aanzoek had gedaan. We konden jou je klapper niet afnemen.'

'Maar op die avond dronk je,' zeg ik, en ik probeer me die avond in januari te herinneren.

'Nee, hoor. Ik dronk niet. Maar jij wel. Jij was al dronken voordat wij er waren.'

Ach, te veel drinken is ook niet handig. Je hebt niet meer in de gaten wat er om je heen gebeurt.

'Nou, je had het me toch moeten vertellen,' zeg ik, en ik sla streng mijn armen over elkaar.

'Ik wilde niet dat je boos op me was.'

'Waarom zou ik boos op je zijn?'

'Omdat ik misschien wel maatje olifant heb als jij gaat trouwen,' roept ze uit.

'En waarom zou ik dat erg vinden?'

'Omdat het jouw bruiloft is. Je weet wel, die bruiloft die jij al jaren aan het plannen bent. Ik weet dat jij alles tot in de puntjes hebt gepland. Ik dacht dat mijn bolle buik niet zo goed in jouw plannen zou passen.'

'Ben je gek? Als jij naast me staat, zie ik er hyperslank uit.'

'Ha, bedankt,' zegt Lou lachend. 'Het is trouwens allemaal jouw schuld.'

'Wacht effe. Wat heb ik ermee te maken? Jij zou wachten tot we tegelijkertijd voor stadium zes aan het proberen waren, zodat we samen zwanger zouden zijn en zwangerschapsverlof konden opnemen.'

'Weet ik. Dat was het plan ook. Ik ben vorig jaar gestopt met de pil omdat ik er hoofdpijn van kreeg, en Russell en ik dachten dat het goed zou zijn voor als we wel probeerden zwanger te raken. En toen had Mark zijn examens gehaald en wist jij zo zeker dat hij je die avond een aanzoek zou doen.'

'Ja, maar dat was stadium vier, niet stadium zes,' zeg ik. Ik probeer haar bij te houden.

'Mark met zijn verhipte stadia ook. Herinner jij je die avond niet? Jij wist zo zeker dat hij je zou vragen dat jij de ene fles prosecco na de andere bestelde, en je liet mij aan iedereen vertellen hoe Russell mij heeft gevraagd. En al die bubbels waren me naar het hoofd gestegen zodat ik me helemaal knuffelig voelde. Dus toen we thuiskwamen, kwam van het een het ander en waren we vergeten iets te gebruiken. Jee, dan ben ik op mijn dertigste toch nog per ongeluk zwanger.'

Ik weet niet of ik alles wel wil weten.

Ik denk niet graag terug aan die avond in november. Het was te gênant voor woorden. Ik was helemaal opgetut en verwachtte dat Mark me elk ogenblik de vraag zou stellen. Ik zorgde er de hele avond voor dat er gloss op mijn lippen zat en mijn gezicht perfect was opgemaakt, zodat de foto's na het aanzoek er prachtig zouden uitzien. Maar tegen het einde van de avond zat ik als een zielig hoopje chagrijn in een hoek. Het was goed om te weten dat het leven die avond tenminste voor iemand nog iets moois had opgeleverd.

'Ik vind het super. Gefeliciteerd, trouwens.'

'Dank je. Ik wilde het je ontzettend graag vertellen.'

'Had dat maar gedaan – ik begon al te denken dat jullie nieuwe vrienden hadden.'

'Doe niet zo raar. Je weet dat ik, als ik je had willen laten vallen, dat in je paarskapselperiode gedaan had.'

Ik huiver. Lou weet dat ze daar beter haar mond over kan houden. Ik heb mijn zus net zo ver gekregen dat ze me geen bosbes meer noemt. Godzijdank viel die rampzalige kapselkeuze net in de periode voordat ik Mark leerde kennen, anders was hij vast niet voor me gevallen en hadden we nu niet in stadium vier gezeten.

'Maar kun je, je weet wel, mijn getuige zijn?' vraag ik.

'Natuurlijk wel, als je me nog wilt.'

'Natuurlijk wil ik je, verdorie.'

O jee, zie ik daar tranen in Lous ogen?

'Sorry,' snottert ze, en ze veegt haar ogen af, en ze lacht. 'Die verrekte zwangerschapshormonen ook. Ik dacht altijd dat dat een fabeltje was, maar kennelijk niet.'

'Kom eens hier, dan krijg je een knuffel.'

We omhelzen elkaar en ik schiet helemaal vol. Lou, mijn allerbeste vriendin in de hele wereld, zal een minimensje ter wereld brengen. Er komt een mini-Lou of -Russell.

Ongelooflijk dat Lou dit wonderbaarlijke nieuws voor zich heeft gehouden omdat ik zou gaan trouwen.

'Ik kan er nog niet over uit dat jij het mij niet durfde te vertellen,' zeg ik.

'Echt niet? Weet je het niet meer van mijn bruiloft, dat je zus zwanger raakte? Jij zei dat het een botte streek van haar was en dat ze had moeten wachten omdat ze niet kon drinken op mijn vrijgezellenfeestje.'

'Heb ik dat gezegd? Jeetje.'

Ik heb vage herinneringen aan gedoe met Becky over de bruiloft van Lou, maar ik was vergeten waar dat over ging.

'En toen zei je tegen haar dat ze maar beter klaar kon zijn

met kinderen maken voordat Mark en jij zouden trouwen, want je wilde niet dat zij al je trouwfoto's zou verpesten.'

Ik verschoof ongemakkelijk op mijn stoel. Ik ben inderdaad al heel lang bezig met deze bruiloft. Ik kan dit niet eens afdoen als een grapje, want dat was het waarschijnlijk niet. Geen twijfel mogelijk.

'Ik weet zeker dat ze Ethan en Lily daarom zo dicht op een elkaar heeft gekregen. Ze was waarschijnlijk bang dat je nijdig zou zijn,' zegt Lou.

Ik kijk op naar Lou, en nu ben ik degene die moet huilen.

'Hé, Penny, niet huilen. Jij bent toch niet ook zwanger, hè?'

'Nee,' zeg ik hoofdschuddend. 'Ik vind het zo erg dat mijn beste vriendin me het mooiste wat in haar leven staat te gebeuren niet wilde vertellen omdat ze bang was dat ik daar krengerig op zou reageren. Lou, het spijt me.'

'Hoeft niet. Ik heb het nog niet veel mensen verteld. Ik ben dan wel zes maanden heen, maar heb er toch nogal aan moeten wennen.'

'Niet te geloven dat je een kind krijgt.'

'Ik weet het. Russell en ik als ouders. Wat een eng idee!'

'Volgens mij worden jullie heel goede ouders.'

Dat worden ze ook. Ik weet het zeker.

'Ha, dat zien we nog wel. Nu we dat hebben afgehandeld moet je me vertellen hoe het gaat met het plannen van de bruiloft, afgezien van de jurken voor de bruidsmeisjes.'

Ach ja, de bruiloft. Als ik mensen spreek, komt het gesprek tegenwoordig altijd op de bruiloft. Ik wil ze niet vertellen dat ik nog bijna niets heb gedaan. Ik heb alle grote dingen geregeld, maar dat is het dan ook. En het zijn altijd de kleine dingen waardoor een bruiloft je bijblijft.

'Het gaat goed. Sinds de laatste keer dat we elkaar hebben gesproken heb ik eh... de bloemen geregeld,' zeg ik.

'Goed zo. En heb je de wijn geregeld?'

'Ja, min of meer.'

Ik weet welke ik wil. Ik hou nu de wijnwebsite nauwlettend

in de gaten, wachtend op speciale aanbiedingen. Hopelijk komt er zeer binnenkort een, want hoe dichterbij de bruiloft komt, hoe meer ik er de zenuwen over krijg.

'Mooi. Het wordt geweldig, zeker weten. Ik weet nog dat ik je moodboard zag, met al die mooie stoffen. O, je kunt me nou over je jurk vertellen, nu Mark er niet bij is. Is het zo'n enorme prinsessenjurk? Pas je straks nog wel in de toiletten?' vraagt Lou.

Er rolt een traan over mijn wang.

'O, god, je bent écht zwanger, hè?'

'Nee,' zeg ik hoofdschuddend. Het is nu echt een stortvloed van tranen geworden. 'Het is zo'n puinhoop.'

'Wat?'

'De bruiloft. Het gaat allemaal vreselijk.'

'Maar ik dacht dat je alle grote dingen had geregeld. En jij wist altijd precies wat je wilde, en je hebt er hard voor gespaard.'

'Dat is het probleem juist. Ik heb het spaargeld uitgegeven.'

'Nu al? Nou, welke dingen moet je nog betalen? Ik weet zeker dat Mark je wel iets extra kan geven.'

'Nee, je begrijpt het niet. Ik had het meeste geld al uitgegeven voordat we ons verloofden.'

'Waaraan? Zeg nou niet dat je schoenen bent wezen kopen en ze voor me verborgen hebt gehouden.'

'Voor tienduizend pond had ik heel wat Jimmy Choos kunnen kopen,' zeg ik lachend. Even zie ik mezelf in een inloopkast waar ik word omringd dóor tienduizend pond aan Jimmy Choos, een soort hemel, dus.

'Waar heb je het dan aan uitgegeven?' vraagt Lou. 'Pen?'

'Bingo.'

Ik doe mijn ogen stijf dicht zodat ik de blik van afkeer niet in Lous ogen hoef te zien, maar ik hoor haar alleen maar lachen.

'Die is goed, Pen. Goeie bak.'

'Het is geen grapje. Ik heb ruim tienduizend pond aan bingo uitgegeven. Ik probeerde geld bij elkaar te krijgen voor een

grotere bruiloft, en nu organiseer ik een bruiloft voor een bij-
standsbudget. En ik ga elke dinsdag naar een praatgroep voor
gokkers.'

Ongelooflijk, wat is het een opluchting om dat eruit te hebben gegooid.

'Jezus. Het probleem van mijn bolle buik op de bruiloft
wordt een stuk kleiner. Ik denk dat je maar eens van voren af
aan moet beginnen.'

Dus terwijl Lou nog eens water opzet voor nog meer bizar
smakende thee, vertel ik het hele ellendige verhaal van a tot z.

Ik vertel haar over de kick van het bingo, de bankrekening,
dat Mark er niets van weet, en ik vertel haar over de praatgroep
voor gokkers en Josh. Ik vertel haar alles en huil, eet koekjes en
zij knuffelt me.

Wanneer Russell thuiskomt, wordt hij naar de keuken verbannen en lopen wij de zitkamer in zodat we verder kunnen
praten.

'Ik kan het nog steeds niet geloven,' zegt Lou. 'Echt niet. Ik
ben zo jaloers op je geweest met jullie verstandige spaarplan
voor de bruiloft. Eigenlijk ben je net zo'n idioot als iedereen.'

'Dank je.'

'Waarom doe je niet wat Russell en ik hebben gedaan en
betaal je alles met je creditcard?'

'Omdat Mark zich dan zou afvragen waarom ik altijd blut
was.'

'Nou, het klinkt alsof je nu al aardig rond kunt komen van
je budget. Ik had nooit geweten dat die locatie zo goedkoop
was.'

'Weet ik. Ongelooflijk, hè?'

'Maar wat ik echt niet snap, is dat je Mark niets vertelt. Hij
zou je steunen.'

'Dat kan ik niet. Hij zou er kapot van zijn. Hij is zo verstandig met geld.'

'Stel dat hij erachter komt. Je bent de rest van je leven met
hem getrouwd. Stel dat je het er per ongeluk uit floept.'

'Dat maakt niet uit, want dan zijn we al getrouwd en hij gelooft niet in echtscheiding.'

Lou kijkt me geschrokken aan.

'Oké, zover heb ik blijkbaar niet vooruitgedacht. Maar als ik het goed regel met de bruiloft, dan hoeft hij het niet te weten,' zeg ik.

'Ik ben het er niet mee eens dat je Mark niets vertelt, maar als je wilt, zal ik je helpen met organiseren.'

Daarom ben ik zo gek op Lou. Ze is niet alleen een te gekke meid, maar doet ook alles voor iedereen.

'Dank je. Misschien zal ik je daaraan houden.'

'Wat moet je nog doen?' vraagt ze.

'Afscheidscadeautjes, jurken voor de bruidsmeisjes, vervoer, fotograaf, taart, huur van pakken.'

'Oké. Afscheidscadeautjes, maar dan budget, toch?'

'Ja. Ik wil ze best zelf maken. Amy, die mijn bloemen doet, stelde iets eetbaars voor.'

'Oké, wat dacht je van hartjes van peperkoek?'

'Peperkoek?'

'Ja, meer heb ik de afgelopen paar maanden niet gegeten. Ik heb het ook zelf gebakken. Echt lekker.'

'En makkelijk?' vraag ik, want peperkoek klinkt in mijn oren een beetje te veel als taart.

'Een eitje. We kunnen hem een paar dagen van tevoren maken.'

Geregeld. Wauw. Had ik het Lou maar eerder verteld. Dan hadden we alles nu al afgevinkt.

'Volgende.'

'Muziek. Ken jij niet toevallig een dj of band die gratis wil spelen?'

'Waarom doe je niet gewoon een iPod met versterker? Dan kun je een afspeellijst maken.'

Daar had ik al aan gedacht. Ik dacht niet dat mijn mixvaardigheden sterk genoeg ontwikkeld waren.

'Daar heb ik niets op tegen, maar ik heb alleen het idee dat je iemand nodig hebt die de muziek aan de gang houdt. Je weet wel, iemand die reageert op het publiek. Die een grote hit opzet als het nodig is.'

Ja, ik luister nog steeds naar de hitradio. Soms denk ik dat ik nog bij de jeugd thuishoor, maar ik weet dat dat niet zo is. Ik weet dat ik te oud ben om bij dat doelpubliek te horen.

'O, god, ik krijg een waanzinnig idee,' zegt Lou.

'Wat?'

'Vertrouw je me?'

Tja, je verwacht waarschijnlijk dat ik op die vraag 'ja' zeg. Maar ik zal je wat achtergrondinformatie geven. De vorige keer dat Lou me dat vroeg, zei ik 'natuurlijk' en voor ik het wist, zat ik in het ziekenhuis met mijn been in het gips, omdat Lou me in een winkelwagentje van een heuvel had geduwd. Ter verdediging kan ik aanvoeren dat we stomdronken waren.

'Je hebt beloofd dat je me dat nooit meer zou vragen,' zeg ik.

'O, ja. Dat was ik vergeten. Maar nu is het anders. Ik ben nu heel verantwoordelijk. Ik word moeder. Ik beloof dat er geen gebroken botten of winkelwagentjes aan te pas komen.'

'Oké. Ik vertrouw je. Hoezo?'

'Omdat ik een superidee krijg voor een dj, en ik je niets ga vertellen. Jij hebt je "Verras de bruidegom". Ik denk dat we ook een beetje van "Verras de bruid" nodig hebben. Laten we zeggen dat het ongeveer een uur duurt en dat het perfect tussen twee sets andere dingen in past.'

'Moet ik me zorgen maken?' vraag ik, en ik zet me schrap.

'Nee, het wordt geweldig.'

'En je gaat er niet zelf bij zingen, toch?'

'Nee, ik wil niemand bang maken.'

'Mooi,' zeg ik. Er zijn katten die beter kunnen zingen dan Lou.

'Dus ik hoef alleen maar een band te vinden die voor een handvol snoepjes speelt.'

'Ik zou voor een handvol snoepjes spelen.'

'Kun jij spelen, dan?' vraag ik hoopvol.

'Nee, maar er moet toch iemand zijn die we kennen, met een band.'

'Ik heb me suf gepiekerd maar kan niemand bedenken.'

'Vraag eens rond. Er is vast wel iemand die iemand kent.'

'Ja, misschien wel.'

'We bedenken wel iets. O, dit wordt leuk. Het wordt een soort fundraising. Wat hebben we nog meer nodig?'

Ik glimlach naar Lou. Ik voel me zo ongelooflijk anders dan toen ik twee uur geleden binnenkwam. Het voelt alsof er een zware last van mijn schouders is gevallen. Niet dat ik er niets meer van voel, maar mijn schouders voelen echt lichter.

Ik voel weer dat sprankje hoop dat het me samen met Lou toch zal lukken.

17

Ik heb nog drie weken om me erop voor te bereiden om mevrouw Robinson te worden. Ik ben mijn handtekening al aan het oefenen. Misschien een beetje voorbarig omdat ik eigenlijk de dingen voor de bruiloft nog moet regelen die nog niet georganiseerd zijn, zoals het inhuren van een fotograaf, auto's en een taart, maar op dit moment lijkt het oefenen van een nieuwe handtekening even heel belangrijk.

Eerlijk gezegd ben ik de rest van de planning aan het ontwijken. Ik heb nog twaalfhonderd pond in kas, en hoewel Lou geweldige ideeën heeft voor afscheidscadeautjes en zo, kan ik niet om het feit heen dat het me nooit zal lukken de rest van de bruiloft voor zo weinig geld te regelen.

De enige plek waar twaalfhonderd pond nog veel lijkt is de snoepwinkel met snoepjes voor vijf penny. Maar ook daar heeft de inflatie toegeslagen sinds ik klein was. Je krijgt niet veel meer voor vijf penny.

Dus in plaats van verstandig dingen te regelen, heb ik teruggeschakeld naar basisschoolmodus en zit ik mijn nieuwe handtekening te verzinnen.

'Klaar om te gaan?'

Ik kijk op en zie Ted in de deuropening staan. Ik ga zozeer op in het krabbelen dat ik vergeet dat ik in het museum zit.

'Ja, klaar,' zeg ik.

Ik spring op en loop met Ted mee naar de parkeerplaats.

Vandaag help ik bij een fair. Dat doen alle vrijwilligers. Lilian, Betty en Nina doen de middag en vanochtend werk ik met Ted en Cathy. Ik heb aangeboden met Ted mee te gaan, die er in een van de wagens van het museum heen rijdt.

'Wat een gaaf ding,' zeg ik als we dichterbij komen.

De groene legerjeep ziet eruit alsof hij uit een oude oorlogsfilm komt.

'Een leuk wagentje. Hij is uit 1944. Een Willy's Jeep uit Amerika,' zegt Ted.

'Jee, een wagen uit 1944 die het nog steeds doet?'

'Kijk niet zo verbaasd, Penny. Veel dingen die in de jaren veertig zijn gemaakt, doen het nog steeds.'

Ik lach naar Ted. Waarschijnlijk is hij al van voor de jaren veertig.

Ik stap in de jeep en maak de veiligheidsgordel vast, een smalle riem om mijn middel. Ik hoop maar dat we nergens tegenaan botsen want ik denk niet dat er airbags in zitten.

'Hou je vast,' zegt Ted.

Hij haalt wat hendels over en als door een wonder start de jeep. De motor maakt veel lawaai, en het klinkt alsof hij elk moment de geest kan geven. Ted is echter niet uit het veld te slaan en geeft gas. Ineens rijden we en klamp ik me angstig vast aan het portier.

Wie had gedacht dat een voertuig van ruim zestig jaar oud zo hard kon? Het voelt in elk geval hard. Doet me denken aan rijden in een tuktuk in Thailand. Je staat bloot aan de elementen en bent kwetsbaar in een motorvoertuig. Maar het is echt leuk.

Wanneer we bij het veld zijn en stilstaan, klap ik verrukt in mijn handen en roep: 'Nog een keer!' net als de Teletubbies.

Het was ontzettend gaaf. De herrie, de vaart, de benzinelucht van de motor – geweldig.

'Dank je, Ted, dat was super,' zeg ik tegen hem terwijl ik uitstap. Ik sta een beetje trillerig op mijn benen en ik probeer ze weer stevig te krijgen zodat ik naar hem toe kan lopen.

'Graag gedaan. Ik vind het leuk om een meisje een lift te geven.'

'Is dit de enige keer dat je hem uit de garage haalt?'

'O, nee, dat doen we zo'n beetje eens in de maand. Meestal rij ik een rondje, om ervoor te zorgen dat hij niet vastroest.'

Als in een tekenfilm gaat er ineens een peertje boven mijn hoofd branden omdat ik een briljant idee krijg. Ik zie dat Cathy bezig is de stand op te zetten en ik besluit dat dit een goed moment is om haar te helpen.

'Zal ik even helpen?' vraag ik zo nonchalant mogelijk, terwijl ik haar alleen maar wil smeken of ik de jeep voor mijn bruiloft mag gebruiken.

'Dank je, Penny, dat zou fijn zijn.'

Ze geeft me een doos met speelgoedsoldaatjes en ik begin ze zo artistiek mogelijk neer te leggen.

'Hoe was het ritje in de jeep?' vraagt Cathy.

'Geweldig. Superleuk,' zeg ik. Een betere opening voor mijn vraag om de jeep te mogen huren, krijg ik niet.

'Ik vond het zo leuk dat ik me iets afvroeg. Denk je dat het mogelijk is om de jeep voor mijn bruiloft te huren?'

'Sorry, Penny, dat kan niet omdat we niet verzekerd zijn.'

'O, oké.' Ik ben diep teleurgesteld. De jeep zou perfect zijn geweest voor de bruiloft. Ik probeer me erop te concentreren de soldaatjes zo netjes mogelijk uit te pakken, terwijl ik mijn hoofd breek over de vraag hoe ik net zo'n coole wagen als de jeep kan krijgen.

'We rijden wel één keer per maand een testrondje met de jeep.'

'Ja, dat zei Ted al,' zeg ik treurig.

'Nou, laten we zeggen dat we toevallig naar een kerk reden en ook weer terug. En jullie misschien onderweg ergens oppikken?'

'Ik luister,' zeg ik.

'Er mogen wel passagiers in, zolang er maar geen geld mee gemoeid is.'

'Aha, en als ik nou eens een donatie aan het museum doe?'

'Of aan de Vrienden van het Museum,' zegt Cathy.

'Oké, aan de Vrienden van het Museum. Denk je dat dat uitstapje op achttien mei georganiseerd kan worden?'

'Ik zou niet weten waarom niet. Zolang Ted het goedvindt. Maar ik denk dat dat geen probleem is. Ted heeft niet veel aanmoediging nodig om de jeep van stal te halen.'

'Hoe groot denk je dat de donatie aan de Vrienden moet zijn?'

'Dertig pond is genoeg voor de benzine.'

'En als ik nou eens vijftig pond geef om ook eventuele schade te dekken?'

'Deal,' zegt Cathy.

Ik kijk naar de jeep die midden op het veld staat en glimlach. Het lijkt me leuk om de gezichten van onze gasten te zien als ik daarin aan kom rijden. Ik denk maar even niet hoe ik erin en eruit kom in mijn prachtige, ivoorkleurige jurk. Maar voor deze prijs mag ik niet zeuren.

De hele ochtend sta ik iedereen te vertellen hoe leuk een dagje in het museum is, en onwillekeurig gloei ik terwijl ik erover praat. Ik heb zo'n plezier in het vrijwilligerswerk hier, voor de bruiloft, dat ik er al een band mee heb. Eindelijk begin ik me op de bruiloft te verheugen. Ik heb het gevoel dat het ongelooflijk leuk wordt.

Ik sta nog naar de jeep te staren en zie Mark in gedachten op de bruiloft al in een oud soldatenuniform, maar dan vang ik een glimp op van een blauwspoeling die de tent nadert.

Oma Violet. Wat doet die nou hier?

Oké, het is een plaatselijke fair, en technisch gesproken is dit Violets woonplaats, maar ik was niet eens op het idee gekomen dat ze er zou kunnen zijn.

In paniek kijk ik om me heen op zoek naar een plek waar ik ertussenuit kan glippen, maar de zijkanten van de tent zitten goed vast en Violet komt deze kant op. Ik buk. Misschien kan ik een van de flappen van de tent lospeuteren en eronderdoor kruipen.

Verdorie, foeter ik binnensmonds. Hij zit stevig vast aan de haringen. Langzaam loop ik naar de schraagtafel bij de voorkant van de tent en ga eronder zitten. Niemand zal me hier achter het tafelkleed zien zitten.

Vanaf mijn plek onder de tafel zie ik Violets rode schoenen. Ik ben gek op die schoenen.

'Ha, Violet, hoe gaat het?' vraagt Ted.

Wat? Heb ik dat goed gehoord? Violet kent Ted. Krijg nou wat. Ik rol me nog kleiner op. Ze mogen onder geen beding weten dat ik hier onder de tafel zit.

'Hallo, Theodore. Het gaat prima, dank je, en hoe is het met jou?'

'Niets te klagen, eigenlijk. Mijn heup speelt een beetje op, maar bij wie niet op onze leeftijd?'

Ik hoor Violet lachen. Tenminste, ik denk dat het Violet is, want ik zie geen andere schoenen staan. Het klinkt alleen niet als Violet. Het klinkt bijna… flirterig. O, nee. Ik trek mijn neus op. Ze staan toch niet te flirten, hè?

'Werk jij als vrijwilliger bij het museum?' vraagt Violet.

'Ja, elke zaterdag, vaste prik. Je zou eens langs moeten komen en wat rondkijken. Ik weet zeker dat je het leuk zult vinden. We hebben een hele afdeling over deze streek tijdens de oorlog.'

O, nee. Ik hoop van harte dat Violet voor de bruiloft niet naar het museum komt. Als ze mij daar ziet, brieft ze het meteen door aan Mark; daar kan ze ook niets aan doen; ze begrijpt niet waarom ik hier als vrijwilliger werk. Het is niet echt iets voor mij. En Mark zou het vreemd vinden waarom ik dit werk doe en niet in de zumbales zit. En dan moet ik hem de waarheid vertellen.

'Misschien kom ik wel een keer,' zegt Violet.

Haar stem is veranderd en klinkt niet flirterig meer, maar droevig en afstandelijk.

195

'Dag, Theodore.'

'Dag, Violet.'

De kenmerkende rode schoenen lopen mijn gezichtsveld uit en nadat ik tot twintig heb geteld, denk ik dat het veilig is om uit mijn schuilplekje te komen.

'Wat doe jij daar nou?' vraagt Ted, als ik wel heel onelegant onder de tafel vandaan kruip. Ik begin me nu toch echt de negenentwintig jaar te voelen die ik oud ben.

'Ik had een potlood laten vallen,' zeg ik, en ik hou een potlood in mijn hand. Gelukkig had ik er een in mijn hand toen ik onder de tafel dook.

'Was dat een vriendin van je?' vraag ik langs mijn neus weg in de hoop meer te weten te komen over de reden voor de flirterige toon.

'O, Violet? Wij kennen elkaar al eeuwen. We waren in de oorlog al vrienden. Ik was een vriend van haar man.'

Ik wil net Marks opa Albert ter sprake brengen, maar dan zou Ted weten dat ik me voor Violet heb verstopt en argwaan krijgen.

'Ik zie haar vaak, en ik denk dat ze verdrietig wordt als ze me ziet omdat het haar aan de oorlog doet denken,' zegt hij.

Ik heb het met Violet nooit over haar tijd in de oorlog gehad, maar volgens Mark praat ze er niet over. Mijn oma deed dat wel altijd. Ze was kapster en ze had altijd honderden sappige verhalen klaar. Violet niet.

'Waarom wordt ze er verdrietig van?' vraag ik.

'Haar man is kort nadat ze trouwden doodgeschoten. Hij zat in een eenheid die bij Port-en-Bessin in Normandië aan land ging.'

Onwillekeurig hap ik naar adem. Ik heb Violets overleden man Albert wel meegemaakt. Wie was dan de man die op D-day is omgekomen?

'Dat was heel erg. Daarna sloeg ze om als een blad aan een boom. Ze hield op met haar opleiding tot verpleegster en ging naar de secretaresseopleiding.'

Mijn hart staat op ontploffen. Eerst ontdek ik dat Violet voor Albert nog getrouwd is geweest, en dan kom ik erachter dat ze verpleegster in opleiding is geweest.

'Daarna heb ik haar niet veel gezien. Ze is natuurlijk hertrouwd, maar we komen elkaar nog regelmatig tegen.'

Ik kijk Ted aan en vraag me even af hoe het in die tijd moet zijn geweest. Je vrienden komen om, gezinnen worden uit elkaar gerukt. Maar degenen die het overleefden, moesten het verwerken en verder met hun leven. Ik betwijfel of onze generatie dat met zoveel deemoed zou kunnen.

Het grootste deel van de ochtend pieker ik erover wie Violets eerste man was, en of Mark van zijn bestaan wist. Het is niet het soort onderwerp waar je makkelijk over begint. Ik denk niet dat ik daar een toevallig gesprek omheen kan verzinnen.

Misschien gedraagt Violet zich daarom ineens zo vreemd. Misschien deed al het gepraat over bruiloften haar denken aan haar eigen bruiloften, en aan haar twee overleden echtgenoten. Arme Violet. Het moet vreselijk zijn om zo'n groot verlies te lijden.

'Je wordt afgelost,' zegt Ted, en met een ruk word ik opgeschrikt uit mijn overpeinzingen.

Ik zie Betty op ons aflopen met een mand waar een thermosfles uit steekt. Na een kop loeisterke thee en twee heerlijke zelfgebakken scones ga ik naar huis, naar Mark.

Het is gek om naar binnen te lopen en Mark te zien, wetend wat ik nu over Violet weet. Ik denk niet dat ik hem kan laten weten wat ik weet – dan zou ik veel te veel moeten uitleggen: wie Ted is en waarom ik überhaupt vrijwilliger ben bij het museum. Ik zal het, samen met de andere dingen die vallen onder 'Verras de bruidegom', moeten verdringen.

'Hé, jij bent laat terug van de sportschool,' zegt Mark.

'Ik moest wat dingen regelen voor de bruiloft.'

Strikt genomen is dat waar: we hebben nu vervoer. 'We hebben vervoer naar de locatie.'

'Interessant dat je vervoer zegt. Je zei geen auto, dus dan denk ik aan paard-en-wagen.' Mark steekt een arm uit en trekt me op schoot.

'Ik heb zwijgplicht,' zeg ik glimlachend.

'Is er een manier waarop ik je van je plicht kan ontheffen?'

Zijn kussen doen me alle plichten vergeten. Helaas voor Mark kan ik niets zeggen als we kussen.

'De hamvraag is of ik het wat vind,' zegt Mark.

'Je zult het geweldig vinden,' zeg ik glimlachend, en ik laat me van zijn schoot op de bank naast hem glijden.

'Tof. Nou, je zult het wel fijn vinden te horen dat ik je orders heb opgevolgd en de pakken vandaag heb afgehaald. Goede keuze.'

Wauw, het is voor mannen veel makkelijker iets te vinden wat je op een bruiloft moet dragen dan voor vrouwen. Ik heb Mark de keus gegeven uit drie pakken, variërend van lichtgrijs tot antraciet, en wat belangrijker is, binnen het budget.

'Fijn dat je ze mooi vond. Welke is het geworden?'

'Het antraciet. Je hoeft de winkel maar te bellen en te zeggen wat voor kleur das je voor ons wilt.'

Ik knik, maar ik ga te zeer op in de dagdroom waarin Mark in het antracietgrijze pak bij het altaar op me staat te wachten.

'Hoe staat het met het budget?' vraagt Mark.

Als je een manier wilt hebben om me uit mijn dagdromen wakker te schudden, dan is het met het woord 'budget'.

'We blijven binnen het budget,' zeg ik wanhopig, en ik hoop dat ik snel van onderwerp kan veranderen.

'Echt? Ik vraag het omdat jij het altijd had over alle dingen die je voor de bruiloft wilde en ik het idee kreeg dat de kosten de pan uit zouden rijzen.'

'Nou, dat doen ze niet,' zeg ik een beetje verontwaardigd. Dat hij de accountant is, wil niet zeggen dat ik niet ook zuinig aan kan doen.

'Ik bedoelde het niet onaardig. Ik had alleen gedacht dat we, als jij begon in te zien hoe veel alles kost, dieper in de portemonnee zouden moeten duiken. Waarschijnlijk wachtte ik onbewust op het moment dat je me om nog wat geld zou vragen.'

Zou Mark me meer geld hebben gegeven? En dat zegt hij nu! Ik vraag me af hoeveel hij me zou kunnen geven en of ik daar de goochelaar en de duiven voor kan krijgen. Of iets essentieels als een band of een fotograaf.

Hoe meer ik nadenk over hoe het geld kan worden uitgegeven, hoe meer ik moet denken aan wat we nog moeten regelen. Correctie: wat ik nog moet regelen.

'Maak je maar geen zorgen, Mark. Alles is onder controle.'

'Mooi. Dan hebben we meer te besteden voor onze huwelijksreis.'

O, jee. Aan de huwelijksreis heb ik niet eens gedacht. Tenminste, niet sinds we ons hebben verloofd. Ik heb zo hard lopen piekeren over de vraag of er wel een bruiloft zal komen, dat ik ben vergeten wat daarna komt.

'Wees maar niet bezorgd, ik trakteer je op de huwelijksreis. Ik denk niet dat we voor die vijftienduizend euro ook nog op reis kunnen,' zegt Mark.

Inwendig kreun ik. Dat hadden we wel gekund als ik het geld niet had vergokt.

'En waar gaan we heen?' Ik heb mezelf altijd op een tropisch strand zien flaneren, gebruind en wel, en dan zou ik tegen iedereen zeggen dat ik een man had.

'Nou, ik vind eigenlijk dat ik je dat niet mag vertellen. Ik pak je lekker terug vanwege dat gedoe met "Verras de bruidegom".'

Ik zuig mijn wangen naar binnen. Hoe moet ik anders weten wat ik moet inpakken? Volgens mij begrijpt Mark niet helemaal dat de ene strandvakantie de andere niet is. Stel dat het ergens in een heet en vochtig oord is als Maleisië, waar ik liters crèmespoeling nodig zou hebben om mijn haar onder controle te houden in dat vochtige klimaat. Of als het wat meer in de rugzaksfeer is als bijvoorbeeld Thailand, dan zou ik mijn schoenen- en jurkencollectie drastisch beperken.

'Rustig maar, ik vertel het je wel. Ik wil niet dat je met uitpuilende koffers komt aanzetten alleen maar omdat je niet wist waar je heen ging.'

Kennelijk heeft Mark de ontstelde blik in mijn ogen gezien.

'Dus?' zeg ik, en ik kietel hem zodat hij het me eerder moet vertellen.

'Mexico.'

'Mexico? Daar heb ik altijd al naartoe gewild.'

Echt waar. Ik wil alle piramides beklimmen en de ruïnes van de Azteken en de Maya's, en ik wil duiken tussen de schildpadden. En de stranden. Ik moet meer bikini's hebben voor de stranden.

'Dat weet ik. Daarom gaan we ook.'

God, wat hou ik van Mark. Hij weet echt alles van me. Of in elk geval alles wat ik hem laat weten. Zodra we de bruiloft achter de rug hebben, hou ik niets meer voor Mark geheim.

Ik buig me naar hem toe en bedank hem met een kus.

'Mexico,' zeg ik weer. 'Dan moet ik mijn Spaanse taalgids weer opsnorren.'

'Inderdaad. O, trouwens, we hebben een reactie gekregen van Michelle en Graham.'

Ik blader door een denkbeeldig adressenbestand met Marks vrienden om te kijken wie het ook weer zijn. Het zijn studievrienden of vrienden van crocket.

'Kunnen ze komen?'

'Nee, ze kunnen niet, ze hebben al een andere bruiloft.'

Yes! schreeuw ik inwendig. Bijna spring ik triomfantelijk op met mijn armen in de lucht. Dat zou ik willen doen. Op dit punt in de organisatie zijn gasten die niet komen een extraatje voor het budget. Die zeventig pond die we net hebben bespaard, betekent het verschil tussen schoenen bij de schoenengigant of bij Next. Ik ben afgekickt van de Jimmy Choos. Ik heb me voorgenomen dat ik die nooit koop.

'Ze hebben ons vijftig pond aan waardebonnen voor John Lewis gestuurd.'

'Jemig, dat is lief. En ik heb ze nog nooit ontmoet.'

Ik vraag me af of het te brutaal zou zijn om Mark om die waardebonnen te vragen. Ik moet tenslotte nog steeds mijn trouwschoenen kopen, en misschien zou dat een optie zijn.

'Daar zul je na de bruiloft wel raad mee weten. Dat doet me eraan denken, er zijn heel wat mensen die me vragen wat voor huwelijkscadeau we willen hebben, omdat je geen cadeaulijst bij de uitnodiging hebt gedaan.'

Die had ik er met opzet niet bij gedaan. Omdat ik zo afgrijslijk veel van het geld heb vergokt, voelt het verkeerd als iedereen mooie cadeaus voor ons gaat kopen.

'Dat ben ik vergeten,' lieg ik.

'Dat is helemaal niets voor jou. Ik dacht dat je bij John Lewis al een servies had uitgekozen?'

'Dat is ook zo.' Een prachtig model van Jasper Conran van Wedgwood. Het was een klassiek model waarvan ik hoopte dat het beschaafd en tijdloos was. Maar om een of andere reden vind ik het niet meer zo belangrijk.

'Luister, ik heb daar een idee over. In relatie met de huwelijksreis. Ik wil hem bij een reisbureau boeken die extra dingen aan de reis kan toevoegen.'

Ik begin me schuldig te voelen over het feit dat mensen aan onze huwelijksreis zouden bijdragen als ik zelf zoveel geld over de balk heb gesmeten. Dat voelt niet goed. 'Ik vind niet dat we mensen kunnen vragen aan onze huwelijksreis mee te betalen.'

'Maar dat doen we ook niet. Wel aan de excursies tijdens onze huwelijksreis.'

'Excursies?' Dat kan interessant worden.

'Ja, kijk.'

Mark steekt zijn hand uit en pakt zijn laptop. Hij opent een website van een luxueus uitziend reisbureau.

'Als we hebben gekozen waar we heen gaan, kiezen we gewoon alle activiteiten die we willen doen. Er staan prijzen naast, en mensen kunnen voor de hele excursie betalen, of voor een deel ervan. Kijk, we kunnen een diner bij kaarslicht in het vuurtorenrestaurant aanvinken.'

'O, dat ziet er fantastisch uit.'

'Of we kunnen gaan snorkelen met de schildpadden op een catamarancruise.'

'Dát wil ik gaan doen,' zeg ik opgetogen.

'Kijk eerst maar of je het hotel dat ik heb gekozen goed vindt, dan kunnen we daarna zien wat we op de lijst willen zetten. Als je daarmee tevreden bent, bel ik het reisbureau en boek ik de reis. We kunnen iedereen mailen en laten weten dat we een lijst hebben gemaakt.'

Alsof het niets is. Fluitje van een cent. Zie je nou hoe georganiseerd mijn verloofde is? Als hij de bruiloft zou plannen, zou hij op dit moment alle puntjes op de i hebben gezet. Dan zou hij niet nog een lijst van hier tot Tokio hebben met dingen die nog moesten gebeuren.

'Nog drie weken en één dag, en dan zitten we in het vliegtuig naar Mexico,' zegt Mark.

Als Mark het zo zegt, klinkt het zo simpel. Als hij de waarheid eens wist…

18

Ik heb al een hele poos niet naar mijn moodboards gekeken. In mijn hoofd zijn ze verbonden met allemaal felgekleurde balletjes die over mijn computerscherm vliegen. Het lijkt wel of ik iets op mijn moodboard plakte en dan mijn droom wilde laten uitkomen door bingo te spelen.

Dat komt nu allemaal nogal suf over. Ik heb moodboards en prikborden op Pinterest vol ideeën, en vergeleken daarbij lijkt de bruiloft van Kim Kardashian een armoedige aangelegenheid.

Die details doen er allemaal niet meer toe. De afscheidscadeautjes van Jo Malone niet, de doos met teenslippers voor mijn vrouwelijke gasten, die ze 's avonds aan hun vermoeide voeten kunnen schuiven, niet. Nou ja, misschien het slipje waarop met Swarovski-kristallen MRS. ROBINSON is gestikt. Afgezien daarvan was het allemaal opgeklopt gedoe dat toen belangrijk leek, maar waar in werkelijkheid niemand ooit aan zou terugdenken. Tenminste, zulke dingen herinner ik me niet van bruiloften waar ik ooit ben geweest.

Wat ik me van elke bruiloft zonder mankeren herinner is de openingsdans. Dat is mijn favoriete deel van bruiloften. Het is de eerste keer dat bruid en bruidegom worden herenigd, nadat ze een hele dag lang als een kip zonder kop hebben rondgerend. Na een minuutje van onhandig deinen komen er meer mensen de vloer op, en dan kijk ik altijd naar de blikken waarmee bruid en bruidegom elkaar aankijken. Aan die blikken kun je een hoop aflezen.

Wanneer ik nu naar mijn moodboards kijk, wekt het geen begeerte in me op zoals het voorheen deed, en mijn vingers schieten niet meer in de bingokramp.

Misschien ben ik de afgelopen maanden volwassen geworden, of misschien ben ik gewoon gaan beseffen dat het bij trouwen niet gaat om die ene dag, maar om een heel leven samen. Hoe dan ook, ik voel dat ik als persoon ben veranderd. Denk er emotionele muziek van Westlife bij en dan heb je zo'n foute scène in de X *Factor*.

Het ergste aan al die ontdekkingen is dat ik er Mark zo ontzettend graag over zou willen vertellen. Hij zou zo trots op me zijn, zijn onverantwoordelijke verloofde die ineens volwassen is. Maar dan zou ik hem ook het hele verhaal moeten vertellen en dan zou hij fronsend en teleurgesteld zitten luisteren. Mark fronst niet zo mooi.

Ik werp nog een laatste blik op de moodboards, en dan pak ik ze op en scheur ze in kleine stukjes. Avond aan avond heb ik ze zorgvuldig zitten plakken, en nu verscheur ik ze in een paar seconden. Dat voelt ongelooflijk bevrijdend.

Ik kan mezelf er nog net van weerhouden ze te verbranden. Het kan een heerlijke ontlading zijn, maar ik kan me voorstellen dat Mark er niet zo van gecharmeerd zou zijn als ik het huis afbrandde.

De deurbel gaat, en snel raap ik de snippers van mijn fantasiebruiloft op en gooi ze in de vuilnisbak, waar ze thuishoren.

Ik doe open en als pleister op mijn wonde staat Lou daar met een grote doos chocolaatjes in haar hand. Ik kijk even niet naar de zak druiven die ze ook bij zich heeft, want die is vast voor een ziek familielid waar ze hierna naartoe moet.

'Hé hoi,' zeg ik. 'Het eten is bijna klaar.'

Daarmee bedoel ik dat ik de afhaalkaart uit de la heb gehaald en hem op de keukentafel heb gelegd. Hij ligt klaar om gelezen te worden zodra Lou er zou zijn.

'Super. Laten we bestellen. Ik sterf van de honger. Dat eten voor twee is best lastig.'

Lou komt langs om me gezelschap te houden omdat Mark weg is voor zijn vrijgezellennacht, of eerder vrijgezellenweekend, want dat is het geworden. Hij is op fazantenjacht in Schotland. Meer doen ze niet. Tenminste, meer hebben ze niet gezegd over wat ze gingen doen, want eerlijk gezegd weet ik het liever niet precies. Ik ben dik tevreden met een mentaliteit van 'wat er op het feest gebeurt, blijft op het feest'. Voornamelijk omdat ik weet dat Mark niets zou doen wat niet door de beugel kan, en ik weet liever niet dat hij de borsten van een of andere vreemde vrouw in zijn gezicht krijgt. Maar fazantenjacht, dat zijn allemaal mannen in waxcoats met sigaren. Geen borsten.

Nadat we uitgebreid over het eten hebben overlegd, worden we het eens over een combinatie van verschillende Thaise hapjes, en ik bel de bestelling door.

'Ik hoop niet dat het erg lang duurt, anders ben ik bang dat de baby vast aan mij begint,' zegt Lou.

'Neem een paar druiven,' zeg ik, en ik duw de zak naar haar toe. Ik vind het toch een raar idee om fruit mee te nemen naar een meidenavond thuis.

'Dank je. Ik weet dat ik de hoofdregel van de meidenavond heb overtreden door iets mee te nemen wat geen koolhydraten of chocolade is, maar ik dacht dat ik de troep een beetje moest compenseren omwille van het kleine wurm.'

Ik ben niet de enige die aan het veranderen is. Sinds Lou me haar nieuws heeft verteld, ben ik ook bij haar wat veranderingen gaan zien.

'Oké. Nu ik wat vitaminen tot me heb genomen, wat staat er vanavond op de agenda?' vraagt Lou.

Dat is een heel goede vraag. Ik heb de vooruitziende blik

gehad om een lijst op te stellen van dingen die we moeten doen. Tenminste, ik ben eraan begonnen, maar ik kreeg er de zenuwen van omdat er geen eind aan leek te komen. Dus ik heb besloten dat we maar wat moeten aanrommelen.

Ik vind dat we het hebben verdiend om te mogen aanrommelen, omdat we al een heel productieve dag achter de rug hebben. Vandaag is het me niet alleen gelukt om met Lou en mijn zus Becky te zoeken naar bruidsmeisjesjurken, maar we hebben ze ook nog gekocht. Beeldschone, paarse droomjurken. Ik ben alleen teleurgesteld dat Lou eigenlijk helemaal geen olifant lijkt in de hare maar er stralend in uitziet. Misschien is dat het probleem van zwangere bruidsmeisjes: het feit dat ze stralen.

En vanmiddag heeft Lou beloofd dat ik haar polaroidcamera mag lenen zodat gasten een foto van zichzelf in het gastenboek kunnen doen. Cool, hè? Het is dan wel geen foto-app waarmee je foto's op Facebook zet, maar onze gasten zullen er wel blij mee zijn dat ik dat offer heb gebracht zodat ze in plaats daarvan iets te eten krijgen.

'Zullen we beginnen met de bruidstaart?' stel ik voor.

'Goed idee. Natuurlijk neem je een chocoladefudgetaart?'

'En ik dacht dat jij die niet at nu?'

'Nou, in dit stadium heb ik wel weer zin om taart te eten. Zal ik dat als een ja opvatten?'

'Als een hm. Ik denk niet dat mijn moeder het een goed idee vindt.'

'Oké, nou, misschien kunnen we de smaak nog even uitstellen. Dan hebben we het eerst over de kosten en zo.'

'Goed plan. Ik kan er niet zoveel aan uitgeven, dus dat wordt geen bakker of taartenatelier. Ik heb twee opties: ik bak hem zelf, of ik haal hem in de supermarkt.'

'Zelf bakken? Jij en bakken gaan niet samen. Kijk, mij hoef je niet aan te kijken, ik sta vlak vóór je bruiloft al dagen peperkoek te bakken.'

'Het zou wel de goedkoopste optie zijn,' zeg ik, en ik kijk

Lou hoopvol aan. Zij kan tenminste een taart bakken die eetbaar de oven uit komt.

'Denk je? Heb je taartvormen die groot genoeg zijn?'

'Nee, maar hoe duur kunnen die nou zijn?' vraag ik.

Ik draai de laptop naar me toe en zoek naar taartvormen. Jemig. Geen wonder dat mensen zoveel voor bruidstaarten vragen als de vormen al zo duur zijn. Wanneer zal ik ooit een vorm van vijftien centimeter doorsnee gebruiken die ik nodig heb voor de bovenste verdieping? Om de aanschaf met die prijs te rechtvaardigen, moet ik wel een heleboel van die taartjes bakken.

'Oké, misschien is het niet de goedkoopste optie. Dan wordt het toch de supermarkt.'

'En cupcakes? Zijn die niet goedkoper?' vraagt Lou.

'Nee.'

Dat had ik al opgezocht en gewenst dat ik was gezegend met de handigheid om cupcakes te bakken. Voor zulke kleine cakejes waren ze verrassend duur, en als ik daar nou aanleg voor had gehad, dan had ik wat extra geld kunnen bijverdienen voor mijn trouwfonds.

'Oké, laat die supermarkttaarten eens zien.'

We kijken op een aantal supermarktsites. De taarten zien er allemaal mooi uit en sommige worden heel goed beoordeeld. Alleen hebben ze dat ene, dat (zoals de Française in me zou zeggen) *je ne sais quoi* niet.

'Volgens mij kun je het beste de eenvoudige van Marks & Spencer nemen en die zelf decoreren,' zegt Lou.

'Maar hoe moeten we ze decoreren? Bovendien kunnen we ze niet opstapelen.'

Ik weet het niet meer. Ik weet dat ik een halfuur geleden nog jubelend vaststelde hoezeer ik was veranderd, maar weet je, ik ben niet veranderd. Kijk, de taart is iets wat ik me van bruiloften herinner. Van de profiterolestoren van Phil en Jane tot de chocoladefudgetaart van Lou en Russell waar allemaal roosjes van fudge op zaten.

Wat inhoudt dat ik iets moet verzinnen wat net zo fantastisch is. Ik slaak een overdreven dramatische zucht en Lou kijkt me aan met die blik. Niet opgeven, zegt die blik. Zo heeft ze me in de loop der jaren regelmatig aangekeken. Toen we een man probeerden te vinden met wie we op zaterdagavond de koffer in konden duiken en toen we kennismaakten met het spinnen op de sportschool.

'Misschien heb je wat inspiratie nodig.'

Lou grist de computer bij me weg en begint als een bezetene te tikken.

De homepage van Google verandert in een fotocollage van taarten om van te watertanden. Het zijn geen gewone taarten; ze hebben allemaal een bijzondere en geweldige vorm. Er is een taart in de vorm van een berg met bergwandelaars erop, eentje die eruitziet als een Disney-kasteel, en nog eentje in de vorm van een reusachtige gitaar.

'Wie neemt die taarten nou?' vraag ik ongelovig.

'Ik vind ze wel cool,' zegt Lou.

'Ja, ik zeg ook niet dat ze dat niet zijn, maar zoiets zou ik nooit kunnen betalen.'

'Laten we eens een andere invalshoek nemen. Wat zouden we kunnen maken? Eens kijken wat voor hobby's jullie hebben.'

'Mark heeft golf en ik... Nou, bingoballen doe ik echt niet.'

Ik zie dat Lou moeite doet om niet te lachen. Een hobbytaart past niet echt bij Mark of mij.

'En je huwelijksreis dan? We zouden een Mexicaanse taart kunnen maken.'

In mijn hoofd wordt het een warboel van taarten van opgerolde fajita's met jalapeño's erbovenop. Of, nog erger, een taart met tequilasmaak met felgekleurde strepen als die van een poncho, met een sombrero bovenop.

Ik trek afkeurend mijn neus op terwijl Lou druk in de weer is op het toetsenbord. Dan zie ik dat ze de taartenwebsite van Marks & Spencer weer heeft geopend.

'Luister, mijn idee is als volgt,' zegt Lou.

Ik kijk naar het beeldscherm en zie allemaal rechthoekige, geglazuurde taarten die alleen maar dienen om zoveel mogelijk stukken van te snijden.

'Ik weet dat ze goedkoop zijn, maar die kunnen we niet gebruiken,' zeg ik.

'Natuurlijk kunnen we dat wel. We bestellen er een heleboel, we stapelen ze op als een piramide, snap je, net als Mexicaanse piramides. We kopen eetbaar glittergoudglazuur, en voilà; je hebt een Mexicaanse taart.'

Ik kijk naar Lou en dan weer naar de rechthoekige taarten. Ik draai mijn hoofd half weg en knijp mijn ogen tot spleetjes. Het zou iets kunnen worden. Het zou ook een ramp kunnen worden. Maar op die manier zou je wel taarten in veel verschillende smaken kunnen nemen.

'Shit, we doen het gewoon. Maar jij doet de uitvoering.'

'Zolang ik niet hoef te bakken, maakt het mij niet uit,' zegt Lou.

Ik neem de laptop weer onder mijn hoede en begin de taart in mijn virtuele winkelwagen te doen. Om een piramide te maken denk ik dat ik zes rechthoekige taarten nodig heb. Het mooie is dat je bij twee taarten er eentje gratis krijgt, dus het kost me maar tweeënveertig pond. Koopje!

Tien minuten later heb ik eetbare glittergoudglazuur gekocht, en twee poppetjes van marsepein die vagelijk op Mark en mij lijken.

We zijn goed op weg.

Tegen de tijd dat het Thaise eten komt, heb ik zelfs een bloemenperforator gekocht zodat we onze eigen tafelconfetti kunnen maken. Ik heb het maar even niet over het feit dat dat betekent dat ik van nu af aan elke avond karton zit te perforeren. Maar ik wil het er wel laten uitzien alsof ik mijn best voor deze bruiloft heb gedaan.

'Nu hoeven we alleen nog de muziek voor de receptie te regelen,' zeg ik, terwijl ik een hap Pad Thai neem.

'Oké, hoeveel geld heb je ervoor?'

'Ongeveer vijfhonderd pond.'

Lou trekt haar 'kom maar op'-gezicht, wat een beetje lijkt op de 'niet opgeven'-blik, maar dan met een diepere frons.

'Wat vind je van reggae?' vraagt ze.

Ik zie een steelband voor me, en felgekleurde blouses, en ruik daarbij de onmiskenbare geur van wiet. Toen Lou en ik begin twintig waren zijn we naar het Notting Hill-carnaval geweest, en die drie elementen zijn voor mij sindsdien niet van elkaar te scheiden geweest.

Ik besluit dat een neusoptrekken heel handig is. Ik hoef dan niets meer te zeggen en Lou weet precies wat ik ervan vind.

'En wat vind je van deze vrouw?' vraagt ze.

'Zingt zij op bruiloften? Ik denk niet dat ik maar één persoon een goed idee vind. Als ik het doe, wil ik een echte band.'

Lous frons wordt nog dieper en ik maak me zorgen dat ik haar ongeboren kind stress bezorg.

'En deze dan? Een swingkwartet. Ze vragen zeshonderd pond. Is dat te duur?'

'Wat spelen ze?' vraag ik, en ik spits mijn oren bij het horen van iets wat binnen het budget ligt.

'Eens zien. Alsjeblieft. 'Fly Me to the Moon', 'I Get a Kick Out of You' en ze doen zelfs dingen als 'Twist and Shout'.'

'Dat klinkt perfect! Staat er een telefoonnummer bij?'

'Jep,' zegt Lou knikkend. 'En ze zijn de avond van je feest niet bezet.'

'Lees op!'

Ik doe het bijna in mijn broek van opwinding. Ik had nooit gedacht dat we echt een betaalbare band zouden vinden. En dan te bedenken dat ik bijna tweeduizend pond had betaald voor de zeventienkoppige band, terwijl ik deze jongens had kunnen boeken. We luisteren naar stukjes van hun nummers en ze klinken best goed.

Lou leest het nummer hardop voor en ik druk op BELLEN.

Alsjeblieft, laat ze thuis zijn. Maar als het een goede band is, staan ze vanavond waarschijnlijk ergens te spelen. Alsjeblieft, laat ze niet thuis zijn. Antwoordapparaat. Yés! Ik glimlach. Ze zijn duidelijk goed. Of mensen vinden ze geweldig omdat ze goedkoop zijn.

'Hallo, met eh… Penny Holmes. Over twee weken ga ik trouwen en ik weet dat het belachelijk last minute is, maar ik zie op jullie website dat jullie nog kunnen en ik vroeg me af of ik jullie kon boeken?'

Ik begin te kwetteren over waar de bruiloft is en hoe geweldig ik ze vind, en ik weet nog net mijn telefoonnummer te noemen voordat de tweede piep gaat. Als ze me terugbellen mag het een wonder heten.

'Wat staat er nu nog op de lijst?' vraagt Lou.

'Afgezien van cadeautjes, die ik morgen ga regelen, moet ik voornamelijk mijn eigen spullen nog regelen. Schoenen voor bij mijn jurk, wie mijn haar en make-up doet.'

'Ik kan je haar wel doen, als je wilt. En ik weet zeker dat je zus je make-up kan doen. Ze is nog steeds de enige die ik ken die vloeibare eyeliner kan aanbrengen.'

'Dat is waar,' zeg ik.

Mijn zus is er nog makkelijk van afgekomen met de voorbereiding van de bruiloft. Voornamelijk omdat ik haar niet heb kunnen vertellen wat er aan de hand is. Ik weet zeker dat ze heel erg opgelucht zou zijn als de make-up het enige is wat ze hoeft te doen.

'Heb je op eBay naar schoenen gekeken?' vraagt Lou.

'Ik mag dan blut zijn, maar ik ga mijn voeten echt niet in andermans schoenen steken als ze zijn gedragen.'

Jasses, stel je voor. Je weet maar nooit waar die zweetvoeten hebben gezeten.

'Op eBay kun je ook nieuwe schoenen kopen,' zegt Lou.

'Maar ik hou niet zo van eBay. Het wordt allemaal een beetje te spannend voor me, en ik zie mezelf al puur uit paniek veel te veel bieden.'

En wat ik niet tegen Lou zeg, is dat het voor mij te veel op online bingo lijkt. Om een of andere reden is bieden op een internetveiling niet hetzelfde als echt geld uitgeven, en zoals we allemaal weten, is dat levensgevaarlijk voor mij.

'Oké, wat dacht je dan van Amazon?'

'Ik moet schoenen hebben, geen boeken,' zeg ik getergd.

'Bij Amazon hebben ze ook schoenen. Kijk.'

Ik staar ongelovig naar het computerscherm. Daar zie ik trouwschoenen in alle tinten wit en ivoor en – wauw! – ook nog voor een ongelooflijk lage prijs. Hoe komt het dat ik dat nog niet wist?

Het kan me eigenlijk niets schelen of het een model van vorig jaar is. In deze omstandigheden ben ik al blij dat ik trouw met iets aan mijn voeten wat niet mijn favoriete Converse-gympen zijn (mijn moeder heeft me ook verboden dat te doen). Jammer dat ik niet die gigantische prinsessenjurk heb genomen, want dan had ze nooit geweten wat ik eronder aanhad.

'Die. Die wil ik,' zeg ik, en als een klein kind wijs ik naar het beeldscherm. Het zijn mooie schoenen met een open neus en niet zo'n hoge hak. Ze hebben een donkere ivoor-kleur, net als mijn jurk, en boven de open neus zit een klein boogje van glitters.

In mijn hoofd zet ik 'Naar pedicure' op mijn steeds langer wordende waslijst van dingen die ik voor de bruiloft nog moet doen. Het zou echt iets voor mij zijn om mijn voeten op mijn trouwdag in die schoenen te schuiven en mijn bladdernagellaktenen te zien. Half zonder, half met nagellak van de laatste keer dat ik sandaaltjes met een open neus aanhad, en dat was voor het Kerstfeest op mijn werk.

Voor het eerst in dit organisatieproces voor de bruiloft voel ik me besluitvaardig en klik op KOPEN. Met een enkele muis-klik bij de virtuele kassa zijn de schoenen naar mij onderweg. Ik wil niet eens nadenken over de mogelijkheid dat ze misschien niet passen; dat drama reserveer ik voor het moment waarop de postbode bij me aanbelt.

Het geluid van de Lemonheads vult de kamer; 'Mrs Robinson'

begint te spelen. Volgens mij zat ik niet eens te denken aan het feit dat ik mevrouw Robinson word. Misschien sijpelt het door naar mijn onderbewuste. Eng.

'Neem je je telefoon nog op?' vraagt Lou, die mijn mobiel aangeeft.

Pas dan besef ik dat de muziek van de Lemonheads uit de telefoon en niet uit mijn hoofd komt. Ik heb geen tijd om me zorgen te maken over mijn nieuwe ringtone, want de beller staat niet in het geheugen van mijn telefoon en mijn eerste gedachte is dat er in Schotland een vreselijk ongeluk heeft plaatsgevonden. Ik, een hang naar dramatiek? Absoluut niet.

'Hallo,' zeg ik behoedzaam.

'Hallo, spreek ik met Penny?'

O, god. Het is een beschaafde mannenstem. Hij klinkt als een politieman.

'Ja, met Penny.'

Ik ben zo zenuwachtig dat er iets met Mark gebeurd is, dat ik van verrassing bijna mijn mobiel laat vallen als de man zich voorstelt als Chris van de band.

'We hebben net even pauze, dus ik kan niet zo lang praten. Maar we zijn achttien mei vrij – we hebben pasgeleden een afzegging gehad. De bruid had zich bedacht. Dus we komen graag voor je spelen. Wil je nog komen luisteren voordat je bevestigt?'

'Dat zou ik heel leuk vinden, maar ik denk niet dat ik tussen nu en mijn trouwdag nog tijd heb, dus ik zal gewoon moeten vertrouwen op wat ik op internet heb gezien. Ik heb één vraagje. Kunnen jullie "Mrs Robinson" spelen?'

'Dat liedje van Simon & Garfunkel?'

'Ik dacht meer aan de versie van de Lemonheads.'

'Daar kunnen we wel iets mee, denk ik.'

'Dat zou geweldig zijn,' zeg ik.

'Oké, prima. Nou, in dat geval zal ik de boeking voorlopig vastzetten. Ik bel je van de week nog om over een aanbetaling en muziek te praten.'

'Super! Ik ben zo blij dat ik je wel kan zoenen!'

Heb ik dat hardop gezegd? Ik kan wel door de grond zakken, zeker als ik hem ontmoet.

'Doe maar niet. Dat was de reden dat die andere bruid haar bruiloft moest afzeggen. Niet dat ze mij had gezoend – het was een andere kerel. Maar goed, ik bel je komende week.'

'Dank je, Chris.'

Ik leg de telefoon op tafel en staar ernaar.

'Jij met je nieuwe ringtone,' zegt Lou lachend.

'Ik denk dat Mark dat heeft gedaan. Het hielp me in elk geval eraan te denken dat ik moest vragen of ze "Mrs Robinson" konden spelen.'

Niet te geloven. Alle stukjes van de puzzel voor deze bruiloft vallen op hun plek. Wat kan het mij schelen dat het iets heel anders wordt dan mijn extravagante moodboards? Het wordt toch de mooiste bruiloft aller tijden.

19

De volgende ochtend heb ik om een aantal redenen een vreemd gevoel. Ten eerste: ik heb geen kater. Na een avond met Lou is dat in alle jaren dat ik haar ken maar een paar keer gebeurd. Het is wel erg wennen aan zwangere Lou en binnenkort mama Lou.

Het is ook vreemd dat het bed leeg en koud is als ik naar Marks kant rol. Er zit geen hoofdvormige deuk in het kussen en er hangt ook geen aftershavegeur aan. Niet dat ik aan zijn kussen snuffel, of zo. Maar soms, als hij eerst opstaat en onder de douche gaat, rol ik naar zijn kant van het bed omdat ik zeker weet dat die lekkerder ligt, en het eerste wat me dan tegemoetkomt is de geur van Hugo Boss. Het is het op één na heerlijkste om mee wakker te worden; het heerlijkste is natuurlijk Mark zelf.

Ik weet dat het suf klinkt om te zeggen dat ik Mark mis, want hij is gisterochtend pas vertrokken. Maar ik mis hem echt. En niet omdat hij weg is. Ik denk dat het komt doordat ik al een poos niet openlijk met hem kan praten, waardoor ik hem nog meer mis.

Dit is wel het allerlaatste geheim dat ik voor Mark heb. Als de bruiloft eenmaal achter de rug is, is er niets wat ik nog geheimhoud voor hem. Echt niet. Ik zal hem zelfs vertellen over mijn geheime schoenenvoorraad in de logeerkamer. Eerlijk waar, dat doe ik.

Nu ik niet de smoes heb van een kater, die uitslapen zou rechtvaardigen, moet ik eigenlijk opstaan. Ik wil niet uit bed komen, maar ik moet wel omdat ik Mark heb beloofd dat ik met oma Violet zou gaan praten.

Ik heb haar sinds de fair van het museum niet meer gezien, en toen heb ik ook alleen maar haar felrode schoenen gezien. Nu de bruiloft al over twee weken is, wil ik weten waarom ze zo vreemd tegen me doet. Zij heeft er zelf op aangedrongen dat we snel zouden trouwen en nu lijkt het alsof ze bedenkingen heeft.

Misschien duik ik er nog even tien minuutjes in, ze zit nu toch nog uren in de kerk.

Tegen de tijd dat ik eindelijk de moed bij elkaar heb geschraapt om naar oma Violet te gaan, is het over tweeën. Ik had elke keer weer iets heel belangrijks te doen, zoals een keukenkastje uitmesten en de koelkast schoonmaken. Allemaal dingen die je echt moet doen als je over twee weken gaat trouwen. En Mark zegt dat ik geen prioriteiten kan stellen.

Ik bel aan en het eerste wat ik denk is: wees alsjeblieft niet thuis. Onmiddellijk daarna denk ik dat ik de gemeenste vrouw ter wereld ben om dat te denken. Dit is een oude weduwe die het heerlijk vindt als haar familie haar in het weekend komt opzoeken, en ik ben overal liever dan hier.

'Ha, Penelope. Wat leuk je te zien. Kom binnen,' zegt Violet, terwijl ze de deur opendoet.

Ik glimlach naar Violet, maar voordat ik haar mijn gebruikelijke luchtzoen kan geven, heeft ze zich omgedraaid en draaft ze voor me uit naar de keuken. Er is iets helemaal niet in orde.

Ik loop achter haar aan de keuken in. In de keuken is het altijd smoorheet, hoe warm of koud het buiten ook is, want de Aga staat altijd aan. Meestal heeft het een heel geruststellende werking om in Violets keuken te zitten, maar vandaag lijkt er een kilte in de lucht te hangen, en omdat de Aga aanstaat, moet die van Violet afkomstig zijn.

'Wil je een kopje thee, liefje?'

'Dat zou heerlijk zijn, dank je.'

Ik blijf in de deuropening hangen en weet niet goed of ik aan het ontbijttafeltje moet gaan zitten, of dat we naar de formele salon gaan die Violet voor de zondag en voor bezoek reserveert. Het is zondag, en ik ben bezoek, dus ik blijf maar een beetje hangen.

'Ga maar vast naar de salon, dan kom ik zo met de thee.'

'Weet je het zeker?' vraag ik.

'Ja, ja. Ga maar vast zitten.'

Het klinkt een beetje als een bevel, dus ik ga naar de salon.

Ik ben duidelijk een poosje niet geweest, want het lijkt wel of alles er een beetje anders uitziet. Ik weet eerst niet precies waar het aan ligt, maar dan dringt het tot me door: het bloemetjesbehang is vervangen door een diepgele verflaag. De kamer doet ineens warm en huiselijk aan.

En moet je die foto's zien. Aan de muur achter de bank hangt een aantal ingelijste foto's van Violets kinderen en kleinkinderen. Gelukkig, zelfs ik sta op een van de foto's. Ik zit bij Mark op schoot en we kijken elkaar liefdevol in de ogen. Ik kan me niet herinneren dat die foto werd gemaakt.

Ik weet dat die foto op Kerstdag gemaakt moet zijn want ik heb mijn belachelijke, heerlijke rendiertrui aan die iedereen vreselijk vindt, behalve ikzelf dan. Mark zegt dat de trui hem stoort omdat de neus van het rendier op de plek zit waar mijn linkertepel zit. Hij zegt dat hij moeite moet doen om zijn hand niet uit te steken en erin te knijpen. Ik denk dat hij bang is dat andere mannen dan zijn voorbeeld volgen.

Volgens mij had ik die Kerstdag een Bailey's te veel op en heb van geen enkele camera iets gemerkt. Behalve misschien die van Marks broer Howard. Maar die kan toch niet van die mooie foto's hebben gemaakt?

'Alsjeblieft,' zegt Violet, die de salon binnenkomt. Ze zet mijn kop thee op de bijzettafel neer en neemt dan haar gebruikelijke plaats in de fauteuil in.

'Wat is het hier mooi geworden,' zeg ik, terwijl ik op de harde bank ga zitten. Je kunt altijd merken als er niet zoveel op een bank wordt gezeten omdat de bekleding zich dan niet lekker naar je achterste vormt.

'Dank je wel, liefje, dat heeft Howard voor me gedaan. Ik ben bang dat ik hem er min of meer toe heb gedwongen omdat kleine Rose met krijtjes op het behang had getekend. Eigenlijk heb ik altijd een hekel aan dat behang gehad. Mijn man had een aantal talenten maar stroken behang recht plakken was er niet een van. Hoe vaker ik in deze kamer zat, hoe meer ik het ging zien.

Neem een koekje,' zegt ze, en ze pakt de gebakschaal van het dienblad.

O, ik ben echt uit de gratie bij Violet. Ze heeft alleen maar jamkoekjes gekocht. Daar heb ik een hartgrondige hekel aan, en dat weet ze. Ik vind de room die ertussen zit zo wee smaken. Maar bij Violet thuis een koekje weigeren is een doodzonde, dus ik pak er toch maar een.

'Heeft Howard die foto's genomen?' vraag ik.

'Ja, wat kan hij dat goed, hè? Sinds Caroline en hij dat luxetoestel hebben gekocht voor Kerst loopt hij altijd met het ding. Je moet de foto's eens zien die hij me van de kinderen heeft laten zien. Arme schaapjes. Ze hebben het thuis nog drukker dan een celebrity op de rode loper.'

Dat van Howard en zijn fototoestel was me ontgaan. Het zal wel een poos geleden zijn dat we hen hebben gezien. Misschien ga ik hierna nog even bij hen langs. Niet dat Howard thuis zal zijn. Die zit Joost mag weten waar met mijn aanstaande man. Ik vraag me af of ik zijn vrouw kan vragen of hij op de bruiloft foto's wil maken, want voorzover ik weet, heeft zij bij hen thuis de broek aan. Ik bijt in de koek die heerlijk zou zijn als al dat spul er niet in zou zitten. Dan slaat de smaak van de warme room en jam toe. Bah, dat is vies, vies, vies.

'En hoe gaat het met de plannen voor de bruiloft? Krijg je op het allerlaatst nog de zenuwen?'

Ik negeer de hoopvolle toon in Violets stem alsof ze me allerlei bedenkingen wil aanpraten.

'Nee. Geen zenuwen. Ik verheug me er juist op. Ik vind het geweldig dat ik al over twee weken ga trouwen!'

'Weet ik. Voor je het weet is het zover.'

'Hopelijk niet te snel. Ik heb het idee dat ik nog heel veel voor de grote dag moet doen, en volgend weekend heb ik mijn vrijgezellenavond.'

'In mijn tijd ging dat wel anders. Toen hadden we geen vrijgezellenfeestjes. Er kwamen mensen met gelukwensen langs voor een kopje thee. En nu gaat iedereen naar Blackpool of Las Vegas. Ik zie het op tv. Wat een geldverspilling.'

Waarschijnlijk was het vroeger echt anders. Net als Violet wist je niet of je man nog wel thuiskwam van het front. Vrijgezellenfeestjes zouden toen maar frivool hebben geleken.

Ik zit te popelen om Violet naar het gesprek te vragen dat ze met Ted had, en wat hij me daarna heeft verteld. Maar ik kan geen slimme manier verzinnen om het gesprek die kant op te sturen.

'Ik vind die bruiloften tegenwoordig ook maar geldverspilling. Het huwelijk is binnen een week voorbij, lijkt het wel, en dan gaan ze verder met nummer twee.'

'Ik ben het met je eens dat mensen vaak te veel geld uitgeven aan hun bruiloft, maar niet iedereen geeft zijn relatie op. Veel mensen hebben een lang en gelukkig huwelijk.'

Ik zie dat Violet haar wenkbrauwen optrekt. Denkt ze nu echt dat Mark en ik volgend jaar om deze tijd niet meer bij elkaar zijn?

'Je hoeft je wat Mark en mij betreft nergens zorgen over te maken. Bij ons is alles koek en ei.'

'Is dat zo?' vraagt Violet.

Ze staart me aan en drinkt van haar thee. Ik huiver alsof er iemand over mijn graf loopt.

'Violet, heb ik iets verkeerd gedaan? Eerst leek het alsof je zo blij was dat we trouwden en nu is het net alsof je Mark en mij aanmoedigt het uit te maken.'

'Dat doe ik niet.'

Geweldig. Nu zit Violet te mokken. Zo makkelijk komt ze er niet af. Dat ze bijna achtentachtig is, wil niet zeggen dat ik het erbij laat zitten.

'Ja, dat doe je wel. Je werpt mij vreemde blikken toe sinds we hebben besloten in mei te trouwen. Wat is er aan de hand? Ben je ziek?'

Ik heb Mark beloofd subtiel te zijn en hier niet meteen mee te komen, maar het is er gewoon uitgefloept.

'Nee, ik ben niet ziek. Hoe kom je daar nu bij?'

'Mark was bezorgd omdat je hem een keer Geoffrey noemde.'

'Heb ik dat gedaan? O,' zegt ze.

Misschien had ik dat voor me moeten houden. Oma Violet is heel bleek geworden – alle kleur is uit haar gezicht getrokken.

'Het spijt me. Dat had ik niet moeten zeggen,' zeg ik.

Mark maakt me af. Ik zou subtiel gaan achterhalen of zijn oma ziek was, niet haar een hartaanval bezorgen. Toen ik binnenkwam zag ze er niet ziek uit, maar nu ziet ze beslist pips.

'Nee, liefje, het is goed dat je het me hebt verteld. Ik wil niet dat Mark zich zorgen maakt. Hij heeft al genoeg om zich druk over te maken met jullie aanstaande bruiloft zonder de zorg dat ik van mijn stokje ga.'

'Dat hij geen details over de bruiloft weet, wil nog niet zeggen dat hij iets heeft om zich druk over te maken,' zeg ik.

'O, Penelope, ik bedoelde niet jullie bruiloft, ik heb het over je geheimpje.'

Als mijn leven een aflevering van *EastEnders* was geweest, dan was dit het moment waarop de aftiteling begon en de kijkers in het ongewisse werden gelaten en zich afvroegen wat er nu zou gebeuren. Maar dit is gewoon mijn leven, dus er is geen dramatische muziek te horen. Nu is het mijn beurt om bleek te worden en alle bloed uit mijn gezicht weg te voelen trekken.

'Hoe weet je dat?' zeg ik, praktisch fluisterend.

Ik bedoel, er was geen enkele manier dat ze erachter kon komen. Ik ben zo voorzichtig geweest.

'Ik heb je in het buurthuis gezien. Daar ga ik soms heen, en ik heb je gezien.'

O, ik was wel voorzichtig geweest, maar ik was ook naar de praatgroep voor gokkers in het buurthuis geweest. Ze hoefde alleen maar aan de balie te vragen waar de ruimte voor werd gebruikt en dan had ze het gehoord.

Ik kan niets zeggen. Ik schaam me zo.

'Ik dacht al dat je een geheim had. Je deed zo moeilijk toen je een datum voor de bruiloft prikte. Dat herkende ik. Ik had ook een geheim op mijn trouwdag.'

'Echt waar?'

Ik luister nauwelijks naar Violet, want mijn brein maakt overuren. Gedachten of ze het Mark of zijn familie zal vertellen, zoemen als wespen door mijn hoofd.

'Niet voor Marks opa, maar ik was al getrouwd geweest.'

Als ze drie kwartier eerder aan dit verhaal was begonnen, was ik blij geweest dat ze praktisch mijn gedachten had gelezen en de vraag over haar eerste man had beantwoord. Nu kan ik er niet echt blij mee zijn dat ze erover vertelt.

'Geoffrey?' raad ik.

'Ja, hij heette Geoffrey. Een heerlijke vent. Lang en knap. Ik kende hem uit mijn jeugd en toen we van school gingen, kregen we verkering.

Toen we net een poosje met elkaar gingen, meldde hij zich aan voor het leger, en daar ging hij. We schreven elkaar natuurlijk. Wat was ik altijd blij met die brieven. Toen zijn opleiding erop zat, vroeg hij of ik met hem wilde trouwen. We besloten dat we tijdens zijn volgende verlof een datum zouden prikken.'

221

Violet zwijgt even, en ik besef dat ik helemaal in het verhaal opga. Ik ben even vergeten wat voor ellende en verdriet er na dit verhaal komen en hang aan haar lippen.

'En wat gebeurde er toen?' vraag ik.

Natuurlijk ken ik de uiteindelijke afloop, maar om een of andere reden denk ik niet dat dat de reden is dat Violet mij dit verhaal vertelt.

'Hij bleef heel lang weg. Hij was naar Noord-Afrika gegaan en ik hoorde niet zoveel van hem. Ik probeerde niet aan hem te denken want ik kon die bezorgdheid niet aan. Toen ik een jaar verloofd was en ik hem al die tijd niet had gezien, raakte ik bevriend met een van zijn vrienden. Theodore was gewond uit de oorlog teruggekomen. Hij was in zijn schouder ge-schoten en was in een van de fabrieken aan het werk gegaan. Vaak ging hij met me mee naar een dansavond – niet dat hij kon dansen. Eerst was het zo dat hij zich over het vriendin-netje van zijn vriend ontfermde. Maar naarmate we meer tijd samen doorbrachten, beseften we dat we veel gemeen hadden. Op een avond bracht hij me naar mijn moeders huis en kus-ten we elkaar. Niet een gewone afscheidskus, maar iets meer.

De volgende dag voelde ik me vreselijk. Dat gevoel ken je vast wel. Allemaal verdriet en spijt en wensen dat je de tijd terug kon draaien.'

Ik schiet vol bij het horen van het verhaal van oma Violet. Zo voel ik me ook naar Mark toe. Ik wil ontzettend graag terug in de tijd en mijn moodboards verscheuren zodat ik nooit in deze postbingopuinhoop terecht was gekomen.

'Die week kreeg ik een telegram van Geoffrey waarin hij schreef dat hij dat weekend met verlof naar huis kwam. Ik had geen tijd om te bedenken of ik de bruiloft af moest zeggen. Ik heb de kerk besproken en het tegen mijn familie gezegd. Toen Theodore erachter kwam, was hij woedend. Hij zei dat ik met hém moest trouwen, niet met Geoffrey. Maar ik had een belofte gedaan, ik zou met Geoffrey trouwen. En dat heb ik ook gedaan. Ik heb me elke dag van ons korte huwelijk schuldig gevoeld. Ik vond dat ik hem had bedrogen door niet eerlijk tegen hem te zijn. Ik besloot dat ik het hem zou vertellen als hij weer thuis zou zijn en de oorlog voorbij was. Maar hij is op het strand van Normandië gestorven. Twintig was hij.'

Violet stopt met vertellen, en ik zie haar een traan uit haar ooghoek vegen. Mijn instinct zegt dat ik naar haar toe moet rennen en haar een dikke knuffel moet geven, maar ik weet dat ze dat niet wil. Ze is veel te trots voor knuffels.

'En hoe ging het verder met Theodore?' vraag ik, hoewel ik weet dat Violet uiteindelijk niet met hem is getrouwd.

'Theodore voelde zich net zo schuldig als ik toen Geoffrey stierf. Hij wilde me daarna wel mee uit nemen, weer als vrienden, maar dat wilde ik niet. Ik wilde niet met hem omgaan omdat ik door hem besefte hoe vreselijk ik hen allebei had behandeld.'

'Maar je was toen nog heel jong.'

'Ik was zestien. Maar in die tijd was je volwassen als je zestien was, hoor. Ik was op mijn veertiende van school gekomen en werkte al twee jaar.'

'En toen heb je Albert leren kennen?'

'Een paar jaar later. Toen ik negentien was. Door mijn relatie met Geoffrey heb ik geleerd hoe belangrijk het was om eerlijk tegen elkaar te zijn, en ik heb nooit, in al die vijfenzestig jaar, geheimen voor hem gehad.'

Onwillekeurig vraag ik me af wat er zou zijn gebeurd als Violet voor Ted had gekozen en dat, als dat zou zijn gebeurd, ik mijn schat van een Mark niet had leren kennen. Als ik me niet zo afschuwelijk had gevoeld over het feit dat Violet mijn geheim kende, zou ik in diepe overpeinzingen zijn verzonken over het lot en wat het leven op je pad brengt.

'Zie je, Penelope, ik zag het in je ogen. Daar lag de blik in die ik had toen ik met Geoffrey was getrouwd,' zegt Violet.

'Maar ik kan het Mark niet vertellen; hij zou er kapot van zijn.'

'Is het nog steeds aan de gang?'

'Nee, ik ben er allang mee opgehouden. Echt waar. Mark betekent zoveel voor me dat ik hem niet wil kwijtraken. Alsjeblieft, Violet, vertel het niet aan Mark. Ik hou met heel mijn hart van hem en nu weet ik meer dan ooit dat ik niets zou willen doen om hem te kwetsen.'

'Daar is het een beetje te laat voor.'

O, god, ze gaat het Mark vertellen, en dan weet hij mijn grote, duistere geheim. Hij zal absoluut niet met me willen trouwen als hij hoort wat ik heb gedaan. Ik heb een gigantische kuil van leugens voor mezelf gegraven en kan me er niet meer uit kletsen.

'Alsjeblieft, Violet, zeg het niet tegen hem.'

Ik zit zo op het randje van de bank dat ik bijna op de grond zit, haar smekend het niet tegen Mark te zeggen.

'Het is niet aan mij om het hem te vertellen, liefje. Maar als je van mijn fouten wilt leren, zul je het hem zelf moeten vertellen. Mark zal je verrassen. Hij heeft een groot hart.'

'Nee, hij zal het me nooit vergeven,' zeg ik en ik schud mijn hoofd.

'Nou, dat laat ik aan jou over. Maar je moet wel weten dat het niets verandert, ook al krijg je hem voor het altaar. Dat geheim zal aan je blijven vreten. Let op mijn woorden.'

Ik zet mijn kop thee op de koffietafel. Ineens word ik niet goed van de hele toestand.

'Ik moet maar weer eens gaan,' zeg ik. Ik weet dat ik er nog geen halfuur ben, maar ik moet even frisse lucht hebben.

'Luister, Penelope, ik zal Mark niets zeggen. Jij hoeft het hem ook niet te zeggen. Als je zegt dat het voorbij is, geloof ik je. Ik zie dat je er echt spijt van hebt.'

'Zeker weten,' zeg ik instemmend.

Misschien begrijpt ze het toch. Misschien zal ze me niet dwingen het tegen Mark te zeggen.

'Je brengt me wel in een lastige positie. Mark is mijn kleinzoon en ik wil wat het beste voor hem is.'

'Ik ook, Violet. Echt, ik ook. Ik mag dan een fout hebben gemaakt, maar ik wil verder in mijn leven, met Mark.'

'Ik had echt gehoopt dat je, als je mijn verhaal had gehoord, het aan Mark zou opbiechten, maar ik zal je niet dwingen. Als ik iets heb geleerd in al die jaren die ik nu leef, is het dat alles op zijn pootjes terechtkomt.'

Ik weet niet zeker wat oma Violet daarmee wil zeggen, maar ik weet wel dat ik hier zo snel mogelijk weg moet, anders val ik flauw.

'Ik zie je op de bruiloft,' zeg ik tegen Violet, voordat ik de salon uit ren, naar de voordeur.

'Ik kom, hoor,' roept ze me achterna.

In plaats van me te verkwikken, slaat de buitenlucht me warm in het gezicht zodra ik de bungalow uit kom.

Ik weet dat Violet het er niet mee eens is dat ik het Mark niet vertel, maar dit is echt heel anders dan haar situatie. Zij werd verliefd op de beste vriend van haar man. En ik heb geen verhouding of zo.

Ik weet zeker dat het schuldgevoel zal wegtrekken, zodra de bruiloft eenmaal voorbij is, en dat de bruiloft gewoon zo'n gouden dag in onze herinnering wordt. Zolang Violet woord houdt en het niet tegen Mark zegt.

20

Volgende week om deze tijd ontwaak ik als het toonbeeld van rust en sereniteit en zweef ik als de rustigste bruid aller tijden door mijn voorbereidingen. Of, wat aannemelijker is, ik ontwaak in blinde paniek met de vraag hoe ik in vredesnaam op tijd klaar ben voor mijn grote dag en heb ik de grootste puist die je ooit hebt gezien die, mijn huid kennende, in één nacht op mijn neus is opgedoken. Zo gaat dat in mijn leven.

Het is nu een week geleden dat oma Violet heeft onthuld dat ze mijn geheim kent. De eerste paar dagen dat Mark terug was van zijn vrijgezellenuitje hield ik mijn adem in, maar nu ben ik ervan overtuigd dat ze woord houdt. De banden van zusterschap zijn momenteel sterker dan bloedbanden.

Het voelt raar om vandaag naar het museum te komen. Ineens weet ik niet hoe ik me naar Ted toe moet opstellen. Nu ik zijn geheim ken en weet dat hij op een bepaald moment met Violet had willen trouwen, is dat allemaal te veel om te bevatten.

Ik weet dat Ted is getrouwd, want zijn vrouw is een paar jaar geleden gestorven. Daarom werkt hij hier ook: om het huis uit te zijn en onder de mensen te komen. De gedachte dat hij met

Violet getrouwd had kunnen zijn, is bizar; hun leven had volslagen anders kunnen lopen.

Met een blik op mijn horloge besef ik dat ik nog maar een halfuur heb voordat Lou me ophaalt voor mijn vrijgezellenavond. Ik ben vreselijk benieuwd.

Ik weet zeker dat het met de meiden veel leuker wordt dan Mark het met de mannen heeft gehad. Uit de flarden die ik erover heb opgevangen, maak ik op dat het een soort wrede en absurde kwelling was.

Ik hoop dat ik, nu Lou zwanger is, niet zo afgemat terugkom als Mark. Maar hij is oneerlijk snel hersteld; ik denk niet dat ik dat zo snel zou kunnen.

In het museum maken we vandaag uniformhoezen, maar de productie hapert een beetje omdat het klittenband op is. Lilian en Betty zijn een kop thee gaan drinken in de kantine en Nina lijkt in de hoek te zijn ingedut. Ze ziet eruit zoals ik me voorstel dat ik er morgenochtend uitzie, alsof ze niet heeft geslapen en door een heg is gesleept, en weer terug.

Ik besluit de tijd door te komen door Mark te sms'en, nu hij net terug is van zijn zaterdagse potje golf.

Penny
MIS JE ME AL? X

Het is duidelijk dat hij positie heeft ingenomen om sport te kijken en lekker in zijn stoel zit, want hij reageert onmiddellijk.

Mark
NIET MEER DAN ANDERS. JE BENT OOK NOG MAAR TWEE UUR WEG. X

Dat is wel waar, maar Mark is gezakt voor de eerste test. Hij moet zeggen dat hij me natuurlijk mist en dat hij me altijd mist als we niet bij elkaar zijn.

Penny

WAT ZIJN JE PLANNEN VOOR VANDAAG? VEEL SPORT? X

Mark

IK DACHT DAT IK DE LOGEERKAMER MAAR EENS MOEST
UITMESTEN. VERGEET NIET DAT MIJN NICHT LIZ HIER DE
NACHT VAN DE BRUILOFT BLIJFT SLAPEN.

Dat was ik wel vergeten. Ze studeert nog en kan het hotel waar
wij allemaal blijven slapen niet betalen. Marks moeder vond
het ook een goed idee dat er iemand in het huis zou zijn. Dat
had iets te maken met trouwaankondigingen in de krant en
huwelijksgeschenken in het huis.

Ik neem me voor om ervoor te zorgen dat we genoeg schoon
beddegoed hebben omdat mijn moeder de nacht ervoor komt
om me gezelschap te houden, en dan neem ik me voor om mijn
moeder te vragen haar bed te verschonen als ze is opgestaan.
Dat kan ik niet gaan doen. Als bruid heb ik veel belangrijkere
dingen aan mijn hoofd.

Als ik alle voornemens in mijn geheugen heb geprent, breekt
het zweet me uit als ik de ernst van de situatie inzie. Mark gaat
de logeerkamer uitmesten. De logeerkamer waar ik mijn geheime schoenenvoorraad bewaar. Als hij al die dozen en schoenen ziet, zal hij toch wel snappen dat ik ze in het geheim heb
gekocht?

Penny

DOE GEEN MOEITE. ZE IS STUDENTE EN DUS WEL WAT ZOOI
GEWEND. X

Hoezo studenten een stempel opdrukken? Ik? Nooit.

Mark

NOU, HET MOET TOCH EEN KEER GEBEUREN WANT IK WEET
ZEKER DAT WE NA DE BRUILOFT OVERGAAN TOT STADIUM ZES.

Ik voel vlinders in mijn buik, zoals altijd als Mark het over baby's heeft. Het is iets vreselijk sexy's. Ik zie Mark al voor me met een slapende baby tegen zijn schouder, met ontbloot bovenlijf en in zwart-wit. O, oeps, ik heb hem in zo'n poster uit de jaren tachtig gezet. Ach, mijn eerste echte liefde.

Penny
LAAT MAAR ZITTEN. DAAR HEBBEN WE NA DE BRUILOFT NOG TIJD ZAT VOOR XX

Onder die sms heb ik een extra kusje gezet om hem te laten zien dat ik het niet zo streng bedoel. Ik wou dat hij niet ging opruimen waar ik niet bij was om toezicht te houden. En met toezicht houden bedoel ik alles verstoppen waarvan ik niet wil dat hij het ziet.

Mark
MAAK JE MAAR GEEN ZORGEN. IK WEET VAN JE GEHEIME SCHOENENVOORRAAD. DAT HEB IK ALTIJD AL GEWETEN, HOOR, MEVROUWTJE 'DIT ZIJN OUDE, IK HEB ZE AL JAREN'.

O, shit. Ik ben betrapt. Niet te geloven dat hij al die tijd van mijn geheime schoenenvoorraad wist. Ik heb jaren schoenen gekocht, waarmee ik dan voordat hij thuiskwam op de patio rondjes liep om slijtsporen onder de zolen te krijgen. En hij heeft het al die tijd geweten. Dat hij het niet heeft gezegd.

Penny
O, LAAT IN DAT GEVAL DE GROTE SCHOONMAAK MAAR BEGINNEN! XX

Nu kan ik me weer ontspannen, en ik voel mijn schouders niet meer onder mijn oorlellen langs vegen. Mijn mobiel komt zoemend tot leven. Lou belt, ze is waarschijnlijk vroeg.
'Hallo.'

'Hoi, ik sta bij de receptie!'

'Ik kom eraan.'

Niemand zal me hier nu missen, met dat klittenbanddrama.

'Nina, wil jij tegen Cathy zeggen dat ik weg ben?'

Nina geeft geen antwoord. Ik wil net haar hoofd optillen om te zien of ze nog ademt, maar dan krommen haar vingers zich en steekt ze haar duim in de lucht.

Ik pak mijn tas en ren naar boven. In de drie maanden dat ik hier nu als vrijwilliger werk heb ik geleerd dat er een geheime route is naar de receptie waarmee je voorkomt dat je dat doolhof van gangen door moet. Ik kom dan wel achter een tafereel van de Home Guard en moet intiem worden met een van de poppen. Maar Captain Mainuring, zoals de pop wordt genoemd, heeft nog nooit geklaagd. Je moet er alleen voor zorgen dat er geen bezoekers in de buurt zijn, anders denken ze dat er een pop tot leven komt en schrikken ze.

Als ik bij de receptie kom, is de kleine ruimte helemaal gevuld met roze, met helium gevulde ballonnen.

'Wat is…?' mompel ik, maar dan zie ik dat Lou onder al dat roze rubber staat.

'Fijne vrijgezellenavond!' zegt ze, en ze duwt me drie ballonnen in de hand. Ze zijn felroze en op elke ballon staat weer een andere 'laatste avond vrijheid'-motto.

Voor ik het weet, heeft Lou me uitgedost in een heel erg foute outfit. Ik heb mijn spijkerbroek en trui nog aan, maar nu heb ik een diadeem op, een sluier voor en een L-lesplaat die is voorzien van knipperende ledlampjes.

Lilian en Ted staan erbij en ik werp hun een blik toe die zegt: 'Help me, alsjeblieft.' Maar zij zien het als een teken dat alles oké is en zwaaien even naar me, waarna ze mij met ballonnen en al de draaideur uit werken. Ik weet zeker dat mijn knipperende L-lesplaat niet goed is voor de betrekkelijk lichtarme omstandigheden die gewenst zijn in het museum.

'Waar gaan we nou heen? Of wil ik het niet weten?'

'Ontspan je maar,' zegt Lou. 'Hier.'

Ze geeft me een blinddoek en we stappen in de auto.

'Echt niet. Ik doe geen blinddoek om. Ik weet hoe jij rijdt. Ik wil het kunnen zien.'

'Ik had gedacht dat je dat liever hebt dan je ogen dichtknijpen zoals je meestal doet.'

Daar zit wat in. Ik neem de blinddoek aan en doe hem over de sluier heen om. Alsjeblieft, God, laat ons geen ongeluk krijgen.

Tegen de tijd dat we onze bestemming bereiken, ben ik kotsmisselijk. Kennelijk heeft het veel van zeeziekte als je geblinddoekt bij Lou in de auto zit. Over zeeziekte gesproken, ruik ik daar de zee?

'We zijn er,' zegt Lou.

Uit wat ik hoor maak ik op dat ze nu bij het passagiersportier staat. Ik voel dat ze over me heen leunt, en dan hoor ik de klik voordat mijn veiligheidsgordel terugzoemt.

'Mag de blinddoek al af?' vraag ik.

'Oké, doe maar.'

Wanneer ik de blinddoek af heb gerukt, moet ik mijn ogen afschermen omdat de zon nu eens een keer schijnt. Natuurlijk schijnt de zon vandaag. Dat betekent dat het volgende week op mijn trouwdag regent, omdat iedereen weet dat je met het Britse weer geen twee stralende weekends achter elkaar hebt.

'Waar zijn we?'

Ik kijk op en zie dat we naast een stacaravan geparkeerd staan. Een caravan? Voor mijn vrijgezellenuitje? Mark logeert in een jachtslot en ik krijg een caravan?

Ik kijk Lou aan en wil hier een verklaring voor.

'Vermoord mij maar niet. Dit is het idee van je zus. Het zijn luxecaravans en er is een sauna op het terrein.'

Ik probeer mijn sceptische gevoelens niet te laten blijken. Ik hou me voor dat iedereen hier is om mij een plezier te doen en dat ik moet ophouden met dit verwende gedrag.

'Geweldig. Zullen we naar binnen gaan? Ik lust wel een glas water,' zeg ik.

'Water? Ik mag dan niet drinken, maar daar komt niets van in.'

Ik loop de caravan in en hoor een champagnekurk knallen.

'Surprise!' roept mijn zus Becky.

De caravan blijkt een stuk ruimer te zijn. Het is echt net de TARDIS van Doctor Who. In plaats van de geïmproviseerde banken en de irritant onhandige tafels die aan de wand zijn gemonteerd en die ik me herinner uit de caravandagen in mijn jeugd, staat er een reusachtige leren hoekbank en is er een keuken die ook echt groot genoeg is om in te koken.

'Wauw, wat een toffe tent.'

Ik loop naar mijn zus en geef haar een knuffel, waarna ik een glas champagne pak en de rest van de groep begroet.

'Wat spannend ineens,' zeg ik, van mijn champagne nippend. 'Wat gaan we doen?'

'We dachten dat we wel even konden chillen in het bubbelbad, voordat we vanavond aan de boemel gaan,' zegt Becky.

'Bubbelbad?' vraag ik. Heb ik dat goed gehoord?

'Buiten,' zegt Becky, en ze doet de terrasdeuren open.

Ik steek mijn hoofd om de hoek en zie de houten veranda met een bubbelbad aan de ene kant en terrasmeubilair aan de andere. Ineens zijn caravans enorm in mijn waardering gestegen.

Het bubbelbad blijkt precies te zijn wat ik nodig had om te ontspannen na de week die ik achter de rug heb. De spanning die was veroorzaakt door zorgen of oma Violet zou gaan praten, is helemaal uit mijn lichaam getrokken. Ik ben in een ontspannen, gelukzalige toestand. Ik zal deze kalmte gewoon moeten zien te kanaliseren als we uitgaan, want om een of andere reden denk ik niet dat dat zo kalm en rustig zal zijn.

'Oké, tijd om Mr and Mrs te spelen,' zegt Becky, en ze klapt in haar handen.

O, god, daar heb ik echt de pest aan. Nou ja, ik heb er niet de pest aan, ik heb er de pest aan het te moeten spelen. Ik vind het vreselijk als mensen horen wat Marks favoriete standje is en op wie van mijn vriendinnen hij een oogje heeft.

Ik ga op de bank zitten en ben verbijsterd als Becky een iPod-projector en een laptop tevoorschijn haalt en daar, op de muur van de caravan, ineens mijn heerlijke Mark te zien is.

O, Mark, wat heb je gedaan?

Op de muur ontvouwt zich een horrortafereel. Daar staat mijn vader in een smoking het Mr and Mrs-spel aan te kondigen.

'Heb je pap en mam hierin betrokken?' vraag ik sissend aan mijn zus. Ik pijnig mijn hersens om te bedenken wat we met haar vrijgezellenavond hebben gedaan, en volgens mij hebben we haar niet zo vernederd. Toch? Er schiet me een beeld van haar, verkleed als herderinnetje in Brighton, te binnen. Misschien moet ik me toch zorgen gaan maken.

De eerste vraag is redelijk braaf. Hoe hebben we elkaar leren kennen?

Mark zal toch wel de versie vertellen die we allemaal kennen en koesteren? Dat doet hij toch wel? Ik vermoord hem als hij de waarheid vertelt. Alleen Lou kent de volle waarheid. Als ze zich herinnert wat ik haar heb verteld – we hadden de avond dat ik het haar in vertrouwen heb verteld nogal wat tequila gedronken.

'En, Pen, hoe hebben Mark en jij elkaar leren kennen? Of zal ik vragen: hoe zal Mark zeggen dat jullie elkaar hebben leren kennen?' vraagt mijn vader.

Becky zet de opname stil en kijkt me met de rest van de meiden verwachtingsvol aan.

Hij moet de gekuiste versie hebben verteld. Hij weet toch wel beter dan de waarheid te vertellen?

'We hebben elkaar op de sportschool leren kennen. Hij kwam

naar me toe bij de sapbar en vroeg me uit,' zeg ik met zoveel mogelijk zelfvertrouwen.

'Eens zien wat Mark zegt.'

O, nee, er is iets aan de manier waarop Becky dat zegt, waardoor ik denk dat Marks versie niet dezelfde is als de mijne.

Mark verschijnt weer op de muur. Wat bof ik toch; hij ziet er razendknap uit.

'We hebben elkaar op de sportschool leren kennen,' zegt video-Mark.

'Zie je wel?' zeg ik met een triomfantelijke grijns. Ik ken mijn verloofde wel, hoor.

'Wacht maar af,' zegt Becky.

Terwijl Mark blijf praten, span ik mijn gezichtsspieren om de grijns op zijn plaats te houden.

'Wil je weten hoe ik haar op de sportschool heb ontmoet? O jee. Ik liep de herenkleedkamer uit en Penny liep de dameskleedkamer uit, en liep net voor me. Eerst keek ik naar haar kontje want ik vond het een leuk kontje, en toen zag ik dat ze iets had laten vallen. Ik bukte om het op te rapen en riep haar. Maar toen ik het in mijn hand had besefte ik dat het een slipje was. Penny schaamde zich natuurlijk dood, maar ik zei dat als ik haar slipje toch al had gezien, ze net zo goed met me kon uitgaan.'

Ik vermoord hem.

'Oké, lachen jullie maar,' zeg ik tegen de kakelende heksen.

'Hoe was dat slipje op de grond terechtgekomen?' vraagt Becky.

Ik haal diep adem. Ik ben nu toch zover dat ik alle gêne achter me heb gelaten.

'Het zat in mijn broekspijp. Waarschijnlijk had ik de avond daarvoor mijn broek en slipje tegelijk uitgetrokken en zo in mijn sporttas gepropt zonder het slipje te zien, en toen ik mijn broek op de sportschool weer aantrok, was ik dat vergeten.'

'O, god, ik lach me dood,' zegt Sasha snikkend van de lach.

Ik rol met mijn ogen. Zes jaar vertellen we het sapbarver-
haal. Zés jaar. Waarom heeft hij dat nu niet gedaan?

En straks weet iedereen op de bruiloft het ook. Jane zit hier
in de caravan, dus die vertelt het Phil, en Phil vertelt het al
Marks vrienden, en dan weet iedereen het. Als dit is wat Mark
op mijn vrijgezellenavond zegt, berg je dan maar voor wat hij
tijdens de speeches op de bruiloft zegt.

'Vraag nummer twee,' zegt mijn vader. 'Welk deel van jouw
lichaam likt Mark het liefst?'

Schiet mij maar dood. Echt. Richten en schieten. Het is
maar goed dat we niet op Marks vrijgezellenuitje zijn, want
het zou niet verstandig zijn mij bij al die wapens te laten.

De vragen worden steeds erger en graven een gat van ver-
nedering dat zo diep is dat ik niet denk dat ik er ooit uit zal
kunnen klimmen. Ik weet het er nog net levend van af te brengen zonder spontaan te ontbranden, wat ook had gekund, zo
heet branden mijn wangen.

Terwijl de meiden, die nu uitgelachen zijn, zich beginnen
uit te kleden om onder de douche te gaan, stuur ik Mark een
ondeugende sms over welke straf hij tegemoet kan zien als ik
terugkom van mijn vrijgezellenavond.

Penny
NET MR AND MRS GESPEELD. ONGELOOFLIJK DAT JIJ IEDEREEN
OVER DE SPORTSCHOOL HEBT VERTELD. IK ZAL JE MORGEN-
AVOND MOETEN STRAFFEN. IK DENK DAT DIE HANDBOEIEN DIE
JE VOOR ME HEBT GEKOCHT NOG HEEL HANDIG ZULLEN BLIJ-
KEN. MOOIE WOORDSPELING. HOOP DAT JE EEN FIJNE MIDDAG
HEBT. X X X

Ik staar naar mijn mobiel en wacht op zijn onmiddellijke reactie, zoals eerder op de dag, maar mijn schermpje blijft leeg
en bewegingloos.

Voordat ik kan gaan kniezen over het uitblijven van een
reactie, krijg ik een cocktail in mijn hand gestopt door Jane.

'Denk maar niet dat je je likkebaard de hele avond kan sms'en,' zegt Jane naar mijn telefoon wijzend.

Ongelooflijk dat Mark iedereen heeft verteld dat de meeste gênante bijnaam die ik hem ooit heb gegeven likkebaard is. Heimelijk ben ik opgelucht dat hij zich te erg schaamt voor het stadium waarin ik hem mosselman noemde, of hij herinnert zich er niets van. Ik bevestig noch ontken dat Mark mijn edele delen mosseltje noemt.

'Ik denk dat ik hem maar van je overneem. Als je vannacht terug bent, krijg je hem weer.'

Het gebeurt allemaal in slowmotion. Ik steek mijn hand uit naar mijn telefoon, maar Jane is bliksemsnel. Dat had ik moeten weten; ik heb vaak genoeg van Phil en haar verloren met dubbelen bij tennis. Onder dwang, dat zeg ik er wel bij. Wie houdt er nou van dubbelen? Niemand natuurlijk, behalve Phil en Jane, want die winnen altijd.

'Stel dat er een noodgeval is?' smeek ik.

'Dat regel ik dan wel.'

'En als ik jou kwijtraak?'

'Dan zal een van de andere meiden je wel helpen.'

'En als ik jullie allemaal nou eens kwijtraak?' Ik weet dat ik sta te zeuren, maar zonder telefoon voel ik me alsof allebei mijn armen zijn geamputeerd.

'Maak je maar geen zorgen. Je wordt de hele avond aan een van ons vastgeketend, want we weten dat jij er gewoon vandoor gaat als je dronken bent.'

Verdorie. Het probleem van een vrijgezellenavond met je vriendinnen is dat ze je van haver tot gort kennen en je altijd een stap voor zijn.

'Ga je maar omkleden. Je kleren liggen op je bed,' zegt Jane.

Dat zijn de woorden die ik heb gevreesd.

Toen ik vroeg wat voor kleren ik moest inpakken zeiden ze dat ik me daar niet druk om hoefde te maken.

Langzaam sta ik op; het heeft geen zin het onvermijdelijke uit te stellen.

'O, god,' zeg ik, en ik sla een hand voor mijn mond. Op het bed ligt een toga.

'We hebben er allemaal een aan,' zegt Lou. 'Kijk, je ziet niet eens dat ik zwanger ben.'

Ik wil vragen of een toga wel het ideale kledingstuk is als je aan de boemel gaat, maar ik bedenk me. Ik sla de cocktail in mijn hand achterover; kennelijk heb ik weinig keus.

De volgende ochtend word ik wakker van het geluid van tromgeroffel in mijn hoofd. Het duurt even voordat ik besef waar ik ben, maar als ik me omrol zie ik Lou aan de andere kant van het bed liggen. Er vallen groene bladeren uit haar haar.

Terugdenken aan gisteravond doet pijn. Ik herinner me nog net dat we de caravan uit zijn gelopen; daarna worden de details behoorlijk wazig. Of we zijn naar een Grieks restaurant geweest, of ik heb me in de nesten gewerkt, want het beeld van brekende borden is me wel glashelder bijgebleven.

Jane heeft zich aan haar woord gehouden – mijn mobiel ligt naast mijn hoofd. Ik pak hem om te zien of er een bericht van Mark is, maar ik zie geen symbooltje staan.

Misschien heeft Jane mijn telefoon gisteren al teruggegeven en heb ik het al gelezen en alles in mijn dronken toestand vergeten.

Ik open mijn berichtenbox van Mark en zie al mijn berichten van gisteravond staan. Het was kennelijk een eenzijdig gesprek.

Penny
HALLOOOO

Penny
WAT VOERT MIJN VEROORLOOFDE UIT?

Ik moet het een paar keer lezen, maar ik denk dat ik 'verloofde' heb willen zeggen. Het is duidelijk het resultaat van de win-

nende combinatie van dikke duimen, dronken sms'en en de
beruchte sneltoetsen.

Penny

VOLGENDE WEEK OM DEZE TIJD SLUITEN WE HET VERBOND

Ik wou echt dat je niet meer kon zien wat voor berichten je
hebt gestuurd. Herinner je je de telefoons nog waarop je maar
tien berichten in je inbox kon hebben? Dat waren nog eens
tijden. Nu staan er twee jaar aan gesprekken zwart op wit te
lezen.

Penny

DAN BEN IK NU MEVROUW ROBINSON!!! VOLGENDE WEEK
NATUURLIJK

Penny

HEB TOPAVOND GEHAD. KUUUUUUSSSS

En dan ben ik bij de oorspronkelijke sms die ik hem heb gestuurd voordat ik de deur uit ging. Waarom heeft hij niet gereageerd? Ik weet dat ik geen contact heb gezocht toen hij
zijn vrijgezellenavond had. Ik vond dat ik hem met rust moest
laten omdat hij met de jongens was, bovendien had hij in zijn
landhuis geen bereik. Maar toch denk ik dat Mark aardig wil
zijn en mij een leuke avond gunt.

Ja, dat zal het zijn. Hij geeft me de ruimte om mijn vrijgezellenavond te vieren. Er is gewoon geen andere logische verklaring, tenzij hij zijn telefoon is kwijtgeraakt of het ding stuk
is. Dat idee staat me veel meer aan. Hij heeft zijn telefoon in
de wc laten vallen en hij weet niet dat hij allemaal berichten
van mij heeft gekregen.

Dat is de enig mogelijke verklaring. Geeft niet. Over een
paar uur ben ik thuis. Dan kan ik hem over mijn weekend
vertellen en zal ik het deel overslaan waarin ik hem stalker-

sms'jes heb gestuurd. Per slot van rekening heeft hij zijn telefoon verloren en zal hij het nooit weten. Wat stelt één leugentje erbij nu voor, gezien in het grote geheel?

21

Lou vertelt me op weg naar huis dat ze me beter niets kan vertellen over wat er tijdens de gaten in mijn herinneringen aan gisteravond is gebeurd. Uit de flarden die me ervan zijn bijgebleven, heb ik om een paal gedanst en over een podium gezwalkt. Ze zal wel gelijk hebben.

Ik vind het jammer de caravan achter me te laten; ik ben er toch wel erg op gesteld geraakt. Mijn zus Becky blijft er de rest van de week met haar man en hun twee koters. Hopelijk krijgt ze de geur van tropische cocktails eruit voordat ze komen. Ze zouden van de lucht alleen al dronken worden.

Hoe leuk ik het ook met de meiden heb gehad, ik heb Mark echt gemist. Ja, ik weet het: ik ben maar één nacht weg geweest en het slaat nergens op. Maar ik zou toch geen goede aanstaande bruid zijn als ik hem niet zou missen?

Lou heeft ons thuisgebracht met een snelheid die volgens mij niet echt toegestaan is. Ik kreeg de neiging weer naar de blinddoek te grijpen.

'Bedankt voor een fantastisch weekend,' zeg ik, als we voor mijn huis stilstaan.

'Graag gedaan. Het was ontzettend leuk.'

'Ondanks het feit dat je niet hebt gedronken?'

'Vooral omdat ik niet heb gedronken. Nu heb ik genoeg verhalen om je voor eeuwig mee te chanteren.'

'Dat zou je toch niet doen?' zeg ik geschrokken.

'Nee, maar ik zou m'n laptop maar in de gaten houden. Ik zet de foto's nog wel op Facebook.'

O jee, de gevreesde tags op Facebook. Wat deden we ook weer toen er nog geen Facebook was?

'Dat lijkt me lachen. Nog eens bedankt en ik bel je morgen.'

Ik sta te popelen om naar binnen te gaan en Mark weer te zien. Dat zijn telefoon uit de lucht is heeft me het gevoel gegeven dat er een deel van mij niet is geweest.

'Hallo,' roep ik terwijl ik naar binnen loop. Mark is er niet; het is veel te stil in huis.

Hij zal wel bij zijn oma langs zijn, of naar de sportschool. Hij wist niet hoe laat ik thuis zou komen, dus ik kan het hem niet kwalijk nemen dat hij er niet is als welkomstcomité.

Eerlijk gezegd ben ik ook kapot. Ik ga lekker lang in bad en trek dan mijn pyjama aan. Tegen de tijd dat ik uit bad kom, is Mark vast al weer terug.

Ik weet altijd dat het geen goed idee is om op bed te gaan liggen als ik uit bad kom. Al die slaperige gedachten die door je hoofd schieten als je zo ontspannen bent. Maar toen ik uit bad kwam heb ik al die gedachten genegeerd en ben ik toch in bed gestapt. Natuurlijk ben ik meteen in slaap gevallen, en nu ik wakker ben, voel ik me brak en vermoeider dan voor ik ging slapen.

Buiten is het donker, en wanneer ik naar Marks helft van het bed kruip, zie ik op de wekker dat het over achten is.

Ik spring uit bed want dat betekent dat Mark thuis moet zijn. Het huis is echter eng stil en pikdonker.

Nu ga ik me zorgen maken. Er zal wel een heel logische verklaring voor zijn, en als ik mijn telefoon kan vinden, dan bel ik hem en dan zal hij me die wel vertellen. Als ik mijn telefoon uiteindelijk naast het bad vind en Mark bel, gaat hij meteen over op voicemail.

Mijn nekharen gaan overeind staan en ik doorloop *Crime-watch*-achtige reconstructies van wat er met Mark gebeurd kan zijn, en die hebben geen van alle een goede afloop. Ik vraag me af of ik de politie moet bellen, maar zelfs ik weet dat dat veel te drastisch is. En omdat ik er gisteravond niet was, weet ik niet hoe lang hij wordt vermist.

In plaats daarvan zal ik proberen hem zelf te vinden. Nu het buiten pikdonker is, denk ik niet dat hij aan het golfen is. Ik zal om te beginnen zijn moeder bellen om te vragen of hij niet stiekem een zondagse warme hap heeft gegeten.

'Hallo,' zegt Marks moeder Rosemary.

'Ha, Rosemary, met Penny.'

'O, hoi, Penny, ik dacht al dat je snel zou bellen.'

'O, ja? Is Mark bij jullie? Is het goed met hem?'

'Ja, hij zit hier.'

Gelukkig. Ik slaak een enorme zucht van verlichting. Ik ben dolblij dat ik niet snikkend een persconferentie hoef te houden om een hartverscheurende oproep te doen aan mensen die Mark gezien kunnen hebben. Hij is gisteravond in elk geval niet ontvoerd. Hoewel ik eigenlijk niet weet wie er nu een man van dertig zou willen ontvoeren.

'Mag ik hem even?' vraag ik.

'Ik denk niet dat dat een goed idee is.'

'Hoezo is dat geen goed idee? Is er iets met hem?'

'Ja en nee. Ik weet niet precies wat er aan de hand is tussen jullie twee, maar Mark is behoorlijk van streek.'

'Van streek? Ik ben net thuis van mijn vrijgezellenavond. Wat is er aan de hand?'

'Dat weet ik niet. Hij kwam hier een uur geleden aan, nadat hij bij mijn moeder langs was geweest.'

Oma Violet. Ze zal Mark toch niet over mijn geheim hebben verteld? Ze leek zo oprecht toen ze zei dat ze het hem niet zou vertellen. Ik was ervan overtuigd dat ze dat aan mij zou overlaten. Niet dat ik dat van plan was, maar toch. Het was mijn geheim, en ik ben degene om het te vertellen.

'Heeft hij gezegd wat er is gebeurd?' vraag ik.

'Nee, alleen dat hij niet met je wilde praten en ik mocht je ook niet langs laten komen.'

'Maar, Rosemary, ik moet met hem praten. Ik moet het hem uitleggen.'

'O, Penny, ik had niet gedacht dat je iets zou doen waar Mark zo'n verdriet om zou hebben.'

'Dat heb ik ook niet gedaan, tenminste, het was niet de bedoeling om hem verdrietig te maken. Ik dacht dat ik alles weer goed had gemaakt.'

'Wat er ook aan de hand is, volgens mij denkt Mark daar anders over,' zegt Rosemary.

'Maar ik moet hem spreken. Ik kom langs.'

'Penny, hij is er heel stellig over dat je niet langs moet komen. Volgens mij heeft hij wat ruimte nodig.'

'Wat ruimte? We gaan zaterdag trouwen.'

Wat ontzettend frustrerend. Ik begrijp best dat het een schok voor hem was toen hij het ontdekte, maar ik vind het vreselijk dat hij me mijn kant van het verhaal niet wil laten vertellen. Vooral omdat we volgende week gaan trouwen. Over een week!

'Penny, laat Mark er maar een nachtje over slapen. Geef hem de tijd om zijn gedachten te ordenen.'

'Maar…'

'Penny, laat het vanavond even zitten. Ik weet hoe Mark is, en hij heeft nu wat ruimte nodig.'

'Oké,' fluister ik. Ik kan er niet bij dat dit nu gebeurt.

'Dag, Penny. Ik bel je morgen.'

Ik hang op en staar naar de telefoon. Ik kan het niet verkroppen dat zijn moeder zegt dat ze Mark kent. *Ik weet hoe Mark is.* Ik kan zo vertellen hoe hij zou reageren. Ik weet dat hij een stekelvarken is, zoals we op huwelijkscursus hebben geleerd. Als hij boos is rolt hij zich op in een bal en wil niet benaderd worden; hij zet zijn stekels op. Ik ben het tegenovergestelde. Ik ben een neushoorn die zich halsoverkop in een conflict stort. Rosemary hoeft tegen mij niet te zeggen dat Mark er niet over wil praten.

En meestal laat ik hem in zijn bal zitten, maar niet als we over een week gaan trouwen.

Voor ik naar het huis van Marks ouders ga, is er één persoon die ik moet bellen.

'Hallo?' zegt Violet. Super dat ze 's avonds altijd na één keer bellen opneemt, dan zit ze altijd vlak naast de telefoon.

'Hallo, Violet, met Penny.'

'O, Penelope.'

Kennelijk ben ik nog steeds uit de gratie, want nog steeds wordt Penelope van stal gehaald.

'Ik had Rosemary net aan de lijn en ze zegt dat Mark bij haar zit en woedend is.'

'Ja, lieverd, dat is hij ook. Hij kwam helemaal van streek hier. Hij had het almaar over bankafschriften en ik moest hem wel vertellen wat ik wist. Het spijt me heel erg, Penelope, maar het is wel mijn kleinzoon.'

O, nee. De bankafschriften. Ik weet zeker dat ik ze allemaal had verstopt. Ze zaten in een schoenendoos onder een paar laarzen. *In de logeerkamer.* En ik zat me zorgen te maken dat Mark mijn geheime schoenenverzameling zou vinden. Over de bankafschriften heb ik geen seconde nagedacht.

'O, Violet,' zeg ik.

'Het spijt me heel erg. Je had Mark echt de waarheid moeten vertellen toen je de kans nog had.'

'Ik wou dat ik dat gedaan had. Ik wil hem alleen uitleggen waarom ik niets heb gezegd, maar hij wil niet met me praten.'

'Neem het hem eens kwalijk.'

'Leek hij niet op z'n minst een beetje opgelucht toen je vertelde wat je had gezien?'

'Natuurlijk niet. Hij was praktisch ontroostbaar. Aanvankelijk was hij verward, maar toen hij wegging was hij woedend.'

'Vond hij het niet goed dat ik het nu achter me aan het laten ben? Je weet wel, dat ik probeer het te regelen en hulp vraag?' vraag ik.

'Waar heb je het over, liefje? Hulp vragen? Ik had geen idee dat je dat deed. Ik weet het niet, hoor. Jullie jongelui gaan voor elk akkefietje in therapie.'

Waarom weet Violet niet dat ik hulp heb gezocht? Zo is ze toch achter mijn geheimpje gekomen?

'Vond hij het niet positief dat ik naar de praatgroep voor gokkers ga?'

'Gokkers? Penelope, ik heb geen idee waar je het over hebt.'

Er is iets heel raars aan de hand in dit gesprek, en ik vraag me af of Mark geen gelijk heeft. Misschien begint Violet een beetje te malen. Uitgerekend nu heb ik het nodig dat ze bij de tijd is.

'Wat zag je mij daar in het buurthuis dan doen?' vraag ik gefrustreerd.

'Ik zag je in het café de handen vasthouden van een andere man.'

Handen vasthouden van een andere man. Ze moet iemand anders gezien hebben. Dit moet één groot misverstand zijn. Ik heb nog nooit van iemand anders de handen vastgehouden dan van Mark.

'Wacht eens even, Violet. Volgens mij vergis je je.'

'Nee, hoor. Ik zag dat je zijn handen vasthield en toen zag ik dat jullie elkaar omhelsden als afscheid.'

'Dat was ik niet, dat…'

O, wacht eens even. Er schiet me een beeld van Josh en mij te binnen. Nu wordt het me ineens allemaal duidelijk. Ze had me niet naar een bijeenkomst van de praatgroep zien gaan; ze had me die keer dat ik mijn vastberadenheid voelde wankelen met Josh gezien. Nu snap ik alles. Daarom heeft ze me het verhaal over Geoffrey en Ted verteld. Ze heeft me haar verhaal over ontrouw verteld om mij zover te krijgen dat ik het ook vertelde. Maar zo'n verhaal heb ik niet.

'Violet, het is niet wat je denkt.'

'Dat zeggen ze allemaal!'

'Het is zo! Ik ben gokverslaafd en ik ga naar een praatgroep voor gokkers. Josh is mijn mentor.'

Aan de andere kant van de lijn valt een diepe stilte, en ineens vraag ik me af of Violet nog ademt. Dit was waarschijnlijk niet het meest verstandige gesprek om met een vrouw van dik in de tachtig te voeren.

'Ik denk dat je maar beter bij het begin kunt beginnen,' zegt Violet.

Ik vind eigenlijk dat ik dit eerst aan Mark moet uitleggen in plaats van aan zijn oma, maar op dit moment heb ik volgens mij weinig keuze.

Ik vertel Violet het hele ellendige verhaal. Vanaf de periode dat ik een prinsessenbruiloft wilde en ik een stamgast werd van Fizzle Bingo. Ik vertel ook van de bank en maatschappelijk werk, en dan over mijn praatgroep, Josh en mijn zaterdagen in het museum. Aan het eind van mijn verhaal ben ik lichamelijk en geestelijk uitgeput.

'Kijk eens aan. Je hebt het maar druk gehad,' zegt ze.

'Ja, het zijn drie nogal hectische maanden geweest.'

'Zeg dat wel. Toch denk ik dat Mark het had begrepen als je het hem vanaf het begin had gezegd.'

Dat is op dit moment niet precies wat ik wil horen.

'Hij is altijd zo verstandig met geld. Ik wilde niet dat ik een teleurstelling voor hem zou zijn.'

'Ik denk dat hij liegen een grotere teleurstelling zal vinden.'

Ik wou dat dat niet waar was, maar diep in mijn hart weet ik dat ze gelijk heeft.

'Het is zo'n puinhoop, Violet. Hoe kan ik het ooit goedmaken?'

'O, Penny, ik weet het niet. Je weet hoe Mark is.'

Inderdaad, dat weet ik, gil ik bijna uit. Violet erkent tenminste dat ik weet hoe mijn verloofde is. En heb je het gehoord? Ze noemde me Penny! Kennelijk heb ik haar met dit gesprek weer voor me gewonnen.

'Ik moet hem alleen mijn kant van het verhaal vertellen. Het hele verhaal,' zeg ik.

'Ik denk dat dat de enige manier is. Ik weet zeker dat, als je het aan Rosemary uitlegt, ze je dan bij Mark wil laten.'

Rosemary? Ik kan Marks moeder niet het hele verhaal vertellen. Ik vond het al zo'n uitputtingsslag om het Violet te vertellen. Wat hebben de vrouwen in zijn familie toch dat ze zichzelf zo opstellen als poortwachter?

'Ik vind dat Mark de volgende moet zijn die ik het vertel.'

'Ga dan naar hem toe, liefje. Ik denk niet dat hij blij zal zijn met wat je te zeggen hebt, maar het is in elk geval niet zo erg als hij denkt dat het is.'

Nou, klinkt dat even bemoedigend. Al heb ik stiekem het vermoeden dat er heel wat meer bij zal komen kijken dan Mark het verhaal vertellen om hem zover te krijgen dat hij me vergeeft.

'Oké, Violet, ik ga erheen,' zeg ik vastbesloten.

'Succes, Penny. En het spijt me dat ik de situatie erger heb gemaakt.'

'Dat heb ik helemaal aan mezelf te danken, Violet.'

Dat is waar. Het is allemaal mijn schuld. Op een of andere manier lijkt het feit dat ik het geld heb uitgegeven maar een klein deel ervan. Als ik Mark in eerste instantie de waarheid had verteld, voordat ik probeerde de bruiloft te regelen, dan had hij gezien hoezeer ik als persoon was veranderd. In plaats daarvan heb ik een kasteel van leugens gebouwd dat nu met donderend geraas om me heen instort.

Ik ren met alleen mijn sleutels en telefoon op zak het huis uit. Ik weet niet hoe ik het klaarspeel normaal te rijden, maar het lukt me. Het is alsof ik op de automatische piloot rij. Marks ouders wonen op maar vijftien minuten rijden afstand, maar nu lijken het wel vijftien uur te duren voor ik er ben. De gedachte aan wat ik heb gedaan en de omvang van de gevolgen blijven maar in mijn hoofd rondmalen.

Waarschijnlijk heb ik nog nooit zo slordig op hun oprit geparkeerd. Ik ren naar de deur. Ik heb het idee dat ik in een dramatische scène van een romantische komedie speel en hoor plotseling een rockballad op de achtergrond. Nu hoef ik alleen nog maar Mark te smeken terug te komen, en dan neemt hij me in zijn armen en leven we nog lang en gelukkig. Zo hoort het toch te gaan?

Als de deur opengaat, sta ik tegenover Rosemary. Ze heeft haar haar in de gebruikelijke strenge knot zitten en haar lippen zijn samengeknepen. Dit wordt niet gemakkelijk.

'Rosemary, ik moet Mark spreken,' zeg ik, en ik duw haar bijna aan de kant. Ik ren de trap op, en op dat moment zegt Rosemary dat Mark er niet meer is.

'Wat?' zeg ik, en ik zijg op de trap neer.

'Hij is weg, Penny. Hij zei dat hij wist dat je langs zou komen, toen je met mij had gesproken en hij wil je niet zien.'

'Maar ik heb met Violet gepraat en die had het helemaal mis. Ik moet Mark vertellen wat er echt aan de hand was. Ik moet Mark de waarheid vertellen.'

'Ik snap even weinig van wat jij zegt als van Mark toen hij hier was. Wil je me vertellen wat er aan de hand is?'

Ik kan het niet aan weer het hele verhaal te vertellen. Het is te uitputtend. Bovendien heeft Mark er recht op het te horen voor zijn hele familie op de hoogte is.

'Nee, dat gaat niet. Ik moet het Mark vertellen.'

Opeens heb ik het donkerbruine vermoeden dat Rosemary een leugentje om bestwil vertelt en dat hij zich boven verstopt. Ik sta weer op en race Marks oude slaapkamer in, maar zie dat die leeg is.

Er zitten kreukels in het bed waar hij kennelijk heeft gelegen. Ik ga zitten omdat het me het gevoel geeft dichter bij Mark te zijn.

'Het spijt me, Penny. Wat ik zei, was waar – hij is weg,' zegt Rosemary, die haar hoofd om de hoek van de deur steekt.

'Heeft hij gezegd waar hij heen ging?'

'Nee, hij zei dat hij me zou sms'en zodra hij daar was. Waar "daar" ook zou zijn. Ik heb het idee dat hij eerder naar een hotel zou gaan dan naar iemands huis.'

Geweldig. Er zitten hier tientallen hotels in de omgeving waar hij naartoe gegaan kan zijn. Ik moet accepteren dat Mark niet gevonden wil worden.

Ik voel mijn telefoon in mijn zak trillen en mijn hart springt op. Misschien heeft Mark Violet gesproken en wil hij nu met me praten. Maar het is Mark niet. Teleurgesteld zie ik dat het Chris van de band is.

'Hallo,' zeg ik zo onmismoedig als ik kan.

'Hoi, Penny. Ik bel even om de afgesproken tijd voor zaterdag te bevestigen. Zullen we om acht uur met de eerste set beginnen en om tien uur met de tweede?'

Ik heb de moed niet om tegen Chris te zeggen dat er misschien geen bruiloft komt. Ze hebben op die datum al een afzegging gehad. Misschien was dat een slecht voorteken. Misschien bracht het ongeluk voor onze grote dag als je een band boekte die eigenlijk op andermans bruiloft had zullen spelen.

'Dat klinkt perfect,' lieg ik.

'Mooi. En we hebben 'Mrs Robinson' ingestudeerd, dus we zijn er helemaal klaar voor om dat als laatste nummer te spelen. Heb je een nummer uit onze speellijst gekozen waarmee je de avond wilt openen, of wil je een nummer van een eigen cd?'

'We hebben "Kiss to Build a Dream On" gekozen.'

Ik voel de tranen in mijn ogen springen bij de gedachte dat Mark en ik van de week nog in de keuken op dat nummer hebben gedanst. We hadden op verschillende nummers gedanst om te zien welk nummer we het best vonden. Mark had me op dat nummer rond laten draaien en ik had me net een prinses gevoeld. Ironisch dat Mark me het gevoel gaf een prinses te zijn en ik ervan overtuigd was dat ik daar minstens twintigduizend pond voor nodig had.

'Goede keuze. Ik heb de mensen op de locatie gesproken en we hebben alles geregeld voor het opbouwen en de soundcheck. Dan zien we je zaterdagavond. Als je ons contant wilt betalen, met aftrek van je aanbetaling, dan zou dat fijn zijn.'

'Super,' zei ik zonder enig enthousiasme. Als dit zo doorgaat speelt die band straks voor een lege zaal. Misschien hebben onze vrienden een knalfuif zonder ons. Alles is tenslotte al betaald.

'Tot dan, hè?' zegt Chris.

Geweldig. De band heeft bevestigd en nu hoef ik er alleen nog maar voor te zorgen dat de bruidegom ook komt. Om een of andere reden denk ik dat het bevestigen van Marks aanwezigheid niet zo makkelijk zal worden.

22

Ik ben er trots op dat ik anderhalf uur heb kunnen werken voordat ik wegging. Ik zou graag zeggen dat ik in die anderhalf uur ontzettend productief ben geweest, in aanmerking genomen dat ik nog maar twee dagen kan werken voordat ik voor tweeënhalve week ben vertrokken. In plaats van te beginnen aan mijn ellenlange lijst met dingen die ik moet doen, heb ik naar mijn computerscherm zitten staren, waar ik een foto van Mark en mij op het bureaublad heb gezet waar we als superblij en verliefd stel op staan tijdens onze vakantie vorig jaar in Griekenland.

Ik heb twee telefoontjes kunnen beantwoorden, en tijdens een daarvan heb ik toegezegd de jaarlijkse 'bewustwordingsdag voor veiligheid op de trap' te organiseren, iets waarvoor we altijd steen, papier, schaar spelen om eronderuit te komen. Omdat ik me ietsje bezorgd maakte over mijn ophanden zijnde bruiloft en mijn vermiste bruidegom, heb ik ja gezegd, alleen maar om van de veiligheidsbeambte af te zijn. Het houdt wel in dat ik volgende maand een hele dag met kuddes mensen de trappen op en af loop om te zien of ze weten hoe ze de trapleuning moeten vasthouden.

Nu Mark zijn telefoon niet opneemt en de receptioniste van zijn accountantskantoor zegt dat hij niet aanwezig is, heb ik geen andere keuze dan zelf naar zijn kantoor te gaan. De receptioniste zegt altijd dat de accountants niet aanwezig zijn – dat is hun standaardbewoording voor 'niet storen'. Eigenlijk wil ik niet langs zijn kantoor gaan, maar hij laat me geen andere keuze. Ik ben gek aan het worden, en wie weet wat ik in deze toestand allemaal nog zal toezeggen?

Op de parkeerplaats van Brown and Sons speur ik naar Marks auto maar die staat er niet. Ik stel mezelf gerust met de gedachte dat hij nog aan het werk kan zijn. Misschien betekent het dat hij in een hotel in de buurt zit, zodat hij naar zijn werk kan lopen.

Ik loop de trap op naar de tweede verdieping, waar hun kantoor gevestigd is en haal diep adem voor ik de deur naar de receptie openduw. Ik ben maar één keer eerder in Marks kantoor geweest om zijn lunch, die hij op de tafel in de keuken had laten staan, langs te brengen. Ik weet niet wie zich nu erger geneerde, ik of de receptioniste, toen ik Marks tupperwarebakje met de sterk ruikende kliek curry aan haar overhandigde. Hopelijk zit er vandaag iemand anders.

Wanneer ik de deur opendoe zie ik dat dezelfde receptioniste er zit. Ze kijkt me aan alsof ze me probeert te plaatsen, en dan spert ze haar ogen open omdat ze me herkent en kijkt ze naar mijn lege handen. Ik wapper met mijn vingers om te laten zien dat ik geen tupperwarebakje bij me heb. Hier sta ik dan te proberen Mark op zijn werk niet in verlegenheid te brengen.

'Hallo, ik kom voor Mark Robinson,' zeg ik zo professioneel mogelijk.

'Jij bent zijn verloofde, toch?'

'Dat klopt,' zeg ik.

'Je zult je wel ontzettend verheugen op de bruiloft, deze week! En de huwelijksreis. Waar gingen jullie ook weer heen?'

'Mexico.'

'Wat heerlijk.'

De receptioniste zit er maar naar me te glimlachen; ik vraag me af of ze is vergeten waar ik voor kom.

'Is Mark er?'

'O, ja. Nee, sorry. Nee, hij is er niet.'

Mark zal zich toch niet ziek gemeld hebben? Mark vindt het heel erg als hij niet kan werken. Als hij koorts heeft moet ik hem bijna aan het bed vastketenen, anders gaat hij naar zijn werk en doet hij alsof het maar een verkoudheidje is.

'Weet je wanneer hij terug is?' vraag ik.

De receptioniste klikt met haar muis dat het een lieve lust is.

'Het ziet ernaar uit dat hij de hele week bij Kinetic-Co is,' zegt ze.

'O, oké,' zeg ik ondanks het feit dat ik een stel krachttermen in mijn hoofd heb dat ik zou willen gebruiken.

'Je moet hem maar op zijn mobiel bellen,' zegt de receptioniste.

Ben jij even slim. Waarom heb ik daar zelf niet aan gedacht? Zie je wel, ik word heel gemeen doordat ik niet met Mark kan praten.

'Bedankt, zeg,' zeg ik, en ik draai me om om weg te lopen.

'Succes met de bruiloft,' zegt ze.

'Dank je,' mompel ik. Als het zo blijft doorgaan, heb ik dat wel nodig, ja.

Terwijl ik onderuitzak in mijn autostoel vraag ik me af wat ik nu moet doen. Ik weet dat Kinetic-Co een groot bedrijf in deze regio is, maar kan ik daar zomaar langsgaan om Mark op te sporen? Ik kan niets anders bedenken, dus ik start de motor en probeer me te herinneren waar het is.

Ik stop achter een auto die het terrein van Kinetic-Co wil oprijden, maar bedenk dat er een kink in de kabel kan zitten. Ik vind letterlijk een barrière op mijn pad. Ik was vergeten dat Kinetic-Co een semi-militair bedrijf is. De auto vóór me is doorgereden en de bewaker in zijn wachtershuisje wuift me door. Nu kan ik alleen nog maar naar hem toe rijden.

'Hebt u een afspraak?' vraagt hij als ik mijn raampje laat zakken.

'Nee,' zeg ik eerlijk. 'Ik kom voor mijn verloofde. We gaan dit weekend trouwen, ziet u, en ik moet hem heel even spreken.'

'Oké, uw verloofde werkt hier dus. Hoe heet hij?'

'Nee, nee, hij werkt hier niet,' zeg ik. Ik zie de bewaker verward kijken. In mijn zijspiegel zie ik dat er zich een lange rij achter me heeft gevormd.

'Juist. Als hij hier niet werkt, hoe kan ik u dan helpen?'

'Hij is hier de hele dag, de hele week zelfs. Hij is accountant.'

'Weet u dan met wie hij hier een afspraak heeft?'

'Nee,' zeg ik zacht.

De bewaker is niet onder de indruk. 'Ik ben bang dat u niet alleen het terrein op mag. Kunt u niet gewoon uw verloofde op zijn mobiel bellen?'

Als er nu nog iemand zegt dat ik hem op zijn verhipte mobiel moet bellen, komt er stoom uit mijn oren. Wat deden mensen trouwens voordat er mobieltjes waren? Stel dat er een noodgeval is, of dat de accu van zijn mobiel leeg is? Misschien had ik die smoes moeten vertellen.

'Hij heeft zijn mobiel thuis gelaten,' lieg ik. 'Luister, kunt u niet even in het gastenboek kijken om te zien waar hij is?'

'Dat gaat helaas niet, mevrouwtje. Beveiliging van personeel en gegevens. Als u niet weet wie ik moet bellen, kan ik u niet helpen. Ik doe de drempel omhoog en dan maakt u een u-bocht en komt u aan de andere kant terug. Begrepen? Geen geintjes.'

Hij steekt nu echt een vermanende vinger op, alsof hij echt denkt dat ik geintjes ga uithalen. Kende ik maar een geintje dat ik kon uithalen. Ook al kom ik de parkeerplaats op, dan nog ziet dit bedrijf er zo enorm uit dat ik Mark nooit zal vinden.

Ik zal gewoon een ander plan moeten bedenken. Zoals wachten tot hij van achter de barrière komt rijden. Dat kan ik doen. Dan kan ik hem volgen naar de plek waar hij overnacht.

'Dank u,' zeg ik met een glimlach. Nu ik een nieuw, geheim

plan heb, maak ik zoals aangegeven een u-bocht om de ver-
keersheuvel heen, het bedrijfsterrein af. Dan stel ik me verder-
op langs de weg op in een parkeerhaven, vanwaar ik hem
goed naar buiten kan zien komen. Ik zet de motor uit en ben
tevreden over mezelf. Ja, als ik rondkijk, heb ik een uitstekend
zicht op uitgang F.

O jee. Uitgang F. Dat klinkt alsof er nog veel meer uitgan-
gen zijn. Ik graaf in mijn tas op zoek naar mijn mobiel en
open internet. Snel typ ik Kinetic-Co in Farnborough in en
klik op de pdf van de kaart om hem te downloaden. Terwijl
de kleurige kaart wordt geladen, zie ik duidelijk dat er zes uit-
gangen zijn van het terrein, dat de afmetingen van een volwassen stad lijkt te hebben. Ik had er geen idee van dat het
hier zo groot was.

Zo vind ik Mark nooit. Dat is zoeken naar een speld in een
hooiberg.

Dat wordt dus niets. Ik start de motor weer en accepteer
mijn nederlaag. Als ik geen manieren meer heb om Mark te
zoeken, kan ik net zo goed weer naar mijn werk gaan, anders
krijg ik een probleem omdat ik midden op de dag onaangekondigd wegblijf.

Achter mijn bureau raak ik nog dieper in de put. De an-
derhalve uur die ik vanochtend heb gedaan alsof ik zat te
werken, kon ik mezelf in elk geval wijsmaken dat Mark op
maar een kwartiertje rijden afstand zat en dat ik hem kon
gaan opzoeken wanneer ik maar wilde. Nu zit ik hier en
weet ik dat hij op een plek werkt die wordt bewaakt als Fort
Knox.

Er zit niets anders op. Ik zal nu echt aan het werk moeten.
Ik werp een blik op mijn takenlijst, en probeer de taak te kiezen die het minste denkwerk vereist. Dan zie ik nummer zes:
een locatie zoeken voor onze wervingsdag. Opgetogen klap ik
in mijn handen. Niet vanwege het feit dat ik twee hele dagen
mag doorbrengen in het gezelschap van verwaande, hyperin-
tellectuele wetenschappers, maar omdat we die dag meestal in

een vergaderzaal organiseren. En waar vind je vergaderzalen? In een hotel.

Het hotel waar we vorig jaar zaten, is niet bevallen, dus het staat al een hele poos in mijn agenda om een nieuwe locatie te zoeken. Het stond niet boven aan mijn prioriteitenlijst om locaties te bellen en naar tarieven en beschikbaarheid te vragen, maar nu lijkt het ineens vreselijk belangrijk.

Ik pak de lijst met hotels die ik een paar weken geleden uit de online *Gouden Gids* heb gedownload en geprint, draai het eerste nummer en wacht geduldig terwijl ik word doorgeschakeld naar de receptie.

'Goedemorgen, Reddington's Hotel, waar kan ik u mee helpen?'

'Goedemorgen. Ik vroeg me af of u wat informatie zou kunnen sturen over uw vergaderfaciliteiten. Ik zoek een locatie voor een wervings- en selectiedag voor pasafgestudeerden. We hebben een zaal nodig waar we lezingen kunnen geven, en nog een waar we een soort markt kunnen opzetten met tafels en stoelen zodat ons personeel met de studenten kan praten.'

'Ja, hoor. We hebben een paar zalen die daar geschikt voor zijn. Wilt u een afspraak maken om eerst te komen kijken, of wilt u uw e-mailadres geven zodat ik u informatie kan sturen?'

'Voorlopig heb ik genoeg aan informatie.'

Ik dreun mijn e-mailadres op voor de zeer behulpzame receptionist mij alles voor hem laat herhalen, en dan zegt hij het nog een keer op voor mij.

'Ja, dat klopt,' zeg ik, koortsachtig proberend het gesprek in een sneller vaarwater te krijgen. 'Volgens mij logeert een van onze medewerkers op dit moment bij u, en ik vroeg me af of ik een bericht kon achterlaten.'

'Natuurlijk. Hoe heet die medewerker?'

'Robinson. Mark Robinson,' zeg ik. Misschien mag ik dit niet doen tijdens een telefoongesprek voor mijn werk, maar ik zie het als twee vliegen in één klap slaan. Een beetje multitasken. Op deze manier bereik ik misschien toch nog iets op werkgebied, ook al gebruik ik het zoeken van een locatie als rookgordijn.

'Het spijt me, mevrouw Holmes, maar we hebben hem niet als gast geregistreerd staan. Kan hij een andere naam hebben gebruikt?' vraagt de receptionist.

Daar denk ik even over na. Zou hij zich onder een andere naam inschrijven? Welke zou hij gekozen hebben? In mijn hoofd schieten de namen die Mark gekozen kan hebben door elkaar. Dan dringt het tot me door. Mark is geen beroemde filmster, en voorzover ik weet is dit de eerste keer dat hij naar een hotel is gevlucht. Ik betwijfel of het in hem is opgekomen om een andere naam op te geven.

'Mevrouw Holmes?' zegt de man aan de telefoon vragend. Ik was hem bijna vergeten.

'Sorry. Nee, hij zal geen andere naam hebben gebruikt. Het zal wel een ander hotel zijn. Dank u voor uw hulp.'

'Graag gedaan, en ik zal u meteen de gegevens over zaalverhuur toezenden.'

'Fijn, dank u wel.'

Ik kijk naar de lijst – nog maar dertig te gaan. Ik had niet gedacht dat ik alle hotels op de lijst zou bellen, want niet alle hotels hebben vergaderzalen. Maar misschien moet het wel om Mark te vinden.

Tegen de tijd dat ik bij nummer dertig op de lijst ben, ben ik een hoopje ellende. Dit hotel probeert het me ook moeilijk te maken en me zover te krijgen dat ik langskom.

'Ik kan denk ik beter beginnen met de prijslijst,' zeg ik, en ik probeer mijn kalmte te bewaren.

'Oké, dan stuur ik hem wel.'

'Fijn. En nu ik u toch aan de lijn heb, volgens mij logeert een van onze medewerkers bij u. Hij heet Mark Robinson. Ik wilde iets voor hem bezorgen.'

'Robinson. Eh... O ja, daar staat hij. M. Robinson.'

Ik bijt de pen die ik aan het afkauwen ben bijna door. Ik heb hem echt gevonden!

'Mooi,' zeg ik, en ik probeer de opwinding uit mijn stem te weren. 'Ik breng het vanavond even langs.'

'Oké, goed zo. Als u hier bent, kan ik u meteen onze vergaderfaciliteiten laten zien.'

'Wat een goed idee,' lieg ik. Waarom heeft het hotel dat Mark uit de dertig hotels in de buurt uitgekozen heeft uitgerekend het meest vasthoudende salesteam?

'Bedankt voor de rondleiding,' zeg ik tegen Emma, de evenementenmanager van het hotel.

Dit hotel lijkt prima aan te sluiten bij onze behoeften, en dat is maar goed ook, want ik ben een beetje vroeg van mijn werk weggegaan om het te bekijken. Ik wilde zeker weten dat ik Mark zou treffen, voordat hij zich in zijn kamer zou opsluiten. Nu kan ik me in de lobby opstellen tot hij komt opdagen.

'Graag gedaan. Hier hebt u een brochure en een recente prijslijst. Laat het me maar weten als ik nog iets voor u kan doen.'

'Dank je wel, Emma.'

Ik zie Emma weer naar de vergaderzalen lopen en kijk rond in de receptie om een goed plekje te zoeken om te wachten.

'Kan ik u helpen?'

'Eh, ja. Ik wacht op een van uw gasten. Mark Robinson,' zeg ik, en ik loop naar de balie.

'Hij heeft zijn sleutel nog niet opgehaald.'

'Dat geeft niet, ik wacht daar wel,' zeg ik, en ik wijs naar een paar zachte fauteuils in de hoek.

'Mooi. Neemt u gerust een kopje koffie of thee uit de automaat.'

'Dank u.'

Wat een fijn hotel. Ik loop naar de koffieautomaat en neem een kop koffie. Het is een lange dag geweest en ik heb vannacht niet goed geslapen. Koffie kan me net die oppepper geven die ik nodig heb. De fauteuils zijn perfect gepositioneerd bij de lift, tegenover de balie. Bovendien zijn ze vanuit de ingang niet te zien, zodat Mark me niet ziet en er haastig tussenuit kan knijpen.

Ik pak een tijdschrift en blader het door. Het is een oude editie van *Hello!*. Ik kan nooit weerstand bieden aan tijdschriften waarin het leven van beroemdheden wordt beschreven, maar vandaag biedt het me geen ontspanning. Ik ben een brok zenuwen terwijl ik hier op Mark zit te wachten. Ik geef toe dat koffiedrinken misschien niet zo'n goed idee was, want ik ben er helemaal trillerig van geworden.

Volgens mij werk ik ook de receptioniste op de zenuwen omdat ik almaar naar de klok kijk, die boven haar hoofd hangt. Het is nu halfzes. Mark kan elk moment binnenkomen.

De draaideur komt in beweging en ik kijk verwachtingsvol op en hou mijn adem in. Maar het is Mark niet. Het is een oude man die een regenjas over zijn pak draagt en een aktetas in de hand. Terwijl hij naar de receptiebalie loopt, lees ik verder over beroemdheden die ik niet herken bij de opening van een galerie.

Ik kijk van mijn tijdschrift op omdat ik me er ineens bewust van ben dat ik niet meer alleen in het zitgedeelte ben. Voor me staat de zakenman die net is binnengekomen.

'Hallo,' zegt de man. 'Ik begrijp dat u voor mij komt.'

Ik kijk naar hem op, hou mijn hoofd schuin zoals Mark altijd doet en probeer te ontdekken waarom hij me aanspreekt. 'Hè?' zeg ik. Meer weet ik niet uit te brengen.

De man vat het feit dat ik iets tegen hem zeg op als een teken dat hij mag gaan zitten, en hij neemt tegenover me plaats.

'De receptioniste zei dat u op me zat te wachten. Ik weet dat mevrouw Lexington heeft gezegd dat ze contact met me zou opnemen, maar ik had niet gedacht dat ze dat zo snel zou doen.'

Weer wil ik 'Hè?' zeggen. 'Sorry, maar ik denk dat er een foutje gemaakt is.'

'Dat denk ik niet. U zoekt meneer Robinson toch?'

Ik knik langzaam en vraag me af waar hij op aanstuurt.

'Nou, dat ben ik,' zegt hij, en hij grijnst van oor tot oor.

'Ik, eh, ik denk dat er sprake is van een misverstand,' zeg ik, en ik probeer te bedenken wie deze man is en waarom hij Mark niet is.

De man gaat rechtop zitten en de glimlach verdwijnt van zijn gezicht. 'Ben ik niet wat je verwacht?'

Niet echt, wil ik zeggen. Maar voor ik de kans krijg, steekt hij van wal met een hele tirade.

'Maar mevrouw Lexington zei net dat ze geen moeite zou hebben om iemand voor me te vinden. Ik had niet verwacht dat jij er moeilijk over zou doen en zo kritisch zou zijn. Ik had alleen gedacht dat je met me mee zou gaan en we samen zouden eten. Als ik zin had om afgewezen te worden, had ik wel ingelogd op Match.com. Ik zal tegen mevrouw Lexington zeggen dat ik haar service niet om over naar huis te schrijven vind en…'

'Er is echt sprake van een misverstand. Ik weet niet wie mevrouw Lexington is en ik weet niet voor wie u mij aanziet, maar u bent zeker niet de meneer Robinson die ik zoek. Ik ben op zoek naar meneer Robinson, mijn verloofde, die vijf dagen voor onze bruiloft de benen heeft genomen. En ik ben bang, meneer Robinson, dat u dat niet bent.'

'O,' zegt hij. We kijken elkaar met frisse schaamte aan, en het begint me te dagen wat voor soort vrouw, of eigenlijk madam, mevrouw Lexington waarschijnlijk is. Bij hem begint het te dagen dat ik zijn date/escortmeisje/hoertje niet ben, meneer Robinson mag doorhalen wat niet van toepassing is.

Meneer Robinson staat op, trekt zijn das recht en zegt: 'Ik hoop echt dat u uw verloofde vindt.' Dan loopt hij rustig naar de lift waar hij minder rustig staat te wachten; hij priemt zo'n tien keer in tien seconden met zijn vinger op de knop.

Ik loop naar de receptioniste. 'De man die net in de lift is gestapt, is dat de enige meneer Robinson die hier verblijft?' vraag ik.

'Ik vrees van wel,' zegt de receptioniste. 'Is dat niet de meneer Robinson die u moest hebben?'

'Bij lange na niet,' zeg ik met een zucht.

Ik bedank de receptioniste en loop het hotel uit.

Ik blijf even op de stoep staan en vraag me af waar ik nu heen moet. De bruiloft is al over vijf dagen en de tijd tikt door. Ik moet mijn vermiste bruidegom vinden, en snel ook.

'Meneer Mark Robinson, waar zit je toch?' mompel ik en ik heb de kosmische hoop dat het universum me zal helpen.

23

Dit moet de ergste laatste week voor de bruiloft zijn die iemand ooit heeft gehad. Ik had gepland om woensdag, donderdag en vrijdag vrij te nemen om mezelf te onderwerpen aan allerlei verzorgingsbehandelingen. Om mezelf helemaal op te doffen en de mooiste bruid te worden die ooit is getrouwd. Nu breng ik deze dagen door met pogingen mijn aanstaande te stalken, tot ik de kans krijg om met hem te praten.

Vandaag ging het werken geen haar beter dan gisteren. Het was zelfs de slechtste werkdag in heel mijn werkend bestaan. Ik was niet alleen zo verstrooid dat ik een aantal belangrijke engineers allemaal tegelijk vrij heb gegeven met de Kerst, wat inhoudt dat het geen vrolijke Kerst voor me wordt als mijn manager daarachter komt, maar ook heeft een van onze senior managers een secretaresse zwanger gemaakt. En dat betekent dat er veel bijeenkomsten en discreet gefluister zijn geweest om te proberen de situatie het hoofd te bieden.

Ik denk dat dat wel een einde maakt aan onze teambuildingweekends in Wales. Niet dat ik dat erg zou vinden – ik had er een hartgrondige hekel aan. Het is een en al modder en collega's in joggingbroeken – ik vond het gewoon niets. Maar ik had liever gehad dat de Wales-weekends een natuurlijke dood waren gestorven dan dat de vrouw van de manager ons kantoor in was gestormd en ons had verteld wat er nou eigenlijk in Wales was gebeurd.

Daardoor heb ik beseft dat ik blij ben dat Mark gisteren niet op kantoor was en dat we geen soortgelijke scène hebben geschopt waar zijn collega's bij waren. Sinds de ontdekking heeft iedereen op zijn tenen om de senior manager en de secretaresse heen gelopen, en ze behandeld alsof ze de builenpest hebben. Ik zou Mark niet op die manier in verlegenheid willen brengen.

Ondanks de flaters op mijn werk heeft mijn team allerschattigst afscheid van me genomen, voor de bruiloft. Er komen een paar collega's op de receptie. Ik had de moed niet om te zeggen dat de kans groot is dat die niet doorgaat. Vooral niet toen ik door de tas heen zag dat er een geschenkverpakking in zat in precies dezelfde kleur als die van Tiffany's en van een grootte waar champagneglazen mooi in passen. Ja, zo erg ben ik.

Het is dinsdag, dus ik moet naar de praatgroep. Onwillekeurig voel ik mijn maag samenknijpen wanneer ik de deur van het buurthuis openduw. Was ik hier maar nooit heen gekomen om koffie te drinken met Josh. Waarom zijn we, van alle plekken die we hadden kunnen kiezen, uitgerekend hierheen gegaan? Niet dat het iets aan de situatie had veranderd. Uiteindelijk was Mark er toch wel achter gekomen. Misschien was het maar goed dat hij had ontdekt met wat voor leugenachtig mens hij verloofd was voordat hij ja zou zeggen.

'Hoi, Penny,' zegt Rebecca, wanneer ik het kleine vertrek in kom.

'Hoi, Rebecca.'

'Je zult wel superopgewonden zijn – nog maar een paar dagen en dan ga je trouwen!'

Ik kan er niet meer tegen. Ik heb de laatste paar dagen lopen glimlachen en collega's omhelsd die maar langs bleven komen om me geluk te wensen, en ik kan het niet opbrengen om dat ook bij deze mensen te doen. Voor ik het weet rollen de tranen over mijn wangen. En als ik zeg rollen, dan bedoel ik rollende golven boven aan de Niagara-watervallen.

Ik heb mezelf verrast door de afgelopen dagen mijn tranen binnen te houden, maar het lijkt wel alsof nu de sluizen opengaan en ik verdrink in de zoute zondvloed.

'O, Penny, wat is er nou? Heb ik iets verkeerds gezegd?'

'Nee, het ligt niet aan jou,' zeg ik hikkend. 'Het is de bruiloft. Ik denk niet dat die doorgaat.'

'Maar waarom niet?'

'Mark heeft de bankafschriften gevonden en hij weet dat ik tegen hem heb gelogen.'

Iedereen slaakt kreten van ontzetting en ik zie met wazige blik dat de hele groep gaat zitten en naar me luistert. Zo zou Mary elke bijeenkomst wel willen openen. Meestal blijven er wel een paar in de koffie- en theehoek plakken terwijl ze begint. Maar vandaag niet. Vandaag zit iedereen op het puntje van zijn stoel om mijn ellende aan te horen.

'Heb je hem dan niet uitgelegd wat je hebt gedaan?' vraagt Rebecca. 'Je hebt zo je best gedaan met deze groep en de bruiloft die je met dat beperkte budget hebt geregeld.'

'O, ja, Penny. Dat heb je fantastisch gedaan. Ziet hij dat niet in?' vraagt Mary.

'Ik heb het hem niet kunnen vertellen. Toen ik van mijn vrijgezellenavond terugkwam, was hij vertrokken. Hij is eerst naar zijn moeder gegaan en nu weet ik niet waar hij is. Hij heeft het me niet eens laten uitleggen.'

'Nou, als hij de waarheid hoort…' zegt Mary.

Ik schud mijn hoofd. 'Dat is nog niet alles. Er is een misverstand geweest bij de oma van Mark. Die heeft mij koffie zien drinken met Josh en haar conclusie getrokken.'

Mijn wangen branden, en Josh zit aan de overkant van de kamer verward te kijken. Dan schiet hij in de lach. Oké, ik weet dat Josh een soort Adonis is, maar als we allebei ongebonden waren geweest, dan was het toch niet uitgesloten dat er iets was ontstaan? Wat het echt zo'n belachelijk idee?

'Dacht ze dat Josh en jij een stel waren?' vraagt Mary.

Nu lacht zij ook. Wat is er nou zo grappig? Ja, ik heb misschien wat reservekussentjes om mijn taille, en oké, mijn haar heeft wel eens beter gezeten en misschien loens ik een beetje, maar volgens mij zou ik Josh wel kunnen krijgen. Ik moet er alleen maar harder van huilen als ik bedenk dat mensen me zo onaantrekkelijk vinden. Telt persoonlijkheid niet meer mee?

'Penny, ik ben homo,' zegt Josh.

'Je bent wat?'

'Homo,' zegt Josh langzaam.

'En Mel dan?'

'Wat is er met hem?'

O. Is Mel een hij. Ik dacht… Nou ja, we weten allemaal wat ik dacht. Nu voel ik me naast verdrietig ook nog belachelijk. Kan het erger? Zegt maar geen ja, het zou best kunnen.

'Oké, nou, het maakt niet uit of je homo bent of niet. Mark weet dat niet en Mark weet ook niet dat ik geen verhouding met je heb.'

Ik moet nog een beetje bekomen van de schok dat Josh homo is, maar het bewijst alleen maar hoe weinig we eigenlijk van elkaar weten. Het is allemaal zo frustrerend, zag Mark dat maar in.

'Wat ga je nu doen?' vraagt Rebecca.

'Ik weet het niet. Ik ben naar zijn werk gegaan. Hij werkt de hele week op locatie, en ik heb geprobeerd daarheen te gaan, maar ze lieten me niet binnen. Ik heb geprobeerd uit te vissen in welk hotel hij zit, maar dat liep niet al te best.' Het beeld van de man in de regenjas trekt aan me voorbij, maar dan schud ik mijn hoofd om het kwijt te raken. 'Ik weet niet wat ik nog meer kan doen. Het is zo'n puinhoop. Net nu het allemaal zo goed is gelopen. Ik heb zo mijn best gedaan om de bruiloft te plannen en nu zal hij er helemaal niets van zien.'

'Dat moet je niet zeggen,' zeg Mary. 'Je hebt nog een paar

dagen. Misschien wil hij het uitzoeken als hij wat tot rust is gekomen. Heb je zijn familie de waarheid verteld? Kunnen zij geen goed woordje voor je doen?'

'Ik heb het zijn oma verteld. Ik kon het niet aan om het zijn moeder te vertellen. Zij zullen allebei proberen contact met hem op te nemen om te zeggen dat hij met mij moet praten, maar ook voor hen neemt hij de telefoon niet op. Het lijkt wel alsof hij iedereen buitensluit.'

'Maar al dat harde werken,' zegt Mary hoofdschuddend. 'Er moet toch iets zijn wat je kunt doen, iets wat je kunt proberen.'

Ik weet dat iedereen zegt dat gedeelde smart halve smart is, maar deze keer voelt dat niet zo. Ik heb eerder het idee dat mijn problemen zich vermenigvuldigen als kikkerdril.

'Ik heb een idee,' zegt Josh.

Een uur later zit ik bij Josh thuis in de woonkamer en vraag me af wat ik er in vredesnaam doe. Ik ben net voorgesteld aan Mel, de man, en die helpt Josh alles klaar te zetten.

'Wat spannend,' zegt Rebecca, en ze knijpt in mijn arm.

'Ik ben stikzenuwachtig. Denk je dat dit lukt?'

'Ik ken je verloofde niet, maar ik hoop van wel.'

'Oké, Penny, we zijn klaar voor jouw rol als ster van de dag,' zegt Josh.

Ik sta op van de bank en loop Josh' eetkamer in, waar de videocamera is opgesteld. Het idee is dat ik Mark een videoboodschap stuur. Ik weet dat het een riskante strategie is en het is heel goed mogelijk dat hij hem niet wil afspelen. Maar als ik een brief schrijf, bestaat de kans dat hij hem verscheurt voordat hij hem leest, en hij reageert ook niet op berichten op de voicemail.

Het idee is van Josh, en ik denk dat het mijn beste kans is om Mark naar mijn uitleg te laten luisteren zonder dat hij me buitensluit. We moeten maar hopen dat hij er echt naar kijkt, wanneer we de opname hebben gemaakt en Mark hebben weten te vinden om hem een exemplaar te geven.

'Oké, Penny, ga hier maar zitten,' zegt Josh.

Ik doe wat me is gezegd en strijk mijn haar glad. Ik weet dat een beetje pluis wel de minste van mijn zorgen is, want ik zit hier met ogen die dik en rood zijn van al het huilen.

'En actie,' zegt Josh met een glimlach.

Bij het zien van Josh in de rol van regisseur moet ik glimlachen, voor het eerst sinds mijn vrijgezellenavond.

'Mark, ik weet dat je niets van wat ik te vertellen heb, wilt horen, maar je moet mijn kant van het verhaal ook horen. Ik zal je de waarheid vertellen, wat ik van het begin af aan had moeten doen, toen je me ten huwelijk vroeg. Maar ik was bang dat je teleurgesteld in me zou zijn, en ik kon het niet verdragen dat je me zo zou gaan zien.

Ik dacht dat als ik het allemaal kon rechtzetten, dat ik je dan niet zou hoeven kwetsen. Maar dat is anders gelopen, hè?

De waarheid – als je die nog niet hebt gededuceerd aan de hand van de bankafschriften – is dat ik een gokprobleem heb. Internetbingo, om precies te zijn.'

Ik doe mijn ogen dicht omdat ik precies weet wat Mark naar het beeldscherm zal roepen.

'Ik weet dat je zult zeggen dat het stom van me was, en dat was het ook. Ik kan niet uitleggen wat me heeft bezield. Het leek wel alsof ik in trance was. Ik wilde gewoon een perfecte bruiloft zodat we een sprookjesachtige dag zouden hebben, waarop alles magisch mooi was en waar iedereen vol bewondering aan terug zou denken. Nu ik het hardop uitspreek, klinkt het belachelijk. Ik weet nu dat stoelhoezen, tafelconfetti of witte duiven niet de sleutel zijn tot een gelukkig huwelijk. Ik weet nu dat vertrouwen en oprechtheid daar het fundament van zijn, en die heb ik vernietigd.

Je vroeg je af waarom je Josh niet herkende als een van mijn collega's, en dat komt doordat hij niet van mijn werk is. Hij is mijn mentor bij de praatgroep voor gokverslaafden. Zie het maar als een AA-mentor. Hij is degene die ik mag bellen als ik aan gokken denk. En dat heeft Violet gezien. Ze heeft mij met

Josh gezien en aangenomen dat we een verhouding hadden, maar eigenlijk hielp hij me tegen mijn probleem te vechten.

Ik weet dat je nu vast denkt dat het jouw taak was om mij met mijn problemen te helpen, en tot op zekere hoogte heb je gelijk. Maar Josh heeft hetzelfde doorgemaakt als ik. Zijn gokverhalen zijn nog erger dan de mijne. Hij begrijpt wat mij bezighield, en wat nog belangrijker is, hij heeft me doen inzien wat belangrijk is in mijn leven, en dat ben jij.

Mark, ik wil met je trouwen. Dat heb ik altijd al gewild. Ik wil stadium zes met je ingaan en een gezin stichten en ik zou het heerlijk vinden om helemaal naar stadium tien te gaan en als we met pensioen zijn lekker in ons huisje op het land gaan wonen. Maar eigenlijk kunnen die stadia me gestolen worden. Het kan me allemaal niet schelen, als ik maar bij jou ben.

Ik weet dat ik de grootste fout van mijn leven heb gemaakt door te beginnen met "Verras de bruidegom", maar het gekke is dat ik er een beter mens door ben geworden. Nu vind ik alles wat ik heb niet meer vanzelfsprekend en nu weet ik wat echt belangrijk is in het leven. Die zestien uur dat ik een prinses zou zijn, zijn dat niet.

Ik zeg onze bruiloft niet af, Mark. En dat heeft niets te maken met het feit dat ik mijn jurk wil dragen of de cateraars niet wil afzeggen – het is omdat ik weet dat we bij elkaar horen. Zolang er een heel klein kansje bestaat dat jij aan het altaar verschijnt zeg ik hem niet af. Het kan me niet schelen dat ik misschien voor schut sta in het bijzijn van alle familie en vrienden als jij niet komt. Ik hoop alleen dat je me kunt vergeven en dat je er zult zijn.'

Ik weet niets meer te zeggen. Ik wil Mark zoveel vertellen en ik brand van verlangen om hem te smeken terug te komen, maar ik wil dat hij de hele video ziet. En soms heeft Mark gelijk, soms is het beter weinig te zeggen.

'Goed gedaan, Penny,' zegt Josh. 'Ik heb de opname stopgezet. Nu is het tijd om een paar van de andere delen te doen, denk ik.'

Ik ben opgelucht dat Josh vindt dat wat ik heb gezegd goed genoeg is om mijn pleidooi mee af te sluiten.

'Je hebt het super gedaan,' zegt Rebecca. 'Ik heb de zenuwen over mijn stuk.'

'Dat komt wel goed,' zeg ik. Ik wrijf geruststellend over haar arm.

Even ben ik overmand door dankbaarheid bij het besef dat de andere leden van de groep hun dinsdagavond willen opofferen om me met de opname te helpen. Mary komt met kopjes thee uit de keuken en Nick de zakenman is naar de patatzaak in de buurt om eten voor ons te halen.

Ik wil geen reclame maken voor het gokken, en ik weet dat wat ik heb gedaan verkeerd was, maar toch voel ik me een beetje gezegend met deze mensen die ik in mijn normale leven nooit was tegengekomen.

Toen we met ons groepje begonnen, legde Mary nog de meeste nadruk op de vertrouwelijkheid van onze bijeenkomsten. We mochten niemand vertellen over wat er in de groep gebeurde en de verslavingen van anderen waren zorgvuldig bewaarde geheimen, aangezien sommigen niet eerlijk waren geweest tegen hun partner en familie. En toch helpen ze me. Ik vind het geweldig dat mijn medeverslaafden hun geheimen willen vertellen om mij te helpen.

Mijn telefoon begint in mijn zak te trillen, en onmiddellijk maakt mijn maag een buiteling en begint mijn hart sneller te kloppen omdat ik hoop dat het Mark is. Mijn maag komt tot bedaren als ik besef dat het Lou maar is. Elke keer dat mijn telefoon een kik geeft, reageer ik zo. Mijn arme maag denkt dat ik de hele tijd in een achtbaan zit met al die bergen en dalen.

'Ha, Lou.'

'Hé, Pen. Al nieuws?'

Ik schud mijn hoofd maar dan realiseer ik me dat Lou dat niet kan zien. Ik ben zo moe dat ik niet goed meer kan denken. Dit hartzeer is niet bevorderlijk voor mijn slaap.

'Nee. Ik heb geen idee waar Mark is. Zijn moeder zei dat hij haar in een sms had laten weten dat hij in een hotel slaapt. En na gisteravond heb ik het zoeken naar dat hotel opgegeven.'

'Maar je moet het toch wel blijven proberen?'

'Ik weet dat het stom is, maar ergens wil ik hem niet vinden. Ik wil niet dat hij zegt dat het afgelopen is. Op deze manier kan ik in elk geval blijven hopen dat hij op de bruiloft zal zijn.'

'Nou, kan ik iets voor je doen? Wil je dat ik probeer hem te vinden?'

'Eigenlijk wel. En ik wil dat je iets voor me bezorgt. Wat ben je nu aan het doen?'

'Ik ben aan het strijken.'

'Sinds wanneer strijk jij?'

'Sinds ik in verwachting ben en de kreukels in het dekbed me ineens irriteren.'

'Lou, als je vriendin zal ik je redden van je idiote gestrijk. Ik zal je het adres van mijn vriend Josh sms'en, dan kun je langskomen en zien waar we mee bezig zijn.'

'Josh met de ogen?'

'Hm-m,' zeg ik, hopend dat niemand ons gesprek kan volgen. 'Ik kom zo snel mogelijk.'

'Kun je onderweg wat bruidstijdschriften meenemen?' vraag ik.

'Wat ben je van plan?'

'Dat zul je wel zien,' zeg ik cryptisch.

Ik voel me alsof ik de afgelopen vierentwintig uur buiten mijn lichaam ben getreden. Het maken van de opname waarvan ik hoop dat hij Mark zal overhalen voor het altaar te verschijnen, was een van de meest uitputtende dingen die ik ooit heb gedaan. Het voordeel daarvan was dat ik vannacht negen uur achter elkaar heb geslapen. Dat houdt in dat ik vandaag bijna als mens functioneer.

Vandaag is het woensdag – nog maar drie nachtjes slapen tot

de bruiloft. Ik weet nog dat ik deze dag maanden geleden al heb vrijgemaakt op mijn werk en me voorstelde dat ik in een toestand van gelukzaligheid rond zou zweven, opgewonden over wat er te gebeuren stond. Ik heb me zeker niet voorgesteld dat ik om zeven uur 's avonds nog in mijn pyjama zou zitten omdat ik me de hele dag niet heb aangekleed en me zou afvragen of er wel een bruiloft zou zijn.

Josh en Lou zullen zo wel komen. Morgenochtend lanceren we de operatie 'Zock de bruidegom'.

Als dit alles voorbij is, ben ik Josh ontzettend veel dank verschuldigd. Hij stuurde me vanmorgen een sms om te zeggen dat hij bijna klaar was met de montage. Hij had de hele nacht doorgewerkt. De planning van deze bruiloft heeft me veel dingen geleerd, en een ervan is hoe vrijgevig mensen kunnen zijn.

De bel gaat en ik sta op. Ik weet dat ik moeite had moeten doen om mijn haar te wassen en dat ik waarschijnlijk een douche had moeten nemen voordat ze kwamen. Opeens raak ik in paniek en vraag me af of het Mark is. Dan besef ik dat hij een sleutel heeft en niet hoeft aan te bellen.

Als ik de deur opendoe zie ik Lou staan. Ze heeft in de ene hand een zak met afhaaleten en in de andere een grote doos chocolaatjes.

'Blij dat je je voor mij hebt omgekleed,' zegt Lou lachend. 'Hopelijk heb je honger.'

Ik had eigenlijk niet aan eten gedacht, maar opeens rammel ik van de honger. Als er zaterdag wordt getrouwd, loop ik het risico dat ik niet in mijn jurk pas na twee keer kant-en-klaar eten in twee dagen. Om maar te zwijgen van de calorieën die in een doos chocolaatjes zitten.

'Ik rammel,' zeg ik.

'Ik ook. En ik lust eindelijk weer curry.'

Ik wil net de deur dichtdoen, maar dan hoor ik iemand roepen.

'Wacht even.'

Ik doe de deur weer open, en daar is Josh.

'Hoi, ik heb ze!' roept hij terwijl hij het tuinpad op loopt.

Ik omhels Josh en loop met hem naar de keuken.

'Wil je hem nu zien?' vraagt Josh.

'Reken maar,' zeg Lou. 'Maar we moeten eerst eten.'

'We nemen wel een bordje op schoot,' zeg ik schouderophalend.

Lou hapt hoorbaar naar adem. Ik weet het, ik wijk af van de norm. Meestal ben ik heel streng en wil ik niet dat er in de zitkamer wordt gegeten. Vooral omdat ik altijd knoei als een baby en onze namaaksuède bank geen vlekkenbehandeling heeft gehad. Maar in een ingestort leven is dit wel een van mijn minste zorgen.

Zo snel mogelijk scheppen we de porties op borden omdat we alle drie staan te popelen om de dvd te zien.

Josh heeft me niet verteld dat hij briljant is in het monteren van opnames. Ik stelde me voor dat het eruit zou zien als een opname die op scholen wordt gemaakt met bruuske overgangen en onelegante belichting, maar niets is minder waar.

Mijn vlammend pleidooi komt als eerste, voordat de strakke montage ons meeneemt op de reis van mijn leven in de afgelopen drie maanden. Mary, Rebecca, Josh en Nick vertellen het verhaal van hun gokverslaving en praten erover dat de groep hen van hun problemen af heeft geholpen.

Daarna komt de gelikte montage van mij, terwijl ik probeer een boeket bloemen te schikken, wat me nog steeds niet lukt. Ik lever er zelf commentaar bij dat ik bloemschiklessen had genomen om te proberen geld te besparen.

Vervolgens demonstreer ik mijn vaardigheid met de schaar terwijl ik uitleg dat ik vrijwilligerswerk in het museum heb gedaan om korting te krijgen op de receptie. Ik ben nu echt supersnel met de kartelschaar.

Aan het eind van de opname verbrand ik de bruidstijdschriften die Lou had gekocht symbolisch en probeer ik Mark te vertellen hoezeer ik ben veranderd tijdens alle inspanningen om de bruiloft te plannen. Tranen biggelen over mijn wangen.

Het ziet er ongelooflijk goed uit. Als ik Mark was, zou ik mij terugnemen. Maar ja, als ik Mark was, was ik helemaal niet in deze ellende verzeild geraakt!

'Wat prachtig,' zegt Lou.

Ze huilt tranen met tuiten, maar ik weet niet of dat te maken heeft met het filmpje of met haar zwangerschapshormonen. Gisteravond huilde ze toen Nick haar zijn laatste patatje gaf.

'Ik hoop dat het goed genoeg is,' zeg ik.

'Nou, ik zou met je trouwen als ik dat had gezien. En ik geloof niet eens in het huwelijk en ik ben homo. Zo goed is het,' zegt Josh.

Ondanks alles moet ik lachen om Josh.

'Ontzettend bedankt voor al je hulp. Ik weet niet hoe ik je hier ooit voor kan belonen.'

'Doe niet zo raar. Ik vond het leuk om lekker achter mijn pc door te halen zonder er geld bij te verliezen. Maar goed, ik ben kapot, dus ik ga naar huis. Ik heb zes exemplaren voor je gemaakt voor het geval dat.'

'Zes?'

'Ja. Ik weet dat het een beetje overdreven is, maar je weet maar nooit.'

'Dank je wel, Josh. Voor alles.'

Terwijl we de deur uit lopen, schiet me iets te binnen.

'Je bent zaterdag zeker niet vrij, hè?'

'Laat me raden. Je wilt dat ik een opname maak van de bruiloft.'

'Nou, als er een bruiloft is.'

'Krijg ik gratis eten?'

'Absoluut.'

'Dan doe ik mee. Succes,' zegt hij, en hij geeft me een dikke knuffel.

'Dank je, dat zullen we nodig hebben. En, Josh, nodig Mel ook maar uit voor de avond.'

'Oké, leuk,' zegt hij, en hij loopt het pad af.

Ik ga weer naar binnen, de zitkamer in, waar Lou zich nu weer kan beheersen en niet meer huilt.

'En, hoe gaan we de dvd aan Mark geven en hoe zorgen we ervoor dat hij hem bekijkt?' vraag ik.

Een film hebben die een Oscar waard is, is mooi, maar nu moeten we er nog voor zorgen dat Mark ernaar kijkt. Ik leef bijna vijf jaar met hem maar ik heb hem geen enkele keer kunnen overhalen om te kijken naar *Strictly Come Dancing*.

'Nou, ik heb vandaag naar Kinetic-Co gebeld,' zegt Lou. 'Ik heb een beetje gebluft en ben erachter gekomen dat hun financiële afdeling in blok 4 zit, en dat gebruikt uitgang B. Ik blijf gewoon bij de uitgang rondhangen tot ik de auto van Mark zie en dan rij ik achter hem aan tot hij stopt. Ik heb een laptop bij me, want stel je voor dat hij hem samen wil bekijken. Zo niet, dan dwing ik hem een dvd aan te nemen.'

'Je kunt niet urenlang in je auto blijven zitten. Je bent zwanger.'

'Ik red me wel. Het vriest niet of zo. Ik zet mijn rugleuning een beetje achterover en luister naar Radio 1. Echt, het is veel relaxter dan twee uur op kantoor.'

Ik ben niet echt overtuigd door het plan van Lou. Het klinkt mij niet als waterdicht in de oren. Ik overweeg het zelf te doen, maar omdat Mark niet heeft teruggebeld, heb ik de indruk dat ik wel de laatste ben die hij nu wil zien. Ik kan alleen maar hopen dat haar plan slaagt, want ik heb niet veel tijd meer en alternatieven evenmin.

24

Als ik zeg dat gisteren eindeloos heeft geduurd, druk ik het zachtjes uit. Gisteren was de langste dag in de geschiedenis der mensheid.

Ik ben bij het krieken van de dag opgestaan. Ik heb een douche genomen, me geschoren en ingesmeerd waar dat nodig was. Ik heb mijn haar in pijpekrullen geföhnd, zoals Mark het mooi vindt, en ik heb me helemaal opgemaakt. Allemaal vóór zeven uur. Allemaal voorbereiding voor als Mark de film heeft bekeken en naar me toe kwam racen.

Ik ben de op één na laatste avond van mijn leven als single om twaalf uur 's nachts naar bed gegaan, nog steeds helemaal aangekleed.

Ik had gehoopt dat Mark naar huis zou komen. Lou had me gebeld en het hele treurige verhaal verteld. Haar plan is gelukt en ze is achter hem aan gereden, naar een benzine-pomp. Ze is naar hem toe gewaggeld, en voordat hij de kans had de tank vol te gooien, begon ze over de film te praten. Hij draaide zich om en keek haar aan, waarna hij tegen haar zei dat hij niet wilde horen wat ze te zeggen had en dat hij die 'verdomde film' niet wilde zien. Mark vloekt nóóit. Kennelijk is hij kwader dan ik hem ooit heb gezien.

Lou zei dat het haar nog net was gelukt de dvd zijn auto in te frisbeeën voordat hij instapte en wegreed. Ze zei dat hij niet rot tegen haar heeft gedaan, maar waarschijnlijk komt dat doordat ze er nu behoorlijk zwanger uitziet. Het voordeel van je geschillen laten uitvechten door een zwangere vrouw is dat de andere partij niet tegen haar mag schreeuwen. Het nadeel is dat Mark, tegen de tijd dat Lou naar haar auto terug was gewaggeld, al weg was gescheurd en we nog steeds niet weten waar hij zit.

Ik had wanhopig graag gewild dat we gisteravond alles hadden uitgepraat omdat mijn moeder nu elk moment voor de deur kan staan. Ik had geen zin om het geval van de vermiste verloofde aan haar uit te leggen. Ik had min of meer gehoopt dat het allemaal goed zou komen en we nog lang en gelukkig zouden leven en dat niemand het verder hoefde te weten.

De bel gaat. Ik weet dat ik moet opendoen, maar het lijkt wel alsof ik door stroop waad om er te komen. Ik spring nu niet meer op als de bel gaat omdat ik weet dat het Mark toch niet is. Om deze tijd 's morgens kan het alleen mijn moeder zijn.

'Hallo, liefje,' zegt ze.

Ik geef haar een kus en kan alleen maar naar haar hand staren omdat ze daar mijn trouwjurk in heeft in een kledinghoes. De trouwjurk voor de bruiloft die waarschijnlijk niet doorgaat.

'Lieve help, je ziet er, eh…' zegt ze, en ze dringt langs me heen. Ik weet dat ik er niet uitzie. Ik heb op de rand van mijn bed gezeten en gepiekerd over wat ik moest doen, in plaats van dat ik de make-up van gisteravond eraf heb gehaald, en die is over mijn hele gezicht uitgelopen.

'Ik heb een lijst gemaakt van dingen die we vandaag moeten doen. Waar is Mark? Ik moet de jurk verstoppen voordat hij hem ziet.'

'Hij is er niet.'

'Prima, dan hang ik hem in de kast op de logeerkamer. Wanneer komt hij terug?'

Ik heb geen energie meer om te praten, dus ik haal mijn schouders op.

'Wat is er aan de hand?' vraagt ze.

De aanblik van mijn moeder en de bezorgde uitdrukking in haar ogen zijn genoeg om me in huilen te doen uitbarsten.

'Penny, wat is er met jou?'

Ik kan het niet opbrengen het hele verhaal voor de miljoenste keer te vertellen, dus ik leid haar naar de zitkamer en duw haar op de bank neer. Ik druk op PLAY op de dvd-speler, neem de jurk van haar over en loop de kamer uit.

Deze dvd-truc is geweldig. Misschien moet ik alle vreselijke verhalen uit mijn leven op de schijf zetten, dan hoef ik niet steeds weer hetzelfde te vertellen.

Ik weet dat ze min of meer verwacht dat ik in de kamer blijf en er samen met haar naar kijk, maar ik kan het niet verdragen mijn smeekbede aan Mark nog eens te horen. Nu ik weet dat hij er waarschijnlijk naar heeft gekeken en nog niet heeft gereageerd, vind ik het nog veel erger.

Ik rits de kledinghoes open en slaak weer een zucht van bewondering bij het zien van de jurk. Stomkop die ik ben. Waarom heb ik ooit gedacht dat ik een jurk van duizenden ponden moest hebben? Op dit moment zou ik in een aardappelzak nog wel met Mark willen trouwen. Oké, een aardappelzak en Louboutins zouden bij elkaar vloeken. Dus een aardappelzak en blote voeten zouden ook oké zijn. Nu weet ik, te laat, dat het niet uitmaakt

'Heeft Mark dit gezien?'

Ik kijk op en zie dat mijn moeder in de deuropening van de logeerkamer staat.

'Lou heeft hem een dvd gegeven maar ik weet niet of hij hem heeft gezien. Hij denkt dat ik een verhouding met Josh heb gehad!'

'De man met die mooie ogen op de film?'

Ik knik. Kennelijk ben ik niet de enige die gebiologeerd is door zijn ogen.

277

'En toen je hem vertelde dat dat niet zo was, wilde hij toen niet luisteren?'

'Ik heb hem niet gesproken.'

'Penny, je gaat morgen trouwen. Over acht uur heb je je repetitie. Hoe moet dat als hij niet komt?'

'Dat weet ik niet.'

O, god. De repetitie. Door alle commotie ben ik de repetitie helemaal vergeten. Op je trouwdag een blauwtje lopen voor het altaar is al erg genoeg, maar hoe kom ik door die repetitie heen? Hoe leg ik dominee Phillips uit dat er geen bruidegom is? Ik denk niet dat ik hem ervan kan overtuigen dat dit bij het 'Verras de bruidegom' hoort. Hij was niet zo gecharmeerd van het hele idee.

We hebben in de kerk alleen onze ouders en de bruidsmeisjes plus aanhang uitgenodigd, en Marks broer die de fotografie zou regelen. Zou Marks familie nog wel komen?

Ik heb zijn moeder elke dag aan de telefoon gehad, en zij weet niet veel meer dan ik. Kennelijk heeft Mark tegen haar gezegd dat het wel goed met hem gaat. Ik wil niet gaan analyseren wat 'wel goed' inhoudt; daar heb ik de energie niet voor.

Mijn moeder kijkt op haar horloge.

'We moeten vandaag zoveel doen. We moeten je taarten nog regelen en die naar de receptielocatie brengen. We moeten jou ook nog fatsoeneren. Moet je je nagels zien,' zegt ze vol afkeer. Ze grijpt mijn hand en trekt hem zo fel omhoog dat ik denk dat mijn arm uit de kom schiet.

'Wat heeft het voor zin, mam? Wat maakt het uit als ik Mark niet zover krijg dat hij komt?'

'Penelope, als jij diep in je hart dacht dat hij niet zou komen, dan had je de bruiloft afgezegd. Wat we moeten doen, is ons richten op het regelen van de bruiloft en Mark zover krijgen dat hij naar de dvd kijkt.'

'Hoe komt het dat je me niet staat uit te foeteren om wat ik heb gedaan?'

'Penny, we maken allemaal fouten. Je oma heeft ooit het huishoudgeld aan bingo opgemaakt en we hebben toen allemaal een hele week broodschotel moeten eten.'

Jemig, blij dat ik daar niet bij was. Ik gruwel van broodschotel.

'Iedereen die naar de film kijkt, ziet hoe erg jij het vindt en hoezeer je ten goede bent veranderd. Ik bedoel, ik ben ontzettend onder de indruk van je planning met zo'n klein budget. Ik heb het even niet over het feit dat jij mij in vertrouwen had kunnen nemen en dat je het Mark had moeten vertellen. Maar echt, schatje, ik ben trots op je.'

'Echt waar?'

Mijn moeder gaat naast me op het bed zitten en legt haar armen om mijn schouders.

'Echt. Je had een verslaving en een probleem en je hebt ze allebei aangepakt. Ook wilde je Mark niet kwetsen, en ik denk dat hij je drijfveren wel zal begrijpen, ook al had je het beter anders kunnen doen.'

Niet te geloven dat mijn moeder net heeft gezegd dat ze trots op me is. Dat heeft ze nog nooit tegen me gezegd. Toen ik cum laude afstudeerde niet, en toen ik van al die kandidaten werd uitgekozen voor mijn perfecte baan in de HR ook niet. Ik heb er nooit aan getwijfeld dat ze trots op me was, maar nu ik het hardop van haar hoor, doet het mijn zelfvertrouwen goed.

Het is ook de schop onder mijn kont die ik nodig heb om een douche te gaan nemen en de make-up van gisteravond eraf te wassen. Binnen een uur heb ik crèmespoeling in mijn haar gedaan, een bad genomen en ben ik klaar om de rol van blozende aanstaande bruid te spelen. Zo voel ik me niet, maar zo zie ik er in elk geval wel uit.

Het is echt geweldig dat mijn moeder er is. Ik wou dat ik haar deze hele ellendige week om me heen had gehad. Meestal vat ik het als een belediging op als ze langskomt en de stofzuiger pakt, maar vandaag smoor ik haar bijna met een enorme knuffel. Ze heeft niet alleen mijn hele huis gepoetst, me geholpen alles naar de receptielocatie te brengen en me naar de bloemengroothandel gereden, maar ze heeft me ook bij een schoonheidssalon afgezet.

Ik wilde nog tegensputteren maar ze zei dat mijn wenkbrauwen net die van professor Perkamentus waren. Nu zijn mijn wenkbrauwen geëpileerd en in vorm gebracht, mijn teennagels gelakt en laat ik mijn nagels doen. Ik begin me een heel klein beetje feestelijk te voelen.

'Ben je zenuwachtig om in het bijzijn van al die mensen te trouwen?' vraagt de vrouw die mijn nagels polijst.

Ik wil haar niet vertellen dat ik zenuwachtig ben omdat ik misschien níet trouw in het bijzijn van al die mensen. Ik heb ook niet de kracht om haar de waarheid te vertellen en heb ook de dvd niet bij me om hem te laten zien.

'Nee, het wordt geweldig.'

Ja, ik voel me echt net zo'n meid uit een tienerserie. Als ik lieg, is het net alsof ik in een ster van een Amerikaanse realityserie verander. Straks zeg ik nog 'lauw' en 'jeweettoooch' en al die andere woorden die Mark uit het huis verbannen heeft.

'Wat voor jurk heb je? Is het zo'n grote prinsessenjurk?'

'Nee,' zeg ik lachend. 'Hij is heel bescheiden, bijna Griekse stijl.'

'Hij zal wel prachtig zijn.'

'Dat is hij zeker.' Ik probeer er maar niet aan te denken dat de mogelijkheid bestaat dat ik die jurk nooit zal dragen.

'Ga je naar een mooi land met huwelijksreis?'

'Naar Mexico.'

Dat is in elk geval waar. Mijn naam staat op het ticket. Ik ga naar Mexico. Misschien zit ik daar de hele dag in mijn eentje boven mijn cocktail te huilen, maar dat kan me niet schelen. Wat kun je beter doen als je treurt om een huwelijk dat niet doorging dan op vakantie gaan? Naar een stellenhotel, ongetwijfeld omringd door pasgetrouwden. Daar had ik nog niet over nagedacht.

'Ik zou het fantastisch vinden om naar Mexico te gaan. Wat een geluk heb jij.'

'Inderdaad, dat vind ik ook.'

Volgens mij heeft mijn moeder iets in mijn thee gedaan. Ik heb haar er altijd van verdacht dat ze valium slikt; zo opgewekt en blij als ze altijd is. Hoe kan ik anders verklaren dat ik niet in tranen uitbarst bij deze Spaanse inquisitie waar de manicure me aan onderwerpt?

'Alles goed, liefje?' vraagt mijn moeder.

Goddank is ze gekomen om me te redden.

'Ha, mam. Is alles gelukt wat je moest doen?'

'Missie volbracht. Ik zal daar even op je wachten.'

Ik weet niet waar mijn moeder heen is gegaan. Ze zei alleen dat ze wat dingen moest regelen. Ik hoop maar dat dat geheimtaal was voor Mark opsporen en hem een een schop tegen zijn achterste te geven, maar ik denk dat dat te veel gevraagd is.

'Zo, je bent klaar,' zegt de manicure. 'Alleen niet te veel doen, anders beschadig je de lak. Een heel fijne dag en vergeet niet terug te komen om de foto's te laten zien!'

'Dank je wel! En natuurlijk kom ik de foto's laten zien.'

Misschien wel de foto's van mij, die de taart helemaal alleen opeet bij wijze van troost, maar één ding is zeker: morgen om deze tijd zijn er foto's.

'Oké, lieverd. Tijd voor de repetitie?' vraagt mijn moeder.

Ik knik. Het heeft weinig zin daar te laat voor te komen. Het zou fijn zijn als in elk geval de helft van het stel komt opdagen.

Ik verwacht dat de kerk leeg is als ik binnenkom, maar niets is minder waar. Lou en Russell zijn er, Marks ouders zitten op de voorste bank. Marks broer Howard en zijn vrouw Caroline en hun kinderen zitten achter zijn ouders, en mijn vader en zus zitten aan de andere kant van het gangpad te kletsen.

Oma Violet staat naast dominee Phillips, en zodra ze me ziet werpt ze me een ongelooflijk schuldbewuste blik toe.

'Ha, Penelope. Wat fijn dat je er bent. Ik maakte me al zorgen,' zegt dominee Phillips. 'Is Mark niet meegekomen?'

Wat een tegenvaller. Ik wist dat de kans klein was dat hij hier zou zijn, maar toch hoopte ik dat hij zou komen.

'Ga me nou niet vertellen, Penelope, dat je nog steeds bezig bent met het "Verras de bruidegom". Ik heb je toch gezegd dat de kerk daar niet aan mee kan doen?'

'Ik...'

Ik hoor de deur van de kerk en mijn maag maakt een sprongetje bij de gedachte dat het Mark is. Ik draai me om en zie Phil binnenkomen.

'Sorry. Het spijt me dat ik laat ben. Het verkeer is rampzalig.'

Phil loopt naar me toe en geeft me een kus op mijn wang, zoals hij altijd doet, en dan loopt hij door naar het eind van het gangpad.

'Waar is Mark?' vraagt hij, beseffend dat Mark nergens te bekennen is.

O, god, Phil weet nog van niets. Mark is vijf nachten geleden vertrokken en heeft niets tegen zijn beste vriend gezegd. Waar zit Mark toch? Wat voert hij uit?

Ik wil mijn mond opendoen en de waarheid vertellen. Het is genoeg geweest. Ik hoop dat Mark morgen wel komt opdagen, maar ik zal gewoon moeten accepteren dat hij niet komt. Als hij van plan was met me te trouwen, zou hij wel naar de repetitie gekomen zijn. Ik moet de feiten onder ogen zien.

'Hij is...' zeg ik.

'Hij heeft voedselvergiftiging,' zegt Howard, die over me heen praat. 'We zijn gisteren curry wezen eten en waarschijnlijk waren zijn garnalen niet gaar.'

Howard praat tegen Phil maar kijkt mij aan.

'O jee. Nou, het zal niet de eerste keer zijn dat we een repetitie voor een bruiloft zonder de bruidegom moeten doen. Meestal is dat zo als ze de vrijgezellenavond een paar dagen voor de bruiloft hebben gehad, maar weet je, dit soort dingen kan gebeuren,' zegt dominee Phillips.

'Ik val wel in voor Mark,' zegt Marks vader.

Ik kijk mijn moeder aan, die steekt twee duimen omhoog. Ik weet niet wat ze heeft gedaan, maar om een of andere reden denk ik dat het gedrag van Marks familie aan haar te danken is.

'Mooi, mooi. Nou, vooruit. Posities, mensen. Goed, vader van de bruid, gaat u met uw dochter aan het andere eind van het pad staan.'

Mijn vader loopt opgewekt door het gangpad. Misschien heeft mijn moeder hem ook valium toegediend. Ik kan nu maar beter alleen water drinken.

'Je ziet er prachtig uit, lieverd,' zegt hij, en hij steekt zijn arm door de mijne.

'Dank je, pap.'

'Goed zo. De organist begint zo te spelen en dan komt u hierheen lopen.'

Als door magie begint de organist, van wie ik niet eens wist dat hij er was, de bruidsmars te spelen. Ik voel dat mijn hele lichaam gaat tintelen zoals het in zoveel van mijn trouwfantasieën heeft getinteld. Maar ik moet toegeven dat deze tinteling niets te maken heeft met enige trouwfantasie die ik ooit heb gehad. Om te beginnen liep ik nooit Marks vader tegemoet naar het altaar.

Ik besef hoe verkeerd het is dat Marks vader daar staat in te vallen voor Mark wanneer ik mijn trouwbelofte doe. Laten we het deel overslaan waarin ik me bijna verslik in het 'in rijkdom en in armoede' en doorgaan naar het deel waarin ik tegen Marks vader zeg: 'mijn hele wezen deel ik met jou'. Mijn wangen worden zo paars als mijn haar ooit was. Dit is niet hoe het hoort te gaan.

'U mag nu de bruid kussen,' zegt dominee Phillips.

Ik kijk geschrokken Marks vader aan en gelukkig kijkt hij net zo bezorgd.

'Grapje,' zegt dominee Phillips. 'Ik ben geen groot voorstander van kussen in de kerk. Wat mij betreft hoort het niet bij de ceremonie.'

Wat een opluchting. Niet dat ik Mark niet zou willen zoenen, maar voor zijn vader bedank ik toch.

'Oké. Penelope, Mark en jij zijn nu getrouwd en dan neem ik jullie mee om het register te tekenen. Wie zijn je getuigen?'

'Lou en Phil.'

'Mooi. De getuigen. Dat houdt het makkelijk voor mij. Dan tekenen we allemaal het register en breng ik jullie terug naar je plaats voor de congregatie en verkondig ik jullie huwelijk aan de kerk.'

Marks vader heeft zijn arm door de mijne gestoken, en we draaien ons om naar de anderen. Ze klappen beleefd, en dan dringt het tot me door dat Mark hierbij hoort te zijn. Het is zo ontzettend jammer dat hij dit mist. Er dreigt een traan over mijn wang te rollen, maar ik laat hem niet los. Ik heb met opzet vanochtend geen waterproof mascara gebruikt, bij wijze van traanpreventie. Het is heel doeltreffend. Maar de binnenkant van mijn mond wordt zwaar toegetakeld omdat ik in mijn wang moet bijten om mezelf met de pijn af te leiden zodat ik niet ga huilen.

We lopen door het gangpad en iedereen klapt en zwaait, en ik probeer dezelfde vrolijke stemming op te roepen, maar dat lukt niet. Ik weet dat Marks familie ontzettend lief meedoet, maar wat heeft het voor zin als Mark niet komt? Is het niet gewoon uitstel van executie?

Ik draai me om en bedank dominee Phillips. Hij zegt dat hij zal bidden voor Marks snelle herstel. Het geeft mij het vreselijke gevoel dat we met één leugentje met z'n allen liegen tegen de man daarboven, en dat betekent natuurlijk dat ik in de hel beland.

Dominee Phillips laat ons uit, de frisse buitenlucht in, en ik begin van iedereen afscheid te nemen. Lou geeft me een dikke knuffel en fluistert dat ik haar vanavond mag bellen als ik wil. Phil geeft me nog een kus, en terwijl hij wegloopt zie ik mijn moeder hem een dvd geven. Leuk, hoor. Is er nog iemand die mijn geheim niet kent?

Voordat ik me schielijk kan terugtrekken in de veiligheid van mijn auto en lekker kan uithuilen, want dat wil ik nu het liefste doen, grijpt Marks moeder mijn arm en trekt me mee het kerkhof op.

'Heb je hem al gesproken?' fluister ik. Plotseling voel ik me net een spion in een film, want dat dominee Phillips erachter komt waarom Mark er niet was, is wel het laatste wat ik wil.

'Nee. Ik heb berichten van hem gehad en ik blijf tegen hem zeggen dat hij met jou moet praten, maar op die berichten reageert hij niet.'

'Heeft hij niets over de dvd gezegd?' vraag ik.

'Nee, sorry, Penny. Je moeder heeft hem aan ons laten zien. Mooi, hoor. Nou ja, niet dat gokken van je, gekke meid, maar je boodschap.'

Ik glimlach naar Rosemary. Ik hoop dat Mark komt, want ik wil dolgraag een lieve vrouw als zij als schoonmoeder.

'Ik wil alleen maar dat Mark hem ziet,' zeg ik.

Dat was het enige doel toen ik de dvd maakte.

'Ik denk dat ik daar wel bij kan helpen,' zegt oma Violet.

Die vrouw moet een *stealth*-modus hebben, want ik heb haar niet zien aankomen.

'Wat ga je dan doen?' Eigenlijk wil ik niet weten wat ze van plan is.

'Maak je daar maar geen zorgen over. Zorg jij maar dat je op tijd in de kerk bent. Hij komt heus wel.'

'Weet je het zeker?'

'Zo zeker als de dood.'

Die uitdrukking heb ik nooit goed begrepen, maar oma Violet is mijn laatste kans.

'Dank je, Violet, dat is lief van je.'

'Penny, het is wel het minste wat ik kan doen. Ik ben bang dat ik de hele toestand erger heb gemaakt.'

Dat zal ik niet ontkennen. Hoewel het probleem er helemaal niet was geweest als ik niet had gegokt, maar ik wil niet blijven muggenziften.

'Dat vind ik lief van je,' zeg ik.

'Weet ik, liefje, ik heb de dvd gezien.'

Is er nog iemand die hem niet heeft gezien? De ironie wil dat dat Mark is, degene voor wie de film eigenlijk was bedoeld.

'Maak je geen zorgen, Penny. Morgen om deze tijd ben je ook mevrouw Robinson,' zegt Marks moeder.

Ik kan niet meer glimlachen, zelfs niet om de Lemonheads die door mijn hoofd zingen. Het voelt juist alsof het nummer me uitlacht. Ik wou dat ik de overtuiging van de dames Robinson kon delen dat Mark wel komt. Het beetje hoop dat ik had, is in rap tempo aan het vervliegen.

25

Hier sta ik dan. Zo meteen stap ik in de jeep die me naar de
kerk brengt op wat de mooiste dag van mijn leven had moeten zijn. Maar het voelt als de ellendigste dag. Ik heb nog niets
van Mark gehoord en ik heb geen idee of hij voor het altaar
op me wacht.

Misschien had ik toch iets te drinken van mijn moeder moeten aannemen. Uit angst dat ze me helemaal sloom zou voeren met valium heb ik de hele dag mijn eigen drinken ingeschonken. Zelfs van de champagne die ik heb gedronken, en
waar ik anders helemaal melig en uitbundig van zou worden,
ben ik misselijk geworden.

'Je ziet er prachtig uit,' zegt Ted.

'Dank je.'

In al mijn fantasieën is dit het moment waarop ik een pirouette zou maken en de complimenten zou uitmelken, want
per slot van rekening draait deze dag helemaal om mij. Maar
dat kan ik niet. Ik weet dat ik er behoorlijk goed uitzie. Mijn
zus heeft prachtig werk geleverd met mijn make-up. Het is
haar zelfs gelukt om mijn rode ogen te camoufleren die zo
rood en opgezwollen waren alsof ik tien rondes tegen Mike

Tyson achter de rug had. Lou heeft mijn haar opzij weggesto-ken met een speld die ze bij John Lewis heeft gekocht en zelf heeft opgepimpt met diamantjes en parels.

'Je ziet eruit als een jonge Sophia Loren,' zegt Ted.

Ik glimlach zo breed als ik kan en vraag me af hoe ik met mijn jurk in de jeep moet komen. Alsof hij mijn gedachten leest, haalt Ted een krukje van de achterbank. Hij zet het voor me neer en pakt mijn hand.

Ik hijs mijn jurk op, die er heel stijlvol uitziet, neem dat maar van mij aan, en ik stap in. Ted heeft zelfs vloeipapier op de bank gelegd. Hopelijk heeft hij het aan Cathy de conser-vator gevraagd voordat hij het stal, want wat hij hier heeft lig-gen, lijkt sterk op het dure soort.

Ik zie dat hij zelfs wit trouwlint op de motorkap en om de buitenspiegels heeft bevestigd. Ik herinner me dat je een wens mag doen als je een trouwauto ziet. Ik doe mijn ogen dicht en doe een wens. Nu kan ik natuurlijk niet zeggen wat ik heb gewenst, anders komt hij niet uit, maar je kunt het vast wel raden.

'Klaar?' vraagt Ted.

'Reken maar.'

De jeep start luidruchtig en ik klamp me uit alle macht vast terwijl hij de straat uit host. Wat normaal gesproken een ritje van een kwartier is, lijk veel langer te duren, en elke keer dat we bij verkeerslichten stoppen slaat de motor bijna af.

Tegen de tijd dat we bij de kerk aankomen, weet ik niet of ik misselijk van de zenuwen ben of dat het komt door de adrenalinekick doordat ik mijn adem inhield telkens als Ted bij onduidelijke kruisingen net voor een andere auto invoegde. Wat nogal vaak gebeurde.

Ted, altijd galant, komt me helpen uitstappen. Lou en mijn zus komen aanlopen en kirren enthousiast over de jeep. Ik ver-geet elke keer dat ze daar nog niets van wisten.

Het gekke is dat alles aan deze bruiloft ontzettend cool is en soepel verloopt, behalve de bruidegom dan.

'Is hij er?' vraag ik aan Lou. Mijn stem stokt in mijn keel, bijna alsof ik het niet wil vragen omdat ik het antwoord niet wil horen.

Ze hoeven niets te zeggen want het antwoord staat op hun gezicht te lezen.

'Laten we naar binnen gaan en nog even in de wachtkamer wachten. Je bent trouwens toch een beetje vroeg.'

Mijn vader is naar ons toe gekomen, en voordat ik hem begroet grijp ik zijn pols om op zijn horloge te kijken. Het is drie uur, op de seconde. Misschien houdt Mark er rekening mee dat ik laat ben en kan hij er elk moment zijn.

Ik kijk hoopvol rond en zie alleen wat vrienden van me die nog op het nippertje naar binnen glippen, bij het naar binnen gaan hun duimen naar me opstekend.

'Kom mee,' zegt Lou.

Ik laat me de kerk in trekken.

'Ha, Penelope,' zegt dominee Phillips. 'Mark en Phil zijn er blijkbaar nog niet, dus kom maar even mee naar de wachtkamer. Ik hoop dat hij over die voedselvergiftiging heen is.'

Waarschijnlijk ziet dominee Phillips wel aan mijn gezicht dat de voedselvergiftiging een smoes is geweest. Zijn hele uitdrukking verandert, en ineens ziet hij eruit alsof hij een briljante ingeving krijgt.

'Nou, in zulke gevallen geven we hun wat tijd. Jullie zijn de laatste bruiloft van vandaag, dus we kunnen wel even wachten.'

De wachtkamer ligt vlak naast de kerk. Ik hoor het orgel spelen en het gefluister van de gasten aanzwellen. De mensen weten dat ik er ben; nu weten ze vast dat er iets niet in orde is omdat Mark niet voor het altaar op me staat te wachten.

'Kun je zien of Jane er is?' vraag ik aan Lou als we tien minuten hebben gewacht. Ik klamp me vast aan een strohalm, maar ik hoop dat Jane nieuws heeft uit het jongenskamp.

De deur gaat open en Jane komt binnen, op de voet gevolgd door Lou. Lou leunt tegen de deur en haalt diep adem. Het lijkt net of ze zich verbergt voor de paparazzi.

'Wat is er aan de hand?' vraagt Jane. 'Ik probeer Phil al anderhalf uur te bereiken, maar zijn telefoon schakelt meteen door naar de voicemail.'

'Ik denk niet dat Mark komt,' zeg ik. 'Ik hoopte alleen dat jij Phil te pakken kon krijgen zodat ik het zeker zou weten voor ik het de gasten ga vertellen.'

Ik hoor Lou naar adem happen van schrik, maar het is waar. Vroeg of laat moet iemand de gasten vertellen dat Mark niet komt en dat de bruiloft die ze hier zouden bijwonen, niet zal plaatsvinden. Voor deze keer moet ik realistisch zijn.

'Het spijt me, Penny. Ik denk dat zijn telefoon uit staat.'

Bij de medelijdende uitdrukking op het gezicht van Jane kan ik wel door de grond zakken. Zal iedereen me zo meelevend aankijken? Kan ik niet gewoon de achterdeur uit sluipen en iemand anders tegen die mensen laten zeggen dat het huwelijk niet doorgaat?

'Penelope, ik denk dat het een goed idee is om de gasten op de hoogte te stellen van wat er gaande is,' zegt dominee Phillips, die de wachtkamer in loopt. 'Het kan handig zijn als mensen even de benen kunnen strekken omdat we niet weten hoe lang ze nog moeten blijven zitten voordat we beginnen.'

'Hij komt niet,' fluister ik.

'Sorry, meisje,' zegt dominee Phillips, 'je zult een beetje harder moeten roepen.'

'Ik zei dat Mark niet komt. Blijkbaar heeft hij besloten dat hij niet met me wil trouwen.'

Ik kijk Lou aan, die tranen met tuiten huilt.

'Het spijt me, Pen, het is gewoon zo treurig, en de zwangerschapshormonen maken alles heftiger.'

Becky slaat haar arm om Lou heen om haar te troosten en met haar andere hand wrijft ze over mijn arm.

'Wil je dat ik het doe, Penny, liefje?' vraagt mijn vader.

'Nee. Dit is iets wat ik moet doen. Het is mijn puinhoop. Ik moet in elk geval het lef hebben om de waarheid te zeggen.'

Dominee Phillips kijkt me aan en dan, in een moment dat

me diep raakt, pakt hij mijn hand en leidt hij me de kamer uit. Het is maar goed dat hij me vasthoudt, anders was ik waarschijnlijk plat op mijn gezicht gegaan. Mijn benen zijn slap geworden en het voelt alsof ik door stroop waad.

Ik zie iedereen zich naar me omdraaien, zoals ze dat in mijn fantasieën altijd deden, maar in plaats van een collectieve zucht van 'O, wat is ze mooi' hoor ik iedereen geschrokken de adem inhouden. Niemand glimlacht en iedereen werpt me medelijdende blikken toe. Ik vind het vreselijk dat iedereen weet wat ik ga zeggen, maar toch moet ik het doen.

Dominee Phillips brengt me naar het altaar en laat mijn hand los op de plek waar ik me naar mijn bruidegom had moeten omdraaien. Er staat niemand die zich naar mij omdraait en die tegen me zegt dat ik er prachtig uitzie en geruststellend in mijn hand knijpt.

Ik doe mijn mond open maar er komt niets hoorbaars uit. Dominee Phillips wijst naar de lessenaar waar een microfoon op zit, en ik loop er langzaam heen.

Ik klamp me aan de lessenaar vast tot mijn knokkels wit zien en dan kijk ik op naar de congregatie. Er hangt een onheilspellende stilte waarin ik onder normale omstandigheden zou hebben gegiecheld omdat ik me ongemakkelijk voelde, maar nu niet.

'Ik wil iedereen bedanken die hierheen is gekomen. Ik weet dat jullie zijn gekomen om Mark en mij te zien trouwen, maar helaas denk ik niet dat dat zal gebeuren.'

Iedereen slaakt zachte kreten van schrik. Ik zie mijn tante Dorian, en zelfs zij kijkt ontzet. Van alle mensen zou juist zij tevreden moeten zijn dat ik de bruiloft van mijn nicht Dawn niet overtref.

'De meeste van jullie weten wel dat ik deze bruiloft heb gepland zoals ze dat doen in *Verras de bruid* en dat ik in dit geval de bruidegom zou verrassen. Jullie moeten niet denken dat dit er allemaal bij hoort en dat Mark stennis schopt omdat hij de kleren of de kapper die ik voor hem heb uitgekozen niet goed vindt.'

Tot mijn opluchting hoor ik een aantal mensen grinniken om mijn poging tot een grapje, en ik kan me er een beetje door ontspannen. Maar ik ben dan ook zo ontspannen dat ik een traan over mijn wang voel rollen.

'De waarheid is dat ik tegen Mark heb gelogen. Ik ben zijn vertrouwen kwijt en eigenlijk hoopte ik dat hij me zou kunnen vergeven, maar dat is duidelijk niet zo. Het spijt me, mensen, jullie zijn voor niets gekomen.'

Ik weet dat dit het einde van mijn toespraak hoort te zijn, maar ik kan de lessenaar niet loslaten; het is het enige wat me nog overeind houdt. Ik kan me niet bewegen. De mensen in de kerk weten ook niet wat ze moeten doen. Ze kijken elkaar aan en dan naar mij, en het lijkt wel alsof niemand in beweging wil komen.

'Mark komt niet,' zeg ik uiteindelijk in de microfoon. Het is het pijnlijkste wat ik ooit heb gezegd, en nu begrijp ik wat het is om een gebroken hart te hebben, want in mijn borst voel ik een brandende pijn.

Ik kijk naar de grond en hoop dat iemand me hier weg komt halen.

'Ik kom eraan.'

Nu ben ik echt aan het doordraaien. Ik zal me wel dingen verbeelden want ik dacht dat ik Mark hoorde.

'Wacht, Penny.'

Ik kijk op en daar staat hij, glashelder. In zijn trouwpak met zijn paarse das met een ongelooflijk slordige knoop erin. En aan zijn voeten heeft hij sportschoenen. Zelfs dat maakt niet uit; het enige wat ik belangrijk vind, is dat hij hier is.

Hij is er. Ik laat de lessenaar los en wil naar hem toe rennen, maar dan begint alles om me heen te draaien, en dominee Phillips lijkt wel twee hoofden te hebben.

'Penny!' roept Mark.

Ik probeer mijn ogen open te doen en vraag me af waar ik in vredesnaam ben. Ik lig op iets wat voelt als de meest ongemakkelijke vloer.

'Penny, gaat het weer?'

Ik hoor mijn moeder roepen, en ze schudt me zachtjes door elkaar. Ik hoor ook Marks moeder roepen dat iemand een glas water moet halen. Ik voel dat mijn hoofd wordt opgetild en dan wordt neergelegd op iets waarvan ik me alleen kan voorstellen dat het een knielkussen is. Eerlijk gezegd vond ik de vloer beter.

Ik probeer erachter te komen wat er aan de hand is, maar er hangt een mist in mijn hoofd. Ik probeer me te herinneren wat er is gebeurd. Ik stond in de kerk voor het altaar en Mark was er. Ik doe mijn ogen open en door de nevelen heen zoek ik naar hem.

'Mark?' mompel ik.

'Penny, lieverd,' zegt mijn moeder. 'Ze komt bij, ze komt bij.'

De mist voor mijn ogen trekt op en ineens kan ik iedereen om me heen zien. Mijn moeder, Marks moeder, dominee Phillips en Mark. Mark is er. Even dacht ik dat ik me zijn komst had verbeeld.

'Probeer niet te gaan zitten, liefje,' zegt mijn moeder.

Maar het heeft geen zin. Mark is hier en ik moet met hem praten. Ik begin mijn armen uit te strekken, maar tegen mijn moeder die me tegen de grond drukt, kan ik niets uitrichten.

'Ik neem het wel over,' zegt Mark.

In een flits heeft hij zich voorovergebogen en me opgetild, echt als in *An Officer and a Gentleman*. We gaan het gangpad weer door op een manier die ik me nooit had voorgesteld. Onze vrienden en familie kijken zo verbijsterd als ik me voel bij de wending die deze bruiloft neemt.

Mark draagt me naar de kleine wachtkamer achter in de kerk en zet me dan op mijn voeten. Bijna onmiddellijk zak ik op een van de stoelen in elkaar omdat mijn benen nog wiebelig zijn.

'Mark, je bent gekomen. Ik wil je zoveel vertellen.'

'Rustig aan. Je bent net flauwgevallen. We krijgen later nog genoeg tijd om te praten.'

Ik kan niet geloven dat hij hier in de kamer bij me staat. De hele week ben ik wanhopig naar hem op zoek geweest, om hem de waarheid te vertellen. En nu hij hier is, heb ik het gevoel alsof ik zaagsel in mijn hersenpan heb en niet goed kan nadenken.

'Dat ik ben flauwgevallen!'

'Het zal wel een schok zijn geweest om me te zien.'

Mark gaat op de stoel naast me zitten.

'Ik dacht niet dat je nog zou komen.'

Ik voel dat ik huil en weet niet of het tranen van vreugde zijn of van verwarring. Hoe dan ook, Mark veegt ze van mijn gezicht.

'Niet meer huilen, gekke meid.'

'Ik kan er niets aan doen. Ik dacht dat je niet meer kwam.'

'Ik ook.'

'Waarom ben je dan wel gekomen?'

Mark slaakt een zucht. 'Omdat ik op mijn kop kreeg van oma.'

'Maar hoe heeft ze je gevonden? Ik heb alle hotels geprobeerd te bellen maar ik kon geen meneer Robinson vinden.'

'Ik had me onder de naam Holmes ingeschreven. Wat is er?' zegt hij, bij het zien van mijn verwarde blik. 'Ik wist dat je zou proberen me als meneer Robinson op te sporen. Maar goed, oma Violet heeft een voicemailbericht ingesproken dat klonk alsof ze in moeilijkheden zat. Ik dacht dat ze was gevallen. Toen ik bij haar huis aankwam, bleek het een hinderlaag. Ze vertelde dat ze zich had vergist, maar ik was nog steeds woedend vanwege de bankafschriften, de leugens en het hele "Verras de bruidegom"-gedoe.'

Toen ik bijkwam had ik het warm, maar nu brand ik van schaamte.

'Ik had je geholpen! Ik had het wel begrepen,' zegt Mark.

'Dat zag ik toen nog niet in. Ik schaamde me zo voor wat ik had gedaan.'

'Oma zei dat ik ook naar de dvd moest kijken. Maar dat deed ik niet. Ik wilde het niet weten.'

Dus iedereen heeft die verhipte dvd gezien en Mark nog steeds niet.

'Vanochtend sms'te ik Phil omdat ik niet wist wat ik moest doen, en hij is toen naar mijn hotelkamer gekomen en heeft me daadwerkelijk aan een paal van het bed geketend.'

Ik trek mijn wenkbrauw op in een, naar ik hoop, suggestieve uitdrukking.

'Zo niet. Ik liep om het bed heen en hij greep mijn arm beet en heeft hem aan de paal van het bed geketend. Hij heeft zijn laptop opengeklapt en de dvd afgespeeld. Zodra ik je zag, kon ik het niet laten te kijken. Jij zorgt er áltijd voor dat ik naar je kijk, wat je ook doet.'

Ik voel weer tranen opkomen, maar nu om heel andere redenen. Mijn hart begint sneller te kloppen.

'Denk je dat je me weer zult kunnen vertrouwen?' vraag ik. In een klein hoekje van mijn geest ben ik nog bang dat hij alleen maar is gekomen om me op een vriendelijke manier te zeggen dat het uit is.

Hij kijkt me aan alsof hij in mijn ziel naar een antwoord zoekt. En dan kust hij me op mijn lippen, zo onverwacht en zo lief dat ik weer moet huilen.

'Als we eenmaal de trouwbeloften hebben gedaan, hebben we geen geheimen meer voor elkaar, begrepen?'

Hij zei 'trouwbeloften doen'. Betekent dat dat hij nog steeds met me wil trouwen?

Het is maar goed dat we wat privacy hebben, want ik trek hem naar me toe om hem een kus te geven die in een kerk waarschijnlijk niet echt fatsoenlijk is.

'Ik neem aan dat dat "Ja" betekent,' zegt Mark, als hij zich terugtrekt.

'Dat beloof ik, geen geheimen meer,' zeg ik, en ik breng twee vingers naar een denkbeeldige pet.

'Zelfs niet de schoenen die je in de logeerkamer verstopt?'

'Dat beloof ik.'

Nu hou ik achter mijn rug twee vingers gekruist. Ik ben het

er hartgrondig mee eens dat we geen grote geheimen voor elkaar meer moeten hebben, maar hij hoeft toch niets te weten
over al die schoenen die ik koop?

'Dan kunnen we maar beter het startsein geven,' zegt Mark.
'Iedereen zit zich vast af te vragen wat er allemaal gebeurt.'

'Ik hou van je, Mark. De rest doet er niet toe.'

'Jimmy Choos ook niet, zie ik,' zegt hij, naar mijn schoenen
wijzend.

'De rest doet er niet toe,' herhaal ik.

Hij drukt een kus boven op mijn hoofd en loopt de wachtkamer uit.

'Wacht even,' zeg ik, en ik trek hem naar me toe. 'Ik moet
je das even rechttrekken.'

Over die sportschoenen kom ik nog wel heen – die geven
hem een coole air, een beetje als Doctor Who. Maar de das is
echt een rommeltje, en Howard gaat zulke mooie foto's maken,
dat we niet willen dat die das ons nog jaren achtervolgt.

Terwijl ik de das fatsoeneer, sluipt Amy dichterbij en steekt
een paarse roos in zijn knoopsgat. Ze knipoogt naar me, en ik
knijp mijn ene oog dicht in een poging tot een knipoog. Waarschijnlijk ziet het eruit alsof ik een allergische reactie heb,
maar ik denk dat ze het wel begrijpt.

'Ik zie je zo,' zegt Mark, en hij grijnst naar me, waarna hij
zich omdraait en het gangpad oploopt.

Ik zie hem aarzelen. Ik volg zijn blik en zie dat hij naar Josh
kijkt, die de camera in zijn handen houdt.

Mark loopt op Josh af, en ik sta op het punt tussenbeide te
komen, maar dan steekt hij zijn hand uit en neemt Josh die
aan.

God, wat hou ik van die man. Van Mark, natuurlijk, niet van
Josh.

Mijn vader steekt zijn arm door de mijne. 'Ben je er klaar
voor, lieverd?'

'Ja. Ik ben nog nooit ergens zo klaar voor geweest.'

Het orgel begint de bruidsmars te spelen en er golft een duizelig gevoel door me heen. En niet omdat ik net ben flauw-gevallen. Dit is waar ik op heb gewacht. Al die jaren van hei-melijk plannen, al die uren dagdromen en al die verschillende manieren waarop deze gebeurtenis zou kunnen lopen.

Ik zal je één ding vertellen, in mijn dagdromen kwam niet zo'n dramatische aanloop tot de trouwbeloften voor, en een enigszins betraand gezicht evenmin. Maar het maakt niet uit dat het anders loopt dan ik me had voorgesteld. Eindelijk dringt het tot me door dat het niet belangrijk is. Het feit dat ik met de man van mijn dromen trouw, is het enige wat ertoe doet.

Ik haal diep adem en voel dat mijn vader me mee naar voren neemt. Dit is het dan. Eindelijk word ik mevrouw Robinson. Ik betwijfel of er ooit een bruid gelukkiger is geweest dan ik op dit moment.

Epiloog

Daar heb je mijn tante Dorian die met een gezicht als een oorwurm naar Mark en mij kijkt terwijl we gelukzalig over de dansvloer zweven op 'A Kiss to Build a Dream On' van de band. Mark kijkt naar me alsof ik de enige vrouw in de zaal ben. En de glimlach op het gezicht van de gasten bevestigt dat ze op de mooiste bruiloft aller tijden zijn.

Het nummer houdt op en ik spoel vooruit. Ik vind het heerlijk om die eerste dans telkens weer te zien. Als het beeld een beetje vaag wordt omdat Josh de camera op tafel zet om een nummer, of een paar nummers, met Mel te dansen, spoel ik altijd door naar het volgende stuk.

Maar ik mag niet klagen. Ik ben ontzettend blij dat Josh de hele bruiloft voor me heeft opgenomen. Oké, misschien heeft hij het begin er niet op staan, waarin Mark de kerk in kwam rennen en ik flauwviel, maar de belangrijkste momenten staan erop. De redenen voor het 'Verras de bruidegom' mogen dan verkeerd zijn geweest, dat geef ik volmondig toe, maar de verbaasde uitdrukking die de hele dag op Marks gezicht lag, was onbetaalbaar. Van de jeep waarmee we naar de receptie werden gebracht tot de locatie van de receptie zelf, Mark was met stomheid geslagen.

Niet dat hij niet had gedacht dat ik het kon: het was meer dat uitgerekend ik het met zo'n klein budget kon doen. Ik ben op precies vijfduizend vierhonderdvierendertig pond uitgekomen. Niet slecht, hè?

En weet je, ik had het voor geen goud anders willen hebben. Het zou niet beter zijn geweest als ik een jurk met een sleep van drie meter had gehad, of als we kaviaarcanapés hadden gehad of een fotostand waar gasten maffe foto's konden laten nemen. Het gastenboek met de polaroidcamera heeft al genoeg maffe foto's opgeleverd. Vooral die van dames die foto's hebben genomen van hun borsten, waar ze hun handen voor hielden. Ik zou die van Lou nooit hebben herkend omdat ze nu enorm zijn, maar om haar trouw- en verlovingsringen die aan haar vinger schitterden kon ik niet heen.

Over Lou gesproken, bij een van de hoogtepunten van het feest stop ik met vooruitspoelen: het moment waarop Lou me vertelde wat mijn *Verras de bruid*-verrassing was. Ik had het in geen miljoen jaar geraden.

'Dames en heren,' zei de zanger van de band, 'wij hebben pauze, maar graag uw applaus voor beide getuigen, dj Loopy Lou en dj PP-L.'

Mijn open mond op de dvd is echt gênant. Ik zweer dat je mijn vullingen kunt tellen als Josh de camera van mij naar het tafereel op het podium laat gaan. Daar staan Phil en Lou in volle glorie, uitgedost in een belachelijke hiphopachtige outfit. Phil heeft zelfs een broekspijp half opgerold en mijn moeders hoed achterstevoren op. En Lou heeft Phils stropdas om haar hoofd gebonden.

'Yo, yo, yo,' zei Lou. 'Laat de *battle* beginnen.'

Het volgende uur was om te gillen. Echt, het heeft een week geduurd voordat de pijn in mijn ribben van het lachen over was. Lou en Phil hebben zich een uur lang door songs gestreden. Ze trokken elke keer een nummer dat een van mijn favoriete nummers was of een van Marks. Ze kregen er iedereen mee op de vloer. En dan bedoel ik ook iedereen, zelfs oma Violet.

Dat doet me eraan denken. Mijn favoriete herinnering aan oma Violet op de bruiloft is het moment tijdens de tweede set die de band speelde waarop Ted haar ten dans vroeg en ze op 'That's Amore' in een volmaakte wals over de vloer zwierden. Ik had het zelf niet beter kunnen bedenken. Oké, ik heb hem voor de receptie uitgenodigd. En ik heb hem even aangestoten toen het nummer begon. Maar verder was het zijn werk. Ik heb Violet niet meer zo breed zien glimlachen sinds ze met Kerst een halve fles Bailey's had gedronken voordat ze besefte dat er alcohol in zat.

'Je zit toch niet weer naar die dvd te kijken?' zegt Mark als hij de zitkamer in komt.

'Misschien. Ik vind hem gewoon geweldig.'

'Vond ik ook. De eerste keer dat ik hem zag.'

Ik weet dat ik geen geheimen meer voor Mark mag hebben, en over het algemeen gaat het goed. Alleen een of twee keer per week kijk ik stiekem naar deze opnames.

'Wat moet ik anders doen, nu ik de bruiloft niet meer hoef te organiseren?' vraag ik pruilend, en ik doe mijn best op een imitatie van Jane.

'Ik weet wel iets.'

Hij pakt mijn hand, trekt me van de bank en neemt me mee naar de trap. Stadium zes! *Stadium zes* – geintje.

Als er iets is wat ik heb geleerd van alle plannen voordat ik verloofd was, dan is het wel om niet alles meteen perfect te willen hebben. Wat het leven Mark en mij ook in de schoot werpt, het kan me niet schelen, zolang we het maar samen tegemoet gaan.

Dankwoord

Ik wil Jay graag bedanken, die uitstekend werk heeft verricht met de redactie van dit boek. Zoals altijd waren je aandacht voor detail en je suggesties heel accuraat. Ook dank aan Andrew Brown van Design for Writers, die een prachtig omslag heeft ontworpen en die geduld heeft gehad met mijn eeuwige paniekaanvallen.

Mijn agent Hannah wil ik ook bedanken voor het feit dat ze me als cliënt heeft geaccepteerd en mijn vele, vele vragen over zich heen heeft laten komen. Ik vind het geweldig dat ik nu dit stadium heb bereikt in mijn boekenavontuur!

Hoewel het onderwerp internetgokken in deze romantische comedy luchtig is behandeld, is het een ernstige aangelegenheid. Ik wil degenen bedanken die me hebben geholpen bij die bepaalde passages in het verhaal door over hun persoonlijke ervaringen te vertellen. Vergissingen die ik heb gemaakt met betrekking tot praatgroepen of advies zijn geheel aan mij te wijten.

Het schrijven van een boek is een uitputtend proces, en zonder de steun van mijn vrienden en familie was het me nooit gelukt. Bijzonder veel dank gaat uit naar Jane, Christie en

303

Steve voor het lezen van het eerste hoofdstuk, dat ik hen na lang aarzelen heb toegezonden. Hun positieve feedback hebben me het zelfvertrouwen gegeven om de rest te schrijven.

Ik ben ook enorm veel dank verschuldigd aan die mensen op internet die me oneindig veel steun geven. Twitter is een van de beste vrienden die een schrijver kan hebben (naast een hond). Vooral veel dank aan de dames van Novelicious: Kirsty, Debs, Kira, Amanda, Cesca, Kirsty P, Jenni J, Jenni C en Cressida, voor al hun hulp met de omslagen, de mooie uitspraken en de pr-stukjes, en voor het luisteren naar mijn gezever.

Ook veel dank aan mensen die mijn boeken blijven kopen, en aan degenen die beoordelingen hebben geschreven en me tweets hebben gestuurd. Ik vind niets heerlijker dan het idee dat ik mensen heb laten lachen of glimlachen.

En ten slotte heb ik dit boek aan mijn man te danken. Hij was dan wel weg voor zijn werk terwijl ik dit schreef, maar op een of andere manier wist hij toch een slavendrijver te zijn. Toch zal ik ervan genieten dat hij bij het volgende boek weer in de buurt is, want ik heb het echt gemist dat hij mijn rommel opruimde en me chocolade voerde!